EN TERRITOIRE
ENNEMI

Retrouvez toutes les collections **J'ai lu pour elle**
sur notre site:

www.jailu.com

JANE FEATHER

EN TERRITOIRE
ENNEMI

Traduit de l'américain par Edwige Hennebelle

Titre original:

Almost a lady

A Bantam book published by Bantam Dell,
a division of Random House, Inc., New York

© Jane Feather, 2005

Pour la traduction française:
© Éditions J'ai lu, 2006

1

De nombreux regards admiratifs suivaient les deux femmes qui se promenaient bras dessus bras dessous le long du front de mer. Il faut dire que leur apparence physique offrait un contraste saisissant. Grande et sculpturale, lady Fortescu, duchesse de Saint-Jules, possédait une carnation crémeuse, de larges yeux ambrés et une chevelure sombre ; d'une délicatesse de tanagra, sa compagne avait ce teint pâle, piqueté de quelques taches de rousseur, qui va si souvent de pair avec les cheveux roux et les yeux verts.

Meg Barratt s'arrêta puis, s'écartant de son amie, se détourna pour contempler la mer. Appuyée contre le muret surplombant la plage, elle offrit son visage à la brise salée. Ses boucles rousses se mirent à voleter autour de son mince visage triangulaire et elle éclata de rire en retenant d'une main son ravissant chapeau de paille.

— Je sens venir la tempête, Bella !

À son tour, sa compagne huma l'air.

— La tempête ? Mais non. Le ciel est aussi bleu que la mer et il n'y a pas un nuage en vue.

— Regarde là-bas, insista Meg en indiquant l'horizon du doigt.

Une bande sombre se profilait à la limite du ciel et de l'eau.

— Tu as toujours eu tendance à te prendre pour une météorologue avertie, se moqua Arabella en secouant la tête.

— C'est pas que j'suis d'la campagne, répliqua Meg en contrefaisant approximativement l'accent du Kent. Et je peux aussi te dire quand la mer monte.

— Ça, même moi, j'en suis capable ! répondit gaiement son amie en contemplant la ligne d'écume légère que les vagues déposaient sur le sable. De toute manière, il suffit de regarder le port...

Meg porta son regard vers la flottille de bateaux à l'ancre dans le port de Folkestone. Même à cette distance, on percevait l'agitation qui précédait le moment où, à marée haute, ils prendraient la mer. Marins et porteurs s'affairaient pour embarquer les ultimes chargements.

Il y avait là des voiliers privés, quelques navires de commerce et, au-delà de la jetée, deux énormes vaisseaux de la Royal Navy. Ce fut cependant une corvette dotée d'un alignement de canons rutilants qui retint son regard. À son bord régnait également la plus vive animation et un canot venait de s'arrimer à son flanc. Meg observa son occupant lorsqu'il grimpa à l'échelle de coupée avec une grâce et une agilité qu'elle ne put qu'admirer. Il enjamba ensuite le bastingage et se dirigea vers la plage arrière d'un pas souple avant de disparaître à la vue de Meg qui, malgré elle, avait écarquillé des yeux intéressés pour le suivre jusqu'au bout.

Elle reporta alors son attention sur Arabella.

— Que fait ton mari, cet après-midi ?

— Jack joue aux dés avec le prince de Galles, répondit son amie avec désinvolture. Ce cher Prinny va encore y laisser jusqu'à sa chemise, mais l'expérience n'y fait rien : chaque fois qu'il s'assoit en face de Jack à une table de jeu, c'est avec l'espoir que, cette fois, la chance le favorisera.

Tout en riant, elle passa son bras sous celui de Meg pour l'inviter à reprendre leur promenade.

— Je commence à en avoir assez de Folkestone... ajouta-t-elle. Pas toi ?

— Pas vraiment, mais je crois qu'il est temps pour moi de retourner passer quelque temps à la maison. Les lettres de maman commencent à se faire plaintives. La pauvre... Elle essaie de ne pas le montrer, mais elle désespère de me voir trouver un mari. Toute une saison à Londres avec Jack et toi, et pas l'ombre d'un prétendant en vue ! Je suis à n'en pas douter une cause perdue, conclut Meg avec un accablement affecté.

Arabella lui jeta un regard en coin.

— Si je peux me permettre, Meg, ce n'est pas tant le manque de prétendants que leur qualité... On dirait que tu n'es attirée que par des hommes « inépousables », même si le mot n'existe pas.

Meg laissa échapper un long soupir, mais ses yeux verts pétillaient de malice.

— Tu ne pourrais mieux dire, ma chère. Pour une raison que je ne m'explique pas, seuls les mauvais garçons m'attirent. Il faut dire que ce sont les seuls avec lesquels on s'amuse !

— Ce n'est pas moi qui te contredirai, dit Arabella avec un large sourire. Jack n'est pas précisément un modèle de convenance, ce qui fait tout son charme.

— Être père l'a un peu assagi, tout de même. Depuis la naissance de votre petit Charles, il est plus... je ne dirai pas « respectable », car il est trop joueur pour cela. Disons que ses manières sont plus policées.

Arabella hocha la tête avec un sourire attendri, comme chaque fois qu'on évoquait son mari ou son fils.

— En parlant de Charles... je dois rentrer. J'ai demandé à la nourrice de le préparer pour 16 heures. Je voudrais l'emmener se promener un peu en voiture.

De nouveau, Meg regarda vers l'horizon. Le banc de nuages sombres se rapprochait. Dans son sillage, la mer, hérissée de courtes vagues, prenait une couleur de plomb.

— Je ne crois pas que vous irez très loin cet après-midi...

Arabella suivit son regard.

— Tu as peut-être raison.

— Alors rentre vite chez toi. Il faut que je passe à la bibliothèque de prêt. Mme Carson a promis de me réserver le roman d'Ann Radcliffe, *L'Italien*, mais pas plus d'une journée. Alors je dois impérativement aller le retirer.

— Mon valet de pied va t'accompagner, proposa Arabella. Nous ne sommes qu'à quelques pas de la maison, je peux rentrer seule.

— C'est hors de question. Une duchesse ne sort pas sans une escorte décente, et j'ai l'habitude de me promener sans chaperon. Et la bibliothèque est juste là-haut...

De la main, Meg indiqua une rue étroite et escarpée qui, depuis le bord de mer, montait jusqu'à l'artère principale.

Arabella ne jugea pas utile d'insister. Son amie éprouvait quelquefois l'envie d'être seule, elle le savait. De plus, dans cette ville minuscule, personne ne s'offusquerait de voir une quasi-vieille fille circuler seule.

— À tout à l'heure, alors, dit-elle en s'éloignant avec un signe de la main

Meg emprunta la ruelle qui grimpait entre deux rangées de maisons médiévales. Elles étaient si inclinées que leurs faîtes, qui se touchaient presque, empêchaient le soleil de venir sécher les pavés toujours humides et glissants.

En cette mi-avril, le soleil n'offrait d'ailleurs qu'une chaleur toute relative, d'autant que le vent qui s'était levé s'engouffrait en sifflant dans l'étroit passage. Tout en resserrant autour d'elle son châle en cachemire, Meg regretta de n'avoir pas pris sa pelisse. Sa robe en fine batiste bleue était certes à la dernière mode, mais elle ne la protégeait guère des éléments.

Elle retrouva la lumière en débouchant dans la rue principale et le vent froid lui fit hâter le pas. C'est avec soulagement qu'elle franchit le seuil de la bibliothèque.

— Bonjour, mademoiselle. J'ai le roman d'Ann Radcliffe que vous m'avez demandé, lui dit Mme Carson en déposant un volume sur le comptoir. Deux autres dames attendent également avec impatience de le découvrir.

— Je le lirai vite, promit Meg en effleurant la couverture du bout des doigts. S'il est aussi palpitant que *Les Mystères d'Udolphe*, je ne pourrai pas le reposer avant de l'avoir terminé.

— Je le trouve encore meilleur, assura Mme Carson après avoir baissé la voix et jeté un regard de conspiratrice autour de la salle presque déserte.

Meg sourit, puis hocha la tête.

— Je vais jeter un coup d'œil dans les rayons, au cas où un autre ouvrage me ferait envie…

Après avoir parcouru du regard les nombreux rayonnages qui tapissaient le mur du fond, Meg finit par prendre un volume de poèmes de Wordsworth. Elle l'ouvrit et, à son habitude, s'abîma dans sa lecture.

Sa surprise fut grande lorsqu'elle prit conscience que près d'une heure s'était écoulée. Même si elle n'avait aucune raison de se sentir coupable, ce fut avec gêne qu'elle retourna précipitamment vers le comptoir.

— Je ne me suis pas rendu compte de l'heure… Je vais emprunter celui-ci aussi, dit-elle en tendant un shilling.

— Dépêchez-vous de rentrer, mademoiselle Barratt, lui conseilla Mme Carson en emballant les livres dans un papier brun. Le ciel s'est terriblement assombri.

Meg jeta un coup d'œil à l'extérieur. Le soleil avait disparu, et une obscurité crépusculaire gagnait la rue.

— C'est la tempête qui arrive, dit-elle en calant les deux volumes sous son bras.

Après avoir pris rapidement congé, Meg se hâta de remonter la rue. Tête baissée pour lutter contre les bourrasques, les rares passants pressaient le pas pour rentrer chez eux avant la pluie. Le tonnerre grondait.

D'une main, Meg releva sa jupe qui l'entravait et courut jusqu'à l'entrée de la ruelle.

De lourdes gouttes s'abattirent sur le pavé au moment où elle s'engageait dans l'étroit passage. Au moins celui-ci lui offrirait-il une relative protection contre la pluie! Or, à peine avait-elle formulé cet espoir que Meg s'immobilisa et fronça les sourcils. Une voiture arrêtée à mi-chemin bloquait pratiquement la voie.

Parviendrait-elle à passer? se demanda-t-elle au moment où un éclair déchirait le ciel. La pluie se mit à tomber pour de bon, si drue qu'elle pénétra même dans la ruelle. En quelques secondes, le chapeau de Meg fut trempé. Elle regarda autour d'elle, sans apercevoir le moindre porche sous lequel s'abriter. Résignée, elle serra les livres sous son châle, puis s'avança avec précaution sur les pavés rendus encore plus glissants par l'eau et la boue qui dévalaient la pente. À un moment, elle dérapa et dut s'accrocher à un montant de porte providentiel.

Le carrosse n'avait toujours pas bougé. Quelle affaire pouvait bien retenir une aussi large voiture dans un passage tellement étroit? Sans voir les chevaux – qui se trouvaient face à la mer – Meg jugea qu'ils devaient être au moins quatre, et que les faire manœuvrer serait sans doute plus qu'ardu.

Que lui importait, après tout? Elle secoua la tête avant de reprendre sa marche avec une prudence accrue. Une eau glacée lui dégoulinait dans le cou, ses sandales étaient trempées, de même que sa robe dont l'ourlet s'alourdissait de boue à chaque pas.

Alors qu'elle approchait du véhicule, une des portières s'ouvrit, comme pour l'inviter à monter. De nouveau, Meg s'arrêta. Une vague appréhension lui fit battre le cœur. C'était ridicule, évidemment! Que pouvait-elle craindre dans cette paisible petite ville côtière?

Cependant, la portière lui barrait le passage. Ayant évité de justesse une nouvelle glissade, elle cria, un peu oppressée:

— Pourriez-vous fermer la portière, s'il vous plaît ? Je ne peux pas passer !

Aucune réponse. L'inquiétude fit place à l'irritation. Certes, le martèlement de l'eau couvrait peut-être sa voix, mais ces gens ne pouvaient-ils envisager que quelqu'un puisse vouloir passer ? Et pourquoi diable laisser cette portière grande ouverte sous un tel déluge ?

Peinant à conserver son équilibre, Meg posa la main sur l'arrière du véhicule pour tenter de le contourner. Soudain, celui-ci avança d'un bon mètre. Le pied de Meg glissa et elle tomba en arrière dans le flot tumultueux qui dévalait à présent la ruelle. L'espace d'une fraction de seconde, elle eut conscience du danger qui la menaçait : l'eau allait l'entraîner sous le carrosse, puis jusqu'à la mer !

Ensuite, ce fut le trou noir.

*
* *

Quand elle rouvrit les yeux, Meg se trouvait dans un monde étrange, mouvant et agité. Elle reposait à plat dos sur un lit étroit qui ressemblait à une boîte, et comprit l'utilité des montants de bois qu'elle explorait de la main lorsqu'une violente secousse la projeta sur le côté. Malgré ses efforts, elle ne parvint pas à distinguer quoi que ce soit dans l'obscurité totale qui l'environnait. Comme sa tête lui faisait mal et qu'elle se sentait nauséeuse, elle estima préférable de refermer les yeux.

Lorsqu'elle se réveilla, ce fut cette fois au rythme d'un doux balancement dans un monde éclaboussé de lumière. Une voix croassa :

— Réveil ! Réveil !

Consciente d'une légère douleur à l'arrière de la tête, Meg tourna celle-ci avec précaution. Du haut de son perchoir, un gros oiseau au plumage écarlate, pourvu d'une longue queue, la contemplait de ses petits yeux noirs brillant comme des perles.

— Réveil! répéta-t-il avant de partir d'un rire rauque.

Était-elle morte? Se trouvait-elle dans une sorte d'au-delà peuplé d'oiseaux parleurs?

— Tais-toi! intima-t-elle au volatile qui continuait à ponctuer chaque «Réveil!» d'un rire grinçant.

À sa profonde surprise, il obéit.

Tout doucement, Meg releva la tête et palpa son crâne. Juste derrière son oreille droite, elle sentit une bosse. Voilà qui était plutôt rassurant. Conséquence prévisible d'une chute sur le pavé, une bosse appartenait au monde réel... et Meg s'aperçut qu'elle se souvenait parfaitement de l'accident survenu dans la ruelle. Tous les détails lui revenaient en mémoire jusqu'au moment où elle avait été emportée sous le carrosse. Mais ensuite, que s'était-il passé?

Soulevant la couverture, elle constata, non sans stupéfaction, qu'elle était vêtue d'une très élégante chemise de nuit.

— B'jour! B'jour! lança l'oiseau en la considérant de ses yeux perçants, la tête penchée sur le côté.

— Bonjour, répondit Meg en s'asseyant avec précaution sur la couchette.

Derrière un alignement de hublots, la mer dansait doucement sous les vifs rayons du soleil. La conclusion s'imposa, évidente : elle se trouvait sur un bateau. Mais comment? Et surtout, pourquoi?

Du regard, elle fit le tour de l'étroit espace entièrement lambrissé. Curieusement, il ne manquait pas de confort. Un tapis – d'Aubusson, lui sembla-t-il – couvrait le sol et des coussins garnissaient les banquettes disposées sous les petites fenêtres; une table et deux chaises, vissées au sol, occupaient le centre de la cabine, et on distinguait plusieurs portes, sans doute des placards, serties dans les panneaux de bois. Une autre porte, plus grande, menait certainement à l'extérieur.

12

Justement, on frappa à celle-ci un coup léger. Le cœur de Meg fit une embardée et elle déglutit avec peine. Avant qu'elle n'ait eu le temps de dire quoi que ce soit, l'oiseau cria :

— Entrez ! Entrez !

La porte s'ouvrit, livrant passage à un homme qui referma avec soin derrière lui. Aussitôt, l'oiseau battit des ailes et alla se percher, tel un énorme faucon écarlate, sur le poignet que lui présentait le nouveau venu.

— Qui diable êtes-vous ? s'exclama Meg en le dévisageant.

Son visiteur esquissa un sourire qui fit briller une rangée de dents éclatantes dans son visage hâlé. S'adossant au battant de la porte, il la considéra avec une curiosité amicale. Ses prunelles étaient du même bleu délavé que l'horizon lointain.

— C'est bizarre, mais j'allais vous poser exactement la même question.

Meg secoua la tête avec incrédulité.

— J'aurais pensé que vous connaissiez le nom de la personne que vous avez enlevée !

— Eh bien... vous aurez peut-être du mal à l'admettre, mais vous n'avez pas vraiment été enlevée.

Tout en parlant, il s'était avancé pour aller reposer l'oiseau sur son perchoir.

Celui-ci laissa échapper un caquètement désapprobateur puis, l'air déconfit, marmonna :

— Pôvre Gus... Pôvre Gus...

Meg le regarda, interdite.

— Gus ? répéta-t-elle.

— Pôvre Gus, corrigea l'oiseau.

— Gus est un ara écarlate, expliqua l'homme en lui caressant le plumage. Il est assez bavard.

— C'est ce que j'ai cru remarquer, commenta Meg d'un ton acide.

« Seigneur, n'avaient-ils donc aucun autre sujet de conversation qu'un fichu perroquet ? » s'emporta-t-elle *in petto* avant de tenter de rectifier la situation.

— Si je n'ai pas été enlevée, comment suis-je arrivée ici ?

Son hôte, si on pouvait le qualifier ainsi, se percha sur le coin de la table, une jambe à terre, l'autre se balançant nonchalamment dans le vide. Ses gestes étaient empreints d'une grâce et d'une souplesse qui, curieusement, semblaient familières à Meg. Soudain, elle le reconnut : c'était l'homme qu'elle avait observé depuis le front de mer, alors qu'il embarquait sur l'un des navires.

— C'est votre bateau ? demanda-t-elle bien qu'elle devinât la réponse.

— Oui, une corvette qui s'appelle la *Marie-Rose*. Avez-vous faim ? Voulez-vous déjeuner ?

Meg s'aperçut que non seulement elle avait faim, mais qu'elle était littéralement affamée.

— Depuis combien de temps suis-je ici ?

— Nous vous avons ramassée hier, en fin d'après-midi. Et nous sommes au milieu de la matinée…

Tendant le bras derrière lui, l'homme s'empara d'une petite cloche qu'il agita. Un rayon de soleil passant sur ses cheveux alluma un reflet cuivré dans ses boucles auburn, de cette couleur que Meg – elle-même d'un roux flamboyant – avait toujours enviée pour sa subtilité.

Adossée à la tête de la couchette, elle observa l'inconnu avec attention. Elle n'éprouvait aucune crainte en sa présence, ce qui n'était peut-être pas bon signe étant donné les circonstances.

Peu après, un homme corpulent entra dans la cabine.

— Oui, cap'taine ? dit-il en s'abstenant avec soin de jeter un coup d'œil en direction de la couchette.

— Apporte de quoi déjeuner, Biggins. Et du café. À moins que vous ne préfériez du thé, mademoiselle ? s'enquit son hôte avec un sourire poli.

— Du café, ce sera parfait ! répondit Meg sans pouvoir dissimuler son enthousiasme.

14

— Salut ! Salut ! croassa le perroquet lorsque le dénommé Biggins repassa la porte.

— Possède-t-il un large vocabulaire ? ne put-elle s'empêcher de demander.

— Assez large, répondit le capitaine de la *Marie-Rose*, avant de la regarder en fronçant les sourcils. On m'a dit que vous étiez blessée à la tête. Qu'en est-il ?

Meg posa la main sur sa bosse.

— C'est un peu douloureux, mais pas grave du tout. Où sont mes vêtements ?

— Inutile d'espérer les remettre, ils sont fichus. Vous trouverez tout ce qu'il faut pour vous changer dans le caisson de bâbord, ajouta-t-il en désignant l'un des côtés de la cabine.

— Je comprends… murmura Meg qui n'y comprenait goutte. Et ce que j'ai sur moi… ?

— Je n'en sais rien. Que portez-vous ? demanda-t-il avec une curiosité qui semblait sincère.

De plus en plus désorientée, Meg ferma brièvement les yeux. Une étincelle de bon sens allait-elle enfin jaillir de cette conversation insensée ?

— Une chemise de nuit, finit-elle par dire. Une chemise de nuit luxueuse et élégante, m'a-t-il semblé.

Son interlocuteur ne marqua aucune surprise. Il hocha simplement la tête.

— On vous a transportée à l'infirmerie, hier soir. Sans doute le chirurgien a-t-il pris soin de vous ôter vos vêtements trempés après s'être occupé de votre blessure.

Voilà au moins un petit mystère dissipé ! songea Meg. Et puis, on ne pouvait guère trouver à redire au fait qu'un médecin vous prodigue ses attentions…

Le marin courtaud réapparut, chargé d'un plateau et suivi d'un jeune garçon qui portait un pot de café.

Ce dernier coula un regard curieux en direction de Meg puis, l'air légèrement penaud, posa le café sur la table et sortit en courant. Biggins, en revanche, concentra toute son attention sur sa tâche. Lorsqu'il se retira à son tour, accompagné d'une volée de « Salut ! » de la part de Gus, Meg rejeta sa couverture et descendit de la couchette. Sentant le sol se dérober sous ses pieds, elle s'agrippa au dossier de l'une des chaises.

— Vous vous y habituerez, déclara calmement son compagnon. Ce déshabillé est très élégant, vous avez raison, ajouta-t-il avec un regard appréciateur. C'est une chance qu'il vous aille aussi bien... Vous aimez les œufs au jambon, j'espère ?

« Vous vous y habituerez » ? Qu'entendait-il par là ? Meg le dévisagea, interdite. Elle renonça cependant à dire quoi que ce soit. Sans doute la faim était-elle responsable de son incapacité à évaluer la situation. Une fois ses forces restaurées, elle y verrait certainement plus clair.

Elle s'assit donc et attaqua le repas placé devant elle.

Son hôte n'avait toujours pas dit un mot lorsqu'elle essuya son assiette avec un morceau de pain de seigle et but la dernière goutte de son café. C'est en reposant sa tasse qu'elle prit conscience, non sans embarras, qu'elle avait dû offrir à son vis-à-vis une image de pure goinfrerie. Mais, après tout, elle n'avait rien mangé depuis le léger en-cas pris la veille à midi.

Ce souvenir en suscita un autre, si vivace qu'il dissipa instantanément sa gêne : le carrosse et sa portière ouverte qui lui barrait le passage.

— Comment justifiez-vous qu'il ne s'agit pas d'un enlèvement ? demanda-t-elle. Je perds connaissance, je me réveille dans un endroit où je n'ai aucune raison de me trouver... Prisonnière sur un bateau, rien que cela... Pour moi, cela correspond tout à fait à la définition d'un enlèvement !

— Comme vous l'avez vous-même souligné, si tel était le cas, je connaîtrais sûrement le nom de la personne que j'ai enlevée, répliqua-t-il avec un léger sourire.

Meg remarqua malgré elle que les petits plis au coin de ses yeux étaient plus pâles que le reste de son visage.

— Qui m'a amenée ici ?

— Mes hommes.

— *Res ipsa loquitur !* s'exclama-t-elle, une note de triomphe dans la voix.

Elle ne s'attendait pas à ce qu'un simple marin connût le terme juridique. Pourtant, il secoua la tête.

— Non. Dans ce cas précis, les choses ne parlent pas d'elles-mêmes. Mes hommes ont cru que vous étiez la personne qu'on leur avait demandé d'aller chercher. Une personne qui devait venir ici de son plein gré. Quand vous avez glissé en essayant de monter dans le carrosse...

— En essayant de le contourner, coupa Meg. La portière ouverte me barrait le passage.

— Elle était ouverte pour qu'Ana... c'est-à-dire la dame que mes hommes attendaient, puisse monter le plus rapidement possible.

— Alors, où est cette... Ana ?

L'expression de son interlocuteur s'assombrit ; il dévisagea Meg en silence.

— Je voudrais bien le savoir, finit-il par murmurer.

Meg abaissa les yeux sur les plis soyeux de son ample chemise de nuit.

— Ceci lui appartient ?

— Et vous va à merveille, dit-il après avoir hoché la tête. Voyez-vous, ma chère demoiselle, l'erreur commise par mes hommes est tout à fait compréhensible. Ils n'avaient jamais vu cette personne, et la description qu'on leur a donnée correspondait assez bien à la vôtre. Ils vous ont donc amenée ici en toute bonne foi.

— Dans ce cas, pourquoi ne pas m'avoir simplement ramenée ? demanda sèchement Meg en se relevant d'un mouvement indigné.

Appuyée d'une main au dossier de la chaise, elle lui fit face, secouée d'une colère légitime.

— Je ne le pouvais pas, se contenta-t-il de répondre.

— Comment ça, vous ne le pouviez pas ?

Une peur insidieuse commençait à lui serrer les entrailles. Pas un seul instant, jusqu'à ce moment précis, elle n'avait envisagé qu'on ne puisse remédier à cette situation absurde.

— Rasseyez-vous, lui dit-il.

Il parlait d'une voix unie, mais Meg comprit qu'il s'agissait d'un ordre plutôt que d'une suggestion. Après avoir hésité une seconde, elle obtempéra.

— La marée était haute lorsqu'on vous a embarquée, et vous étiez enveloppée dans un manteau. Il ne m'est pas venu à l'esprit d'examiner une femme que je pensais connaître. Aussi, quand on m'a dit que vous aviez glissé et que votre tête avait heurté les pavés, j'ai simplement demandé qu'on vous transporte à l'infirmerie. Après cela, toute mon attention a été requise par les manœuvres pour sortir la *Marie-Rose* du port. La tempête faisait rage.

Il s'exprimait toujours avec la même autorité tranquille. Malgré son courroux, Meg ne trouva rien à redire à l'enchaînement des circonstances tel qu'il le décrivait.

— Une fois le calme revenu, je me suis enquis de votre état auprès du chirurgien, lequel m'a dit que vous n'aviez rien de grave et qu'on vous avait transportée dans ma cabine.

Il haussa les épaules avant d'ajouter :

— Je n'y ai pas prêté attention… jusqu'au moment où je suis descendu, l'aube venue, et où j'ai pris la mesure de la catastrophe.

— De la « catastrophe » ? C'est moi, la catastrophe ?

L'homme passa la main dans son épaisse chevelure auburn, qu'il portait un peu plus longue que la mode ne l'exigeait. Un détail que Meg remarqua en passant.

— C'est un peu difficile à expliquer, dit-il d'un ton vague. La dame dont vous avez pris la place s'était portée volontaire pour une mission d'une importance capitale. Son absence et, en conséquence, votre présence malencontreuse, constituent effectivement une catastrophe.

Meg le regarda comme s'il était un charmeur de serpent et elle, le serpent.

— Qui êtes-vous ?

— Des présentations sont nécessaires, vous avez raison. Alors, qui mes hommes ont-ils ramassée dans un torrent de boue hier après-midi ?

— Je m'appelle Meg Barratt.

En énonçant ainsi son identité, Meg fut frappée de plein fouet par l'horrible réalité. Ses parents ! Et Jack et Arabella ! Ils allaient être fous d'inquiétude !

— Si je ne retourne pas à Folkestone immédiatement, je ne sais pas ce qu'il va se passer. Je dois impérativement rentrer !

Tout en parlant, Meg jeta un regard désespéré vers les hublots. À perte de vue, elle ne voyait que la mer et l'inexorable mouvement des vagues qui se refermaient dans le sillage du bateau et qui l'entraînaient Dieu sait où.

— Je ne peux vous ramener, dit l'homme d'un ton ferme, empreint toutefois d'une note de regret. Même si la marée nous était favorable, le temps joue contre nous. Ma mission ne peut être accomplie qu'à un moment précis, et je ne peux me permettre de sacrifier cette opportunité.

Lentement, Meg dut se résigner à l'évidence : elle était prise au piège et ne pouvait faire revenir le bateau à Folkestone. Là où le capitaine de la *Marie-Rose* irait, elle serait obligée de le suivre.

— Qui êtes-vous ? répéta-t-elle.

— Je m'appelle Cosimo, répondit-il avec un salut qui n'aurait pas été déplacé dans un salon.

— De Médicis ? lança-t-elle, sarcastique.

Un tel patronyme n'aurait-il pas été parfaitement légitime dans cette abracadabrante histoire de mission à l'importance prétendue capitale ?

Meg fut déconcertée en le voyant se contenter de sourire.

— Ma mère s'est débrouillée pour marier sa fantaisie naturelle avec son amour de l'histoire italienne.

— Si ce n'est pas de Médicis, alors c'est quoi ? demanda-t-elle avec un dédain marqué.

— Simplement Cosimo, répondit-il sans paraître prendre ombrage de son agressivité. Vous n'avez pas besoin de me connaître sous un autre nom.

— Je n'ai aucun désir de vous connaître tout court !

Meg lui tourna le dos pour aller se placer face à l'un des hublots. À genoux sur la banquette qui se trouvait en dessous, elle fixa son regard sur la mer en essayant de retenir les larmes qui lui piquaient les paupières.

— Lorsque vous souhaiterez vous habiller, vous trouverez des vêtements dans le placard que je vous ai indiqué, dit-il derrière elle de cette même voix unie. Ils vous iront sûrement aussi bien que la chemise de nuit. Montez sur le pont quand vous en aurez envie.

Meg entendit la porte s'ouvrir puis se refermer.

— Salut ! Salut ! Pôvre Gus... Pôvre Gus...

— Oh ! tais-toi donc ! lui jeta Meg d'une voix que les larmes étranglaient.

— Pôvre Gus, murmura le perroquet avant de cacher sa tête sous son aile.

2

Cosimo grimpa sur le pont en s'appliquant à conserver un visage impassible, malgré la violence des sentiments qui l'agitaient.

Quand le timonier lui proposa de prendre la barre, il déclina avec un signe de tête.

— Plus tard, Mike, lorsque nous arriverons en vue des îles.

— Bien, cap'taine. Les écueils sont traîtres, comme partout sur les côtes de Bretagne…

— Je ne voulais pas insinuer que tu n'es pas à la hauteur, Mike. Mais j'aime bien m'y frotter moi-même.

— Et y a pas meilleur que vous, affirma l'homme avec un large sourire.

Cosimo leva les yeux vers les voiles qui faseyaient imperceptiblement.

— Il va nous falloir des heures pour atteindre les côtes. Il n'y a pratiquement pas de vent.

— Ouais, et la mer est d'huile, renchérit le timonier avant de cracher par-dessus bord.

Les bras croisés, Cosimo scruta l'horizon. Dans le lointain se profilaient les îles de la Manche. Par bon vent, il ne leur aurait fallu que quatre heures pour atteindre Sercq. Mais à ce train-là, la *Marie-Rose* ne l'approcherait qu'à la nuit tombée, et Cosimo n'était pas homme à risquer une manœuvre dangereuse. Pourtant, Dieu sait s'il était impatient de mener sa mission à bien !

La pensée d'Ana ne le quittait pas. Que lui était-il arrivé ? Un simple incident qui l'avait empêchée d'honorer leur rendez-vous, ou quelque chose de plus grave ?

Si jamais elle était tombée aux mains des Français, il ne s'écoulerait guère de temps avant que la torture n'ait raison de son silence. Ana avait beau être une femme forte doublée d'un agent chevronné, Cosimo ne se faisait pas d'illusions. Lui-même passerait aux aveux, dans ces circonstances, il le savait.

Et si Ana avait été trahie, non seulement leur mission risquait d'être compromise, mais tous ses exécutants couraient un grand danger. Ana connaissait trop de secrets, trop de noms et, à l'heure qu'il était, qui sait si sa vie à lui valait encore quelque chose ?

Il voulait néanmoins encore espérer qu'un message l'attendait à Sercq. Ana savait qu'il devait impérativement prendre la mer pour surprendre Napoléon Bonaparte à Toulon. Si un incident l'avait empêchée de se rendre à Folkestone, peut-être ralliait-elle déjà la France par ses propres moyens.

À quoi bon toutes ces conjectures maintenant ? songea Cosimo en secouant la tête. Il lui faudrait attendre d'avoir débarqué à Sercq pour aviser.

— Monsieur Fisher ! appela-t-il depuis son poste.

— Capitaine ? dit poliment le jeune homme qui se tenait depuis un moment à une distance respectueuse.

— Qu'on amène les voiles, nous n'avançons plus. Dites à l'équipage qu'il a quartier libre pendant deux heures. Avec un peu de chance, le vent se lèvera en fin d'après-midi.

Le marin ne se le fit pas dire deux fois. Il dégringola l'échelle tout en hurlant les ordres entre ses mains en porte-voix.

Cosimo sourit en lui-même. Un tel manque de formalité n'aurait pas été toléré sur un bâtiment de la marine nationale. Si la *Marie-Rose* offrait ses services à la Couronne c'était en tant que corsaire car Cosimo, qui chérissait sa liberté plus que tout, rejetait les structures hiérarchiques rigides de la Royal Navy.

Celle-ci devait donc composer avec son dédain du protocole lorsqu'elle le sollicitait pour des affaires délicates.

Son sourire s'effaça lorsqu'il songea soudain à Mlle Barratt. Apparemment, elle n'entendait pas donner suite à sa proposition de le rejoindre sur le pont. Il comprenait, bien sûr, son mécontentement à se retrouver prisonnière sur la *Marie-Rose*. Une fois à Sercq, il ne serait pas difficile de la débarquer et de trouver un pêcheur susceptible de la ramener à Folkestone, moyennant finances.

Oui, mais serait-ce agir judicieusement ?

Comme d'habitude, le cerveau de Cosimo travaillait sur deux plans simultanés. Et le résultat de son activité souterraine surgit opportunément à sa conscience.

Mlle Barratt ressemblait tant à Ana que c'en était troublant : même silhouette gracile, mêmes cheveux roux… Certes, la chevelure d'Ana était moins flamboyante, mais il fallait très bien la connaître pour remarquer cette nuance. Quant aux taches de rousseur qui constellaient le visage de Mlle Barratt, on pouvait toujours les maquiller. Restaient les traits du visage, incontestablement différents. Cela dit, Bonaparte n'avait rencontré Ana que deux fois, et la dernière remontait à plus d'un an. Il ne s'en souvenait sans doute pas de manière précise ; leur ressemblance suffirait à attirer son attention.

Le plan que venait de concevoir son cerveau parut tout d'abord insensé à Cosimo. Cependant, un assassin devait savoir tourner les événements à son avantage. Finalement, il choisirait peut-être de ne pas débarquer Mlle Barratt à Sercq.

*
* *

Meg finit par détourner son regard du spectacle hypnotisant de la mer étale. Avec un reniflement résolu, elle mit fin à ses larmes puis, assise sur la banquette, jeta un nouveau regard sur son environnement.

La vaisselle et les reliefs du petit déjeuner étaient toujours sur la table ; sur son perchoir, Gus boudait, lui tournant le dos. Les yeux de Meg se posèrent ensuite sur une grande cage qui se balançait au plafond, puis s'arrêtèrent sur deux livres rangés sur une étagère : *L'Italien*, d'Ann Radcliffe, et les poèmes de Wordsworth. Quelqu'un avait pris la peine de ramasser les deux volumes dans le torrent de boue de la ruelle !

À la fois stupéfaite et touchée d'une telle attention, elle détourna les yeux vers la porte. Allait-elle s'aventurer à l'extérieur ? Quoi qu'elle décidât, elle ne pouvait pas faire grand-chose en chemise de nuit.

En quelques pas, elle fut devant le placard désigné par le capitaine. Il contenait plusieurs robes, une épaisse cape pourvue d'une capuche, des châles et, bien rangé dans des tiroirs, un assortiment complet de lingerie. Deux paires de solides bottines complétaient ce trousseau.

Meg commençait tout juste à se rasséréner lorsqu'un coup frappé à la porte la fit sursauter. Il lui fallut fournir un effort sur elle-même pour parvenir à maîtriser sa voix.

— Entrez !

L'homme qui pénétra dans la cabine n'était ni Cosimo ni Biggins, et Meg hésita sur la conduite à tenir face à l'étranger.

— David ! David ! croassa Gus, visiblement ravi, en sautant sur la table pour se porter à la rencontre du nouveau venu.

Celui-ci présentait un visage avenant, couronné d'une chevelure poivre et sel, et il portait une grosse sacoche en cuir. Le sourire contraint qu'il adressa à Meg tout en grattant le crâne de Gus illumina ses yeux gris pâle. Le perroquet sauta alors sur son épaule et, campé là, décocha à Meg un regard qu'elle aurait juré triomphant.

— Bonjour, mademoiselle, dit le dénommé David.

Meg le salua à son tour avant de refermer le placard.

L'homme posa son sac sur le lit et sourit à nouveau.

— Pardonnez-moi, j'ignore votre nom. Je suis le chirurgien de bord et je me suis occupé de vous hier soir.

— Je vous en suis très reconnaissante, monsieur, assura Meg en lui retournant son sourire. Je m'appelle Meg Barratt.

— David Porter, pour vous servir, mademoiselle Barratt. Comment vous sentez-vous aujourd'hui ? Avez-vous mal à la tête ?

— Non. Elle est juste un peu sensible à l'endroit de la bosse.

— Rien que de très normal. Un peu de baume à l'hamamélis devrait vous soulager.

Il décrocha Gus de son épaule pour le poser sur la table. Ayant apparemment recouvré son entrain, l'ara se mit à grappiller des miettes de pain.

— Vous souvenez-vous de ce qui s'est passé ? demanda le médecin tout en ouvrant sa sacoche.

— Absolument de tout jusqu'au moment où j'ai commencé à glisser sous la voiture.

— Parfait. Si vous voulez bien vous asseoir...

D'un geste un peu hésitant, il lui désigna une chaise. Mise en confiance par sa réserve polie, Meg obéit et pencha la tête pour faciliter l'examen de sa blessure. Quand le médecin eut étalé un baume agréablement frais sur celle-ci, Meg se sentit plus détendue.

— Docteur Porter, savez-vous où nous allons ?

— Je ne m'en soucie pas trop, répondit-il franchement. Pourquoi ne pas le demander à Cosimo ?

— Ah... Je... Est-il le seul à connaître notre destination ? s'enquit-elle après une hésitation.

— Nous croyons tous savoir où nous allons, mademoiselle Barratt, dit David Porter avec un léger sourire.

Mais seul Cosimo a connaissance des éléments susceptibles de tout bouleverser.

Meg tourna brusquement la tête pour le dévisager.

— Vous voulez dire que tout le monde accepte gaiement de naviguer vers une destination soumise au caprice d'un seul homme ?

— En quelque sorte, oui, acquiesça le chirurgien avec un sourire placide. Votre bosse devrait diminuer d'ici un jour ou deux. En attendant, ne vous dépensez pas trop...

— Me dépenser ? s'exclama Meg. Comment pourrais-je me dépenser alors que je suis confinée dans cette cabine ?

David Porter fronça les sourcils.

— Je n'ai pourtant donné aucune recommandation en ce sens.

Se remémorant l'invitation de Cosimo à se rendre sur le pont, Meg se rembrunit.

— J'ai fait le choix de rester à l'écart, dit-elle d'un ton pincé. Je suis ici contre mon gré, et je n'ai pas l'intention de quitter cette cabine tant que je ne pourrai pas rentrer chez moi.

— Je comprends... dit le médecin d'un ton grave. Il vous faudrait néanmoins prendre l'air et pratiquer un exercice modéré. Un peu de marche sur le pont, par exemple. Il n'est pas sain de rester enfermée pendant une longue période.

— Une longue période ? répéta Meg d'une voix étranglée. Qu'appelez-vous longue ?

— Comme je vous l'ai dit, vous devriez le demander à Cosimo.

Penché sur son sac, M. Porter rangeait ses instruments. Quand il eut terminé, il considéra Meg d'un air songeur.

— Vous agirez comme bon vous semble, bien sûr. Je sais que votre situation est difficile, mais vous n'avez rien à craindre sur ce navire, mademoiselle Barratt, je vous l'assure.

26

Comme il se tournait vers la porte, Gus alla de nouveau se jucher sur son épaule.

— Salut ! Salut ! cria-t-il à l'intention de Meg avant de disparaître avec le chirurgien dans le couloir.

Meg se laissa de nouveau tomber sur la banquette, heureuse d'être débarrassée de ce satané oiseau. Le silence, enfin ! Ce n'est qu'après quelques instants qu'elle prit conscience d'un changement dans le mouvement du bateau. Un coup d'œil au-dehors le lui confirma : la *Marie-Rose* n'avançait plus.

Quelle que fût la situation, elle ne pouvait l'affronter en chemise de nuit. Elle retourna donc vers le placard et en sortit des sous-vêtements, une robe de mousseline couleur bronze et un châle en cachemire.

Puis elle s'immobilisa, irrésolue, le regard fixé sur la porte de la cabine. Comme pour confirmer son manque d'intimité, on frappa un coup bref.

— C'est pour débarrasser la table…

— Entrez ! cria-t-elle après avoir drapé le châle autour de ses épaules.

Biggins parut, la salua de la tête puis empila prestement la vaisselle sur un plateau.

— Je r'viens avec d'l'eau chaude, mam'zelle.

Quelques minutes plus tard, il réapparaissait, chargé de deux brocs fumants.

— J'vais les poser dans l'cabinet d'toilette du cap'taine, dit-il en passant sous le linteau surbaissé d'une espèce d'alcôve que Meg n'avait pas remarquée, à la tête du lit.

Curieuse, elle le suivit. Le minuscule espace comportait une planche percée d'un trou, lequel donnait directement sur la mer. À côté se trouvait une grande cuve en porcelaine, munie d'un bouchon, qui tenait visiblement lieu de baignoire.

— Avez-vous besoin d'aut'chose, mam'zelle ?

— Non, je vous remercie, se hâta de dire Meg qui ressentait cruellement, depuis un moment déjà, le besoin de telles commodités.

Dès que Biggins eut refermé la porte, Meg se précipita pour examiner celle-ci. Elle comportait bien une serrure, mais pas de clé. Les chaises étant rivées au sol, impossible de les utiliser pour bloquer la porte. Allait-elle devoir se déshabiller, pire, utiliser les toilettes sans avoir l'assurance que personne ne ferait irruption dans la pièce ? Même si le bon docteur assurait qu'elle n'avait rien à craindre sur ce navire, cela restait à prouver !

Pressée par les circonstances, elle se résigna à retourner dans l'alcôve. Après avoir paré au plus urgent, puis s'être baigné visage et mains, elle revint se planter devant la porte.

Elle n'entrevoyait qu'une solution, à laquelle elle recourut immédiatement : s'adosser à la porte pour se changer. Prestement, elle ôta sa chemise de nuit et revêtit chemise, jupon, bas et, enfin, la robe de mousseline. Celle-ci ne lui allait pas à la perfection ; de toute évidence, Ana était un peu plus grande qu'elle et, surtout, mieux dotée au niveau de la poitrine.

Qui était cette femme ? s'interrogea Meg, songeuse. Avait-elle choisi cette garde-robe elle-même, ou les vêtements avaient-ils été placés là en prévision de son arrivée ? Si les hommes de Cosimo ne la connaissaient pas, cela signifiait sans doute qu'elle n'avait jamais mis les pieds sur la *Marie-Rose*.

La personne qui s'était occupée de lui procurer des vêtements devait alors la connaître intimement. Et puis, il était manifestement prévu qu'elle partage la cabine du capitaine...

Ana était-elle la maîtresse de Cosimo ?

Meg secoua vigoureusement la tête. Cela ne la regardait pas, pas plus que cette prétendue mission d'une importance vitale. La seule chose qui lui importait était de quitter ce navire. En attendant, elle resterait où elle était sans se mêler de quoi que ce soit, et surtout pas des affaires du capitaine.

Forte de cette résolution, elle s'installa confortablement sur la banquette et ouvrit son exemplaire, légèrement taché d'eau, de *L'Italien*.

*
* *

La rêverie de Cosimo fut interrompue par un bruissement d'ailes. Précédant le chirurgien, Gus atterrit sur son épaule.

— Comment se porte notre passagère, David ?

— À part une bosse sans gravité, elle va bien. C'est une femme forte, malgré les apparences, et qui a des nerfs solides, à mon avis.

— Qu'est-ce qui vous fait dire cela ? demanda Cosimo en s'efforçant de dissimuler son intérêt.

Le sourire narquois de David lui prouva qu'il n'était pas dupe.

— Plus d'une femme de son âge et de son milieu se serait évanouie ou aurait eu une attaque de nerfs en se retrouvant dans cette situation. Mlle Barratt semble considérer simplement qu'il s'agit d'un pénible désagrément.

Cosimo hocha la tête.

— Oui, j'avais remarqué sa vitalité... et une certaine hostilité.

— Pouvez-vous l'en blâmer ?

— Non, reconnut Cosimo. Vous n'avez jamais rencontré Ana, n'est-ce pas ?

— Vous le savez bien, répondit David en l'observant, les sourcils froncés.

— Il existe une ressemblance frappante entre elle et Mlle Barratt...

— J'ignore l'objet de notre voyage, Cosimo, mais je présume qu'Ana avait un rôle à jouer ?

— C'est exact.

— Cette ressemblance, vous comptez l'exploiter ?

— On utilise les matériaux qui se présentent, David.

29

Celui-ci garda le silence. Il voyageait avec Cosimo depuis bientôt cinq ans et le considérait comme un ami, sans toutefois se faire d'illusions sur son compte. Même s'ils n'évoquaient jamais ses missions, David devinait que, espion et corsaire au service de la Couronne, Cosimo était à l'occasion un assassin. Même sachant cela, il ne put réprimer un frisson en l'entendant raisonner avec une telle froideur.

— Vous ne pouvez utiliser une parfaite étrangère, finit-il par dire, une femme que le hasard a placée sur votre chemin, uniquement parce que cela vous convient.

— Si un outil peut être aiguisé et ne demande qu'à travailler, pour quelle raison ne l'emploierais-je pas ?

David secoua la tête.

— Vous êtes un individu sans scrupule, Cosimo.

— Je ne le nie pas.

— Savez-vous ce qui est arrivé à Ana ?

— Non, je n'en sais rien, répondit Cosimo en détournant brusquement le regard vers le large. Et je préfère ne pas l'imaginer.

Puis, à voix si basse que David eut du mal à l'entendre, il ajouta :

— Mais je ne peux plus rien faire pour elle, à présent.

David frémit en devinant ce qu'il sous-entendait. La détresse de Cosimo était presque palpable.

— Peut-être que, finalement, vous n'êtes pas un individu sans scrupule, dit-il en posant la main sur son bras.

Cosimo lui adressa un demi-sourire.

— Ne trahissez pas ce petit secret, mon ami.

— Promis.

Le chirurgien s'éloigna, échangea quelques mots avec l'homme à la barre, puis disparut par l'écoutille. Gus toujours sur l'épaule, Cosimo le suivit quelques instants plus tard. Une fois devant sa cabine, il hésita, se demandant quelle conduite adopter vis-à-vis de sa passagère.

Cependant, plus tôt elle s'habituerait à sa présence, mieux cela vaudrait. Il frappa donc, d'une manière qu'il espérait à la fois discrète, amicale et assurée.

De nouveau, Meg sursauta. Elle parvint toutefois à dire : « Entrez ! » d'une voix posée. Sans bouger de la banquette, elle marqua la page de son livre avec l'index et considéra froidement son visiteur.

Cosimo lui rendit son regard.

— Elle ne vous va pas trop mal, dit-il. Et cette couleur vous sied au teint...

Jugeant le commentaire trop personnel pour être décent, Meg fit mine de ne pas l'avoir entendu et continua de dévisager Cosimo en silence.

— Il fait un temps magnifique, reprit-il tandis que Gus quittait son épaule et allait s'installer sur son perchoir. C'est dommage de rester enfermée ici.

— Je suis aussi satisfaite de mon sort que possible, étant donné les circonstances, assura Meg avec froideur.

Cosimo s'adossa à la porte et lui adressa un sourire conciliant.

— Allons, mademoiselle Barratt... Ne pouvons-nous convenir d'une trêve ? Je ne suis pas responsable de votre présence sur ce bateau, je vous l'ai dit.

— Qui l'est, alors ?

— Eh bien... c'est vous, dit-il après avoir fait mine de réfléchir un instant. C'est vous qui avez glissé sous les roues de mon carrosse, vous exposant à un danger mortel. En fait, mes hommes vous ont sauvé la vie.

Meg referma son livre d'un coup sec et se leva d'un bond.

— C'est le raisonnement le plus spécieux et le plus ridicule que j'aie jamais entendu, capitaine Cosimo !

Cosimo leva les mains en riant.

— Paix, mademoiselle Barratt ! Cela ne nous mène nulle part. À présent, dites-moi ce que je peux faire pour arranger un peu les choses entre nous.

Quel homme diablement séduisant ! songea Meg, furieuse contre elle-même mais incapable de le nier.

Le capitaine possédait une grâce de mouvements qu'elle avait pu admirer lorsqu'il était monté à bord de la *Marie-Rose*, dans le port ; ses yeux azur avaient la limpidité de la mer et, quand il ne souriait pas, sa bouche large, aux lèvres pleines, dénotait une calme résolution, une autorité incontestable que Meg trouvait curieusement rassurantes.

Mais ce n'était pas parce qu'il était beau comme un dieu qu'elle allait baisser la garde devant son ravisseur soi-disant involontaire !

— J'ai juste deux demandes à vous soumettre, capitaine Cosimo...

— Oh ! je vous en prie, Meg, l'interrompit-il en levant la main, mon nom est Cosimo, tout simplement ! Puisque nous partageons cette cabine, nous pouvons nous passer de ces formalités.

Brusquement, il fronça les sourcils mais Meg ne fut pas dupe.

— Cela ne vous ennuie pas que je vous appelle Meg, n'est-ce pas ?

— Si c'était le cas, ça changerait quelque chose ? rétorqua-t-elle en le défiant du menton.

— Probablement pas, admit-il. À présent, que puis-je faire pour vous ?

— Premièrement, dit Meg en croisant les bras, j'aimerais savoir où nous allons de manière à pouvoir envisager mon retour en Angleterre.

— Ah... murmura Cosimo en se frottant le menton d'un air préoccupé. Eh bien, en ce moment, nous n'allons nulle part. Vous avez peut-être remarqué que la *Marie-Rose* est encalminée ?

— Je présume que le vent se montrera coopératif à un moment ou à un autre, répliqua Meg d'une voix glaciale.

— C'est ce qui se passe en général. Donc, quand le vent se lèvera, nous continuerons jusqu'à l'île de Sercq. En avez-vous entendu parler ?

— C'est l'une des îles de la Manche, répondit-elle, un peu rassérénée.

Sercq n'étant pas très éloignée des côtes britanniques, il ne lui serait sans doute pas difficile de trouver un moyen de retourner à Folkestone.

— Exact. J'ai quelques affaires à traiter là-bas.

— Sans doute connaissez-vous des pêcheurs... quelqu'un qui pourrait me ramener jusqu'à la côte?

— Ce n'est pas impossible.

— Sapristi! Avez-vous besoin d'être aussi évasif? s'exclama Meg, de nouveau saisie par la colère.

— Pardonnez-moi... je disais juste la vérité. Passons maintenant à votre seconde demande, continua-t-il avec un demi-sourire.

— Il faudrait une clé à cette porte.

— Je crains que ce ne soit pas possible, dit-il en secouant la tête.

— Comment cela, pas possible? Il y a une serrure, il doit bien y avoir une clé!

— Oui, sans doute quelque part. Je n'en ai jamais eu besoin.

— Il se trouve que moi, j'en ai besoin, monsieur! Il me faut un peu d'intimité.

— Bien sûr, je comprends. Et je peux vous promettre que vous l'aurez. Personne n'entrera ici sans votre permission. Laquelle permission, ajouterai-je en ce qui me concerne, devra néanmoins être donnée dans des délais raisonnables.

D'un geste, il désigna l'ensemble de la cabine.

— Toutes mes affaires sont ici, notamment mes cartes et mon compas. Je ne peux diriger ce navire sans eux.

Malgré elle, Meg suivit son regard jusqu'à la grande planche sur laquelle reposaient des documents ainsi que des instruments de navigation.

— Je ne vois pas ce que cela changerait si je fermais la porte à clé, rétorqua-t-elle avec raideur. Je vous ouvrirais dès que vous le demanderiez.

— Non, je regrette. Cette porte ne doit jamais être fermée à clé.

Furieuse, Meg fit quelques pas dans sa direction, l'index pointé sur sa poitrine.

— Écoutez-moi, monsieur...

— C'est vous qui allez m'écouter, dit-il en lui attrapant la main. Ceci est mon bateau et sur mon bateau, c'est moi qui ai le dernier mot ! Une fois que vous vous serez gravé cela dans l'esprit, je ne vois pas de raison pour que tout ne se passe pas au mieux.

Meg se dégagea d'un geste vif. Elle n'aimait pas l'expression de Cosimo à cet instant précis, et un papillonnement désagréable lui chatouilla l'estomac.

— Nous comprenons-nous bien ? reprit-il avec une douceur extrême. Personne n'entrera ici sans votre permission, mais cette porte ne sera jamais verrouillée.

Malgré ses efforts, elle ne parvint pas à se soustraire à son regard d'un bleu devenu glacial. Comme hypnotisée, elle sentit qu'elle acquiesçait de la tête.

Cosimo sourit, et ses yeux reprirent la couleur d'un ciel d'été.

— J'étais sûr que nous finirions par nous entendre. Il est dangereux de verrouiller une porte, en mer. Si nous affrontons une tempête, voire un navire ennemi, j'ai besoin de pouvoir entrer à tout moment dans la cabine. Et il faut que vous puissiez en sortir sans délai.

— Un navire ennemi ? répéta Meg les yeux écarquillés.

— Ma chère Meg, nous sommes en guerre contre la France. L'auriez-vous oublié ?

Son incrédulité manifeste rendit Meg honteuse. Qu'elle était sotte ! N'y avait-il pas deux bâtiments de guerre dans le port de Folkestone ? Et n'avait-elle pas remarqué précisément les bouches des canons étincelant sur le pont de la *Marie-Rose* ?

— Pendant un moment, peut-être, concéda-t-elle. J'ai eu de nombreuses choses à penser, depuis que j'ai repris connaissance.

— Oui, bien sûr, dit-il avec gravité. Et qui peut savoir quelles conséquences cette bosse à la tête peut avoir sur votre mémoire....

C'était par trop absurde, et Meg ne put s'empêcher de rire.

— Vous savez pertinemment qu'elle n'a eu aucun effet. Mes propres soucis m'ont simplement fait oublier le monde extérieur.

— Paix, alors ? proposa de nouveau Cosimo.

— Je le suppose. Je ne vois guère l'intérêt d'hostilités ouvertes.

— Dans ce cas, venez profiter du soleil sur le pont. Je sais que nous y attend une collation de fromage, de saucisson et d'excellent pain, arrosée d'un bon bourgogne. Tant que le vent ne se lèvera pas, nous n'aurons rien d'autre à faire que manger, boire et lier connaissance.

Meg n'avait nullement l'intention de lier connaissance avec cet homme. Il était très attirant, et elle se savait bien trop encline à succomber au charme de séduisants aventuriers. Son instinct le plus intime lui soufflait qu'il serait dangereux de ne pas conserver ses distances.

— Je me trouve très bien ici, assura-t-elle avec un geste vers la banquette. Je n'ai pas souvent l'occasion de lire longtemps sans être dérangée.

— Êtes-vous toujours aussi têtue ?

Elle rougit d'agacement.

— Je ne vois pas en quoi je me montre têtue en préférant ma compagnie à la vôtre, monsieur !

Cosimo la dévisagea en haussant ses sourcils admirablement dessinés.

— Puisque vous n'avez pas passé de temps en ma compagnie, répliqua-t-il, comment pouvez-vous être si certaine de ne pas l'apprécier ?

Meg rougit de plus belle car, à l'entendre, on eût dit qu'elle se conduisait en enfant capricieuse.

— Cette conversation est inutile, dit-elle en se saisissant de son livre. Si vous avez des choses à faire dans cette cabine, ne vous gênez pas ; dans le cas contraire, je vous prierai de me laisser tranquille.

Cosimo haussa les épaules.

— Comme vous voudrez. Je demanderai à Biggins de vous apporter votre repas.

— Salut ! Salut ! cria Gus lorsque la porte se referma sur le capitaine.

Sautant de son perchoir, il vola jusqu'à la banquette et commença à lisser ses plumes tout en marmottant de manière incompréhensible.

— Ne crois pas que je sois flattée de ta compagnie, lui dit Meg.

L'oiseau releva la tête. Meg aurait été prête à jurer qu'il lui avait décoché un clin d'œil.

3

Cosimo était irrité, et cela le contrariait prodigieusement car d'ordinaire il restait parfaitement maître de lui. Mais cette demoiselle Barratt lui portait vraiment sur les nerfs !

Sachant qu'il y trouverait Biggins, il se rendit à la cuisine. Effectivement, un pot de café à portée de main, il sculptait un morceau d'ivoire, assis à côté du cuisinier qui découpait un morceau de bœuf. Les deux hommes levèrent la tête lorsque Cosimo franchit l'étroite porte.

— Qu'y a-t-il pour vot'service, cap'taine ? demanda Biggins en l'observant d'un air interrogateur.

— Porte du pain et du fromage dans ma cabine pour Mlle Barratt, s'il te plaît, et la même chose sur le pont pour moi. Avec une carafe de bourgogne.

Au moment de ressortir, Cosimo lança par-dessus son épaule :

— Et veille bien à frapper fort et à attendre la permission de la demoiselle avant d'ouvrir la porte de la cabine ! Elle a l'air assez à cheval sur les questions d'intimité.

— Ben dis donc, l'a pas l'air content, not'cap'taine... remarqua le coq en posant une meule de cheddar sur la table.

— J'parie qu'c'est cette Mlle Barratt, affirma Biggins, qui remplissait une carafe au tonneau de vin. Y a que'que chose de bizarre dans c't'affaire.

— On attendait bien une dame, que j'sache.

— Ouaip, mais pas celle-là. J'ai entendu l'cap'taine et l'docteur qu'en causaient. C'est un mystère, Silas.

— Si tu veux qu'j'te dise, y a rien qu'des mystères, quand on embarque avec l'cap'taine, rétorqua le coq. T'as une idée d'où on va, cette fois ?

— Bien sûr que non. Personne le sait, comme d'habitude.

— Bah... Y paie bien, conclut Silas avec un haussement d'épaules.

*
* *

Cosimo se rendit sur le pont et contempla, maussade, le lointain et inaccessible contour de Sercq.

Que les rebuffades de Mlle Barratt l'affectent à ce point le déconcertait complètement. Il était exceptionnel qu'une femme résiste à son charme, mais dans ce cas l'échec glissait sur lui comme l'eau sur les plumes d'un canard. Il remontait tout simplement à l'assaut avec de nouvelles munitions.

Il s'écoula quelques minutes avant qu'il ne fasse demi-tour d'un mouvement décidé. Après tout, qu'avait de particulier cette Meg Barratt ? Rien, certainement, qui ne pût être vaincu par un moyen ou un autre.

Bien déterminé à tenter de nouveau sa chance, Cosimo redescendit en hâte dans la coquerie. Biggins posait justement une pomme rutilante sur un plateau déjà garni de pain et de fromage.

— Je m'en charge, dit Cosimo en prenant le plateau. Ajoute du vin... un verre de bourgogne.

— Bien, cap'taine, acquiesça Biggins en s'exécutant, non sans jeter au passage un coup d'œil significatif au cuisinier. Aut'chose ?

— Il y avait du saucisson... du saucisson particulièrement goûteux. Tu peux m'en couper quelques tranches, Silas ?

— Oui, cap'taine, dit celui-ci en décrochant le saucisson en question du plafond. Ces Français, y savent y faire, avec la cochonnaille !

— Et avec un certain nombre d'autres choses... renchérit Cosimo en songeant aux victoires remportées par les armées françaises en Italie.

Cette pensée le ramena à ses préoccupations présentes. Napoléon Bonaparte était l'objet de son voyage. Le plan qu'il avait soigneusement conçu pour le surprendre paraissait très compromis, mais s'il voulait malgré tout mener sa mission à bien, il importait qu'il apporte lui-même ce plateau à Mlle Barratt.

Arrivé devant la porte de sa cabine, il frappa trois coups distincts. Il entendit Gus crier : « Entrez ! » puis Meg s'exclamer : « Oh ! tais-toi donc, maudit volatile ! »

Enfin, la porte s'ouvrit et Meg fit signe à Cosimo qu'il pouvait entrer.

— Je vous ai apporté le déjeuner comme promis. Je persiste à penser que vous seriez mieux sur le pont ; mais vous êtes votre propre maître.

— Heureuse de vous l'entendre dire. Si seulement quelqu'un pouvait l'expliquer à ce perroquet...

— Oh ! on ne peut rien dire à Gus ! déclara Cosimo en posant le plateau sur la table. Je suis surpris que vous ne trouviez pas en lui une âme sœur.

D'abord interloquée par cette pique, Meg éclata brusquement de rire.

— Vous avez un rire charmant, comme de nombreux hommes ont déjà dû vous le dire, fit observer Cosimo en sentant renaître sa bonne humeur.

Toute trace d'amusement s'effaça alors du visage de la jeune femme.

— Merci pour le plateau, capitaine, dit-elle d'un ton sec.

Cosimo se maudit. Mlle Barratt n'était sans doute pas du genre à badiner, et elle considérait peut-être comme insolents des propos que toute autre femme trouverait flatteurs.

— Avez-vous quelque chose contre le flirt, mademoiselle Barratt ? lui demanda-t-il en l'observant, songeur.

La surprise parut lui couper la parole puis elle se reprit :

— Non, lorsque l'endroit et l'heure sont bien choisis. En revanche, je n'apprécie pas le manque de tact quelles que soient les circonstances.

Sur ce, elle s'assit à la table et commença à éplucher la pomme comme si elle était seule.

Reconnaissant sa défaite, Cosimo s'inclina profondément.

— J'accepte mon congé, mademoiselle.

Il sortit, sans toutefois pouvoir s'empêcher de claquer la porte un peu plus fort que nécessaire.

Meg sourit mais son sourire s'évanouit lorsqu'elle prit conscience qu'elle envisageait déjà avec impatience sa prochaine entrevue avec le capitaine Cosimo. Elle qui s'était promis de ne pas tenter le diable... il lui fallait veiller à respecter sa résolution !

Après avoir bu une gorgée de vin, elle tendit distraitement un morceau de pomme à Gus, qui attendait auprès de son assiette d'un air quémandeur.

— Merci ! Merci ! dit-il en jetant le fruit dans les airs avant de l'attraper dans son bec.

— Tu deviens curieusement attachant, déclara Meg en lui donnant un autre morceau de pomme.

Cela pouvait-il s'appliquer à son maître ? songea-t-elle avant de se donner mentalement une claque. Le problème, c'est qu'elle appréciait beaucoup trop le badinage amoureux pour son propre bien. Au cours des derniers mois passés à Londres, elle ne s'était pas privée de flirter avec de nombreux hommes aussi séduisants qu'infréquentables, et qui ne souhaitaient pas plus qu'elle s'engager dans une relation sérieuse.

Et voilà qu'elle se retrouvait bloquée sur un bateau avec un individu qui possédait plus de charme qu'aucun de ses précédents galants, tout en étant certainement le plus infréquentable de tous !

40

Car qui était le capitaine Cosimo ?

Pas un capitaine de bateau ordinaire, puisqu'il commandait une corvette armée pour le combat, et pas un officier de la marine nationale non plus, de toute évidence. La *Marie-Rose* était un bâtiment privé. Sous son sourire désinvolte, son visage avenant, ses manières charmeuses, le capitaine Cosimo dissimulait une dureté dont elle avait eu un aperçu lors de leur dispute au sujet de la porte. Si Meg ignorait à quelles activités il se livrait, elle pressentait qu'il ne voyageait pas pour le plaisir.

Sa curiosité éveillée, elle alla se pencher sur la table des cartes. Celles-ci ne lui apprirent cependant rien, car elle ne savait pas les lire. C'est tout juste si elle discerna les îles de la Manche ainsi que les côtes de France, non loin desquelles figuraient quelques annotations illisibles. Le capitaine Cosimo lui avait probablement dit la vérité au sujet de Sercq. Mais qu'est-ce qu'une corvette de guerre pouvait avoir à faire sur une île aussi insignifiante ?

Sur sa lancée, Meg entreprit d'explorer la cabine. Elle examina tout d'abord les livres de la bibliothèque : au côté des manuels attendus de navigation et d'histoire de la marine, elle eut la surprise de découvrir des livres d'ornithologie. Ainsi, le capitaine de la *Marie-Rose* s'intéressait aux oiseaux ? Elle trouva aussi un dictionnaire de latin – surprenant, puisque la bibliothèque ne comptait aucun auteur classique –, une bible ainsi qu'un exemplaire du *Dictionnaire de la langue anglaise* de Samuel Johnson.

Elle tira celui-ci de l'étagère et commença à le feuilleter. Disséminées dans la marge devant certaines entrées se trouvaient d'étranges petites marques.

Un coup frappé à la porte la fit sursauter ; saisie de culpabilité, elle remit précipitamment le volume en place.

— J'espère que vous avez apprécié votre repas, dit Cosimo lorsqu'elle lui ouvrit la porte.

— Oui, merci.

— Si vous voulez bien m'excuser, je dois changer de chemise.

Tandis qu'il fourrageait dans un tiroir, elle alla se rasseoir sur la banquette, reprit son livre, et affecta de s'y plonger. Cependant, elle eut beau faire, elle ne put ignorer l'homme qui se déshabillait tranquillement au milieu de la cabine.

Cosimo lui tournait le dos. Malgré ses efforts, Meg ne put empêcher son regard de s'attarder sur son torse élancé, aux muscles puissamment dessinés et à la peau soulignée d'un duvet doré le long de la colonne vertébrale, puis sur sa taille mince et ses hanches étroites.

« Non ! Sois raisonnable ! » s'intima-t-elle en obligeant ses yeux à revenir sur son livre. Arabella lui avait un jour dit que son attitude vis-à-vis des hommes avait quelque chose de masculin. D'après son amie, Meg évaluait leurs attributs physiques à peu près de la même manière qu'eux jaugeaient ceux des femmes. Sans doute n'avait-elle pas complètement tort...

Meg, qui avait fougueusement offert sa virginité à un gondolier vénitien parce qu'il ressemblait au *David* de Michel-Ange, tendait à ignorer volontairement la sagesse lorsque ses sens l'exigeaient. Mais cela n'arrivait que lorsqu'elle se sentait maîtresse de la situation. Or, sur ce bateau, tout échappait à son contrôle ; il lui fallait donc surveiller ses réactions avec une vigilance accrue.

D'un geste déterminé, elle tourna une page de son livre.

— Sonnez Biggins, si vous avez besoin de quoi que ce soit, reprit-il en achevant de boutonner les poignets de sa chemise blanche.

— Quand le vent se lèvera-t-il, à votre avis ?

— Dans la soirée... et il sera alors trop tard pour gagner le port. Nous devrons rester en mer jusqu'à l'aube.

— Pourquoi allez-vous à Sercq ? Pourquoi pas Jersey ou Guernesey, qui sont des îles plus importantes ?

Devant la bibliothèque, Cosimo redressait le dictionnaire que Meg avait replacé en hâte. Il se retourna et la considéra avec un sourire amusé.

— Curieuse, miss Meg ?

— Est-ce surprenant ? répliqua-t-elle d'un ton sec.

— Pas plus que votre sang-froid. Je m'attendais à ce qu'une femme dans votre situation soit accablée ; or, vous êtes aussi belliqueuse qu'un fox-terrier. Qui êtes-vous, miss Meg Barratt ?

— Qui êtes-vous, capitaine Cosimo ? rétorqua-t-elle. Répondez-moi et je ferai de même.

— Je suis, chère miss Meg, le commandant d'une corvette voguant vers l'île de Sercq, déclara-t-il, l'œil rieur.

Mais Meg ne consentit pas à sourire.

— Ce n'est pas la réponse que j'attendais, capitaine.

Il la salua avec une ironie marquée avant de se retirer et de la laisser en tête à tête avec son livre. Incapable de lire, Meg contempla avec envie le jeu du soleil sur les lambris tandis que des fourmillements incoercibles lui montaient dans les jambes.

Gus sautilla alors jusqu'à la porte en disant avec autorité :

— Salut ! Salut !

Meg se leva pour lui ouvrir la porte. Lorsqu'elle passa la tête dans le couloir, qu'elle vit la lumière du soleil ruisseler dans l'étroit escalier, qu'elle sentit l'odeur iodée de la mer, elle n'y tint plus et elle sortit de la cabine à la suite du perroquet.

Sur le pont régnait une calme activité. Un marin jouait de la guitare tandis que d'autres, la plupart torse nu, ravaudaient des filets, lavaient des vêtements dans de grands baquets en bois ou paressaient au soleil.

Apercevant Cosimo de l'autre côté du pont, Meg s'aventura sur les planches douces et chaudes sous ses pieds nus. Elle répondit avec un sourire timide aux regards curieux mais affables qui la suivirent jusqu'au moment où elle grimpa l'étroit escalier menant à la plage arrière.

Confortablement installé sur un gros rouleau de corde, Cosimo était adossé à la paroi du bateau. Il ouvrit les yeux lorsque l'ombre de Meg tomba sur son visage.

— Ah! miss Meg... murmura-t-il avec un lent sourire. Vous avez finalement décidé de respirer un peu d'air frais.

— Gus voulait venir sur le pont.

Il éclata de rire.

— Et chacun sait que Gus ne peut sortir seul...

— Je l'admets, je ne supportais plus d'être confinée dans cette cabine, reconnut Meg avec un sourire contraint.

— Eh bien, asseyez-vous, dit-il en se poussant légèrement pour lui faire de la place. En l'absence de chaises, nous faisons avec les moyens du bord. Mais vous verrez, c'est assez confortable.

— Je n'en doute pas, répondit-elle en s'asseyant avec précaution.

— Un peu de vin? proposa Cosimo en désignant la carafe et le verre posés à côté de lui.

— Il n'y a qu'un verre.

Il haussa les épaules avec indolence.

— Si vous en souhaitez un autre, demandez à l'un de mes officiers, là-bas...

Il indiquait deux jeunes gens assis de l'autre côté du bateau, en train de jouer aux cartes. Ils paraissaient plus élégants que les autres marins du simple fait qu'ils portaient chemises et culottes.

Meg hésita. En temps ordinaire, boire dans le verre d'une connaissance ne la gênait pas; dans ce cas précis, le geste revêtait un caractère d'intimité indésirable. Cependant, elle avait l'impression que le capitaine Cosimo s'amuserait à ses dépens si elle semblait y accorder de l'importance. Aussi dit-elle d'un ton désinvolte:

— Je ne voudrais pas interrompre leur jeu.

Cosimo hocha la tête, remplit le verre et le lui tendit.

— Du vin et du soleil… Les deux aphrodisiaques les plus puissants au monde.

Meg faillit s'étrangler. À quoi jouait-il donc ? Avait-elle affaire à une espèce de Casanova qui ne pouvait s'empêcher de flirter dès qu'il se trouvait en présence d'une femme ? Jugeant que le dédain était encore la réponse la plus appropriée, elle ne fit aucun commentaire.

Content de lui, Cosimo sourit tout en offrant de nouveau son visage au soleil. Pour une fois, il avait réduit Meg Barratt au silence !

Le plaisir qu'il éprouvait était dû en partie à la proximité de sa mince personne. La robe d'Ana, un peu trop grande pour elle, lui donnait une apparence de fragilité à laquelle il savait ne pas devoir se fier.

Il aimait le fait qu'elle soit venue pieds nus sur le pont et qu'elle ne se souciât pas du désordre de ses boucles rousses. Ce manque d'intérêt pour les convenances s'accordait bien avec la franchise de son caractère, et serait un atout incontestable lorsque le moment viendrait de la mettre à l'épreuve.

Comme si Meg avait pu suivre le cours de ses pensées, elle dit abruptement :

— Cette mission dont vous avez parlé… J'avais cru comprendre qu'elle était urgente, puisque la *Marie-Rose* ne pouvait pas faire demi-tour pour me ramener…

Cosimo rouvrit les yeux.

— Oui. Et alors ?

— Pour un homme si pressé, vous ne semblez guère affecté par le fait d'être encalminé. Une journée entière perdue, ainsi qu'une nuit si nous ne pouvons gagner Sercq ce soir !

— Je suis un marin, miss Meg. Je sais qu'on ne peut rien contre le vent. Il se lèvera quand bon lui semblera : je prends donc mon mal en patience.

Une fois de plus, Meg ressentit l'existence de ce noyau dur qui se dissimulait sous la façade désinvolte et amusée qu'il présentait. Elle sentait qu'au plus profond de lui-même, cet homme était animé d'une certitude, d'une force et d'une inflexibilité à toute épreuve.

— Pourquoi commandez-vous une corvette de guerre ? Vous n'appartenez pas à la Royal Navy…

— Non, pas au sens strict.

— Mmm… Une dénégation qui n'en est pas vraiment une. J'ai toujours trouvé cela très intéressant.

— Ça ne m'étonne pas.

— Mais vous ne m'en direz pas plus ?

— Non.

Meg l'observa avec intérêt. Quelle que fût sa mission, elle avait sûrement un rapport avec le conflit en cours.

— Est-ce que les deux vaisseaux de guerre ont quitté Folkestone en même temps que la *Marie-Rose* ? finit-elle par demander.

Cosimo fixa sur elle des yeux étrécis.

— Vous les avez donc remarqués ?

— Difficile de faire autrement, répondit Meg en se levant pour regarder la mer. Ils ne sont pas en vue, en tout cas, constata-t-elle.

— Nous sommes tous à la merci du même maître, commenta Cosimo en se redressant à son tour. Le vent n'a pas de favoris.

Il se dirigea vers la barre et revint muni d'une lunette.

— Tenez, observez l'horizon tout votre soûl, miss Meg.

— J'aimerais que vous cessiez de m'appeler ainsi, dit Meg d'un ton acide en prenant la lunette qu'il lui tendait. J'ai l'impression d'être une gouvernante.

Cosimo partit d'un éclat de rire.

— Oh non ! pas vous, Meg ! Aucune gouvernante digne de ce nom n'aurait ces boucles indomptables et cette langue de vipère.

— Je n'en sais rien, je n'ai pas eu de gouvernante. En tout cas, pas après l'âge de cinq ans.

— Alors, vous avez fréquenté une institution pour jeunes filles ?

Meg rabaissa la lunette qu'elle s'apprêtait à porter à ses yeux.

— Une pincée de peinture et de piano forte, un soupçon d'italien et quelques notions de français ? Certes non, monsieur, dit-elle en secouant la tête. Je n'ai pas eu de gouvernante et je n'ai pas fréquenté d'école.

Cosimo demeura perplexe. Il en savait peu sur l'éducation donnée aux jeunes filles, mais il pensait que les femmes ayant la position de Meg Barratt dans la société – ou celle qu'il lui attribuait en tout cas – recevaient un minimum d'enseignement classique.

— Vous n'avez pas reçu d'instruction après l'âge de cinq ans ?

— Bien sûr que si. Nous avons eu des précepteurs, déclara Meg avec impatience tout en scrutant l'horizon.

— « Nous » ?

— Mon amie Arabella et moi. Nous avons grandi ensemble… J'ai une famille, Cosimo, ajouta-t-elle en se tournant lentement vers lui. Un père, une mère… ainsi que des amis intimes, Arabella et Jack, qui doivent tous être fous d'inquiétude. Ne comprenez-vous pas ce que cela signifie pour moi ? Imaginez-vous ce qu'ils peuvent ressentir ?

Elle le fixait avec intensité et, dans ses yeux verts assombris par le ressentiment, Cosimo vit luire l'éclat des larmes.

Il prit une profonde inspiration.

— Je ne peux pas y remédier pour le moment, vous le comprenez bien.

— Pour le moment, non. Mais vous auriez pu le faire lorsque vous avez pris conscience de votre erreur ; et vous pouvez aussi rétablir la situation quand nous aborderons à Sercq. Il s'y trouvera bien une barque de pêcheur pour me ramener en Angleterre, non?

Cosimo n'avait pas vraiment négligé la situation de Meg, mais il l'avait repoussée dans un coin de son esprit. Il était si attaché à concevoir un plan pour sauver sa mission qu'il n'avait pas envisagé de se séparer de celle qui pouvait l'y aider.

— Comme je vous l'ai dit, c'est une possibilité. Mais…

Il leva la main quand elle fit mine de l'interrompre et poursuivit:

— … mais ce qui certain, c'est qu'une fois à terre, je peux m'assurer qu'un message parviendra à la personne de votre choix dans les trente-six heures.

Meg écarquilla les yeux.

— Comment est-ce possible?

— Par pigeon voyageur.

Cosimo ne risquait pas grand-chose en lui donnant cette information. Puisqu'elle avait compris qu'il était, d'une manière ou d'une autre, attaché à la Marine, elle ne serait pas surprise qu'il bénéficie des services qu'elle offrait.

Meg resta songeuse. Le moyen qu'il lui proposait était certes le plus rapide pour rassurer les siens en attendant qu'elle-même regagne la terre ferme. Il y avait néanmoins un parfum d'aventure dans cette histoire de pigeon voyageur qui suscitait en elle de multiples questions. Sachant Cosimo plutôt avare de renseignements, elle réprima sa curiosité et finit par dire simplement:

— Je vous remercie. C'est un grand soulagement pour moi.

— Parfait.

À peine lui avait-il pris la lunette des mains qu'une voix venue du ciel cria:

— Le vent se lève, capitaine!

— Hissez les voiles!

Aussitôt, une activité fébrile régna sur le pont. Un homme trapu se précipita vers la barre tandis que d'autres grimpaient agilement dans les gréements pour lâcher les voiles. Déroulées, celles-ci claquèrent puis se gonflèrent doucement et, sous le regard fasciné de Meg, la *Marie-Rose* mit le cap sur l'île de Sercq.

— Nous y arriverons à temps ? demanda-t-elle.

— Non, répondit Cosimo. Mais nous nous en approcherons le plus possible avant la tombée de la nuit. Si vous voulez bien m'excuser...

Il traversa le pont et disparut dans l'entrepont.

Tout d'abord, Meg ne bougea pas, mais elle ne tarda pas à se sentir gênée d'être la seule à ne rien faire au milieu de toute cette agitation. Après avoir en vain cherché Gus des yeux, elle conclut qu'il devait s'être réfugié dans le calme de la cabine et décida de l'imiter.

Devant la porte, elle hésita un instant avant de frapper avec vigueur. Gus et Cosimo lui crièrent en chœur d'entrer.

Ce dernier ne leva pas les yeux des cartes qu'il étudiait, un compas à la main.

— Sonnez Biggins, lui dit-il par-dessus son épaule. Il remplira le cuveau pour vous avec l'eau chaude dont nous devons nous délester. J'en ai pour cinq minutes et je vous laisse.

Un bain ? Voilà qui était pour le moins inattendu, et plutôt bienvenu !

— Merci, dit Meg avec une gratitude sincère en refermant la porte.

— Il vous faudra supporter la compagnie de Gus. Il ne reste pas sur le pont lorsque la brise est forte. Mais vous pouvez toujours le mettre dans sa cage et couvrir celle-ci si vous le souhaitez.

Meg jeta un coup d'œil au perroquet qui, sur son perchoir, se lissait paisiblement les plumes.

— Je lui demanderai de garder les yeux fermés.

— Mmm...

Cosimo se redressa et gagna la porte, laissant à Meg l'impression qu'il avait à peu près oublié qui elle était et la raison de sa présence dans cette cabine.

Pourtant, Biggins répondit à son coup de sonnette en disant :

— L'cap'taine, il dit qu'vous voulez assez d'eau chaude pour prend'un bain ?

— Oui, s'il vous plaît, Biggins.

Soulevant la masse de ses cheveux, Meg décida de les laver. Elle pourrait peut-être ensuite profiter de la brise sur le pont pour les sécher.

Peu après, Biggins reparut, accompagné du même jeune garçon que le matin.

— L'cap'taine dînera su'l'pont dans deux heures, dès qu'on aura j'té l'ancre, dit-il en indiquant au mousse de vider les brocs dans le cuveau. Comme la soirée promet d'être belle, il d'mande si vous voulez vous joindre à lui, mam'zelle.

Meg n'avait-elle pas d'ores et déjà décidé que ses cheveux sécheraient mieux sur le pont ?

— Dites au capitaine que je serai heureuse de dîner sur le pont.

— Bien, mam'zelle. On r'vient dans deux minutes avec d'aut'brocs.

Un quart d'heure plus tard, Meg se prélassait dans l'eau chaude ; perché sur la tête de lit, Gus dévidait à son intention un chapelet de phrases sans queue ni tête qui, Dieu merci, ne paraissaient pas appeler de réponses.

4

Meg éprouva quelque difficulté à conserver son équilibre lorsqu'elle sortit du cuveau.

Le corps drapé d'une serviette, une autre en turban autour de la tête, elle se mit à genoux sur la banquette pour regarder par le hublot. Le ciel s'obscurcissait ; la mer avait à présent la couleur du plomb fondu et le soleil couchant teintait de rose la crête des vagues.

On frappa à la porte ; ce devait être Cosimo.

— Juste une minute ! s'exclama-t-elle en sautant à bas de la banquette.

— Excusez-moi, je pensais que vous seriez sortie du bain, dit-il à travers le panneau avec, dans la voix, cette pointe d'amusement qui exaspérait Meg.

Laissant tomber la serviette au beau milieu de la cabine, elle se rua vers le placard, empoigna la cape et se drapa vivement dedans.

— C'est bon, entrez ! cria-t-elle de mauvaise grâce.

En la voyant, Cosimo leva un sourcil étonné.

— Ne m'en veuillez pas de dire cela, mais cette tenue est plutôt excentrique. Aurais-je manqué la dernière mode ?

Meg le foudroya du regard.

— Vous ne m'avez pas laissé le temps de m'habiller correctement, dit-elle en déroulant la serviette qui retenait ses cheveux.

— Pourquoi ne pas l'avoir dit ?

— J'ai supposé que vous aviez quelque chose d'urgent à faire dans *votre* cabine, expliqua-t-elle avec un geste vague en direction des cartes.

— Non, cela pouvait attendre. En fait, je suis juste venu chercher un manteau car il commence à faire frais. Prenez soin de vous couvrir lorsque vous monterez sur le pont.

La situation semblait beaucoup le divertir, contrairement à Meg. Plus tôt elle quitterait ce navire, mieux cela vaudrait ! songea-t-elle avec ressentiment. Soudain, une question lui vint à l'esprit. Comment diable n'y avait-elle pas pensé plus tôt ?

— Où allez-vous dormir ?

— Quand ? Cette nuit ? demanda-t-il, l'air sincèrement étonné. Ici, bien sûr.

En silence, Meg tourna les yeux vers la couchette, puis les reporta sur lui.

— C'est un peu étroit pour deux, convint-il. À moins, évidemment, d'aimer les câlins.

Comme elle ne disait toujours rien, il laissa échapper un petit rire.

— Vous n'avez pas à vous inquiéter pour votre vertu, miss Meg. Je pendrai un hamac, dit-il en désignant deux crochets fichés dans le plafond, sur l'utilité desquels Meg s'était déjà interrogée.

Puis, sifflotant doucement, il quitta la cabine.

La rencontre n'avait pas tourné à son avantage, conclut Meg avec dépit.

On eût dit que le capitaine Cosimo prenait un malin plaisir à la taquiner et à la pousser dans ses retranchements. Se vengeait-il parce qu'elle n'avait pas répondu à ses avances amicales un peu plus tôt ? Ce serait compréhensible bien que mesquin. Or, il ne lui apparaissait pas comme quelqu'un enclin à la mesquinerie. Alors, à quel jeu jouait-il ?

Ce n'était pas en restant blottie dans cette cape qu'elle trouverait la réponse. Aussi alla-t-elle se planter de nouveau devant le placard afin de choisir une tenue pour le dîner.

Une robe plus habillée que les autres, en soie vert cendré ornée de fine dentelle, attira son regard. Sa première intention avait été de porter une tenue discrète, mais une intuition perverse la fit changer d'avis.

Comme la précédente, cette robe était un peu trop grande pour elle ; cela se remarqua toutefois moins dès que Meg eut chaussé une paire de confortables bottines en cuir. Quant à sa couleur, Meg savait, pour la porter souvent, qu'elle seyait à son teint.

Une fois habillée, elle se posta devant l'unique miroir de la cabine, accroché si haut au-dessus de la table de toilette qu'elle devait se hisser sur la pointe des pieds pour s'y voir. À l'aide d'un peigne trouvé sur la tablette, elle mit un semblant d'ordre dans ses cheveux.

Au moment où elle se félicitait de son apparence – et se reprochait d'y accorder une quelconque importance – un fracas métallique la fit sursauter. Elle courut au hublot et constata que la *Marie-Rose* paraissait immobilisée. Sans doute était-ce le bruit de la chaîne d'ancre qui l'avait surprise.

— Le port ! Le port ! scanda Gus en sautillant vers la porte. Salut ! Salut !

Puisque le perroquet lui confirmait que le bateau était à l'ancre, Meg jeta la cape sur ses épaules et ouvrit la porte. Gus se percha alors sur son épaule et lui mordilla l'oreille.

— Quel honneur tu me fais ! railla-t-elle, bien que flattée de cette marque d'amitié.

Quand ils émergèrent sur le pont, les matelots effectuaient les dernières manœuvres, que dirigeait Cosimo d'une voix calme mais sonore. La brise nocturne jouait dans ses boucles auburn, lui donnant un air irrésistiblement canaille qui, ajouté à son assurance désinvolte, aurait pu signer la perte de Meg si elle n'y avait pris garde.

Le regard dont il balayait son petit empire flottant tomba sur elle alors qu'elle se tenait toujours au sommet de l'escalier. D'un signe de la main, il la salua et lui demanda de le rejoindre.

— Venez près de moi, dit-il quand elle eut gagné la plage arrière. Fisher, sonnez le rassemblement, s'il vous plaît, ajouta-t-il en s'adressant à l'un des deux jeunes officiers que Meg avait entrevus un peu plus tôt.

— Bien, capitaine.

Tirant un sifflet de sa poche, il en donna un coup perçant. L'équipage afflua alors de tous côtés et se tint immobile sur le pont, la tête levée vers son capitaine. Les hommes paraissaient plus curieux qu'inquiets, sembla-t-il à Meg.

— Messieurs, comme vous le savez, nous allons aborder dès que possible à Sercq. Nous y passerons une journée ou deux. Je vous présente Mlle Barratt, qui est notre invitée à bord, continua Cosimo en posant la main sur l'épaule de Meg pour la pousser légèrement en avant. Je compte sur vous pour vous montrer parfaitement courtois envers elle. Y a-t-il des questions ? Oui, Bosun ?

— J'vous d'mande pardon, cap'taine, dit un homme trapu au visage sillonné de rides, mais on ira où, après Sercq ?

— Mes amis, vous l'apprendrez quand moi-même je le saurai, répondit Cosimo en riant.

Les hommes se mirent à rire à leur tour d'un air entendu, et la plupart d'entre eux secouèrent la tête avec une résignation amusée. Quant au dénommé Bosun, il arbora un sourire qui fendit en deux son large visage.

— J'attendais rien d'aut', m'sieur.

— Je m'en doute bien, dit Cosimo. Nous appareillerons à l'aube. D'ici là, vous avez quartier libre. Il y aura de la viande au dîner pour tout le monde, ainsi qu'une barrique de cidre.

Un vivat unanime salua cette annonce, puis les hommes se dispersèrent. Cosimo se tourna alors vers

M. Fisher, qui se tenait un peu en retrait en compagnie de l'autre jeune officier. De l'avis de Meg, ils auraient pu être jumeaux tant ils se ressemblaient: mêmes joues roses, même bouche large et mêmes yeux bruns dans un visage encore poupin.

— Fisher, qu'une vigie monte la garde en permanence. N'oublions pas que nous sommes dans les eaux françaises... Graves, vous ferez le point sur la carte et vous tracerez un itinéraire qui contournera ces récifs.

— Bien, capitaine, dirent-ils à l'unisson.

Cosimo sourit.

— Mademoiselle Barratt, permettez-moi de vous présenter mes lieutenants, MM. Fisher et Graves.

Les deux jeunes gens s'inclinèrent.

— C'est un plaisir de vous avoir à bord, mademoiselle, assura M. Fisher.

— Nous sommes à votre service, renchérit son compagnon.

— Eh bien... merci. Merci à tous deux, dit Meg en souriant à son tour. Je m'efforcerai de ne pas me mettre dans vos pieds.

Les deux jeunes gens s'empourprèrent et ne trouvèrent rien à répondre. Cosimo vint à leur secours en les congédiant d'un geste de la main.

Quand ils furent hors de portée de voix, Meg dit, mi-amusée, mi-désapprobatrice.

— Ils ne devraient pas être encore à l'école?

— Justement, ils sont à l'école de la mer. Mais ils sont plus âgés qu'ils ne le paraissent. Ils n'ont tout simplement pas l'habitude du monde.

— Ils pourraient être frères...

— En fait, ils sont cousins, expliqua Cosimo tout en s'écartant de la barre pour laisser la place au timonier. Attache-la bien, Mike, car le vent n'est pas dépourvu d'une pointe de malice.

— Ouaip, c'est c'que j'pensais, cap'taine, répondit l'homme en saluant Meg de la tête.

Les présentations officielles étant faites, il semblait que les matelots s'autorisaient maintenant à la saluer en bonne et due forme. Meg répondit à son geste avec un sourire amical.

— Allons voir la lune se lever, proposa Cosimo en l'entraînant vers le côté du navire.

— Comment deux cousins à l'étonnante ressemblance en viennent-ils à travailler sur le même bateau ? s'enquit Meg en savourant la caresse de la brise sur son visage.

— Le cas se présente souvent. Vous trouverez des frères voyageant ensemble sur la plupart des frégates et des bâtiments de la Royal Navy. Il y a des familles qui ont la mer dans le sang.

— Mais ce bateau n'appartient pas à la marine nationale, objecta Meg en se tournant vers lui. Je soupçonne la *Marie-Rose* d'être un corsaire, capitaine Cosimo. Pourquoi une famille placerait-elle ses fils sur un bâtiment qui n'a guère, voire pas du tout, de légitimité en haute mer ?

— Parlez-vous du bateau ou de son capitaine ? demanda-t-il avec un petit rire.

— De son capitaine, bien sûr.

— Eh bien, ma chère, vous tenez votre réponse.

Comme il s'absorbait dans la contemplation de l'horizon, Meg tenta d'élucider cette réponse pour le moins sibylline.

— Vous voulez dire que... ils sont plus ou moins parents avec vous ?

Cosimo tourna lentement la tête et plongea son regard dans le sien.

— Vous êtes très indiscrète, miss Meg.

— Pourquoi serait-ce un secret ? insista-t-elle sans détourner les yeux.

— Ce n'en est pas un. Ces garçons sont les fils de mes sœurs. Y a-t-il autre chose pour satisfaire votre curiosité ?

— Sont-elles plus jeunes ou plus âgées que vous ?

— Elles sont jumelles et ont quatre ans de moins que moi.

Meg hocha la tête. Voilà qui pouvait expliquer l'extraordinaire ressemblance des deux cousins.

— Quel âge ont-elles, alors ?

— En fait, ce que vous voulez savoir, c'est mon âge, non ? On dirait que je vous intéresse, ajouta-t-il, malicieux.

— Ne vous flattez pas. Ce qui m'intéresse, c'est de découvrir quel genre d'homme me retient prisonnière sur son corsaire. C'est par instinct de préservation, rien de plus.

— Dites-moi sincèrement, Meg... Vous êtes-vous sentie un seul instant menacée sur mon bateau ?

Par honnêteté, Meg fut obligée d'admettre que non.

— Mais cela ne change rien au fait que je suis ici contre mon gré, argua-t-elle, et que vous avez refusé de me ramener à terre après avoir constaté votre erreur.

— Je vous en ai déjà expliqué la raison, répliqua Cosimo en tambourinant avec impatience sur la rambarde. Alors, pouvons-nous en finir avec cela, s'il vous plaît ?

Son ton acerbe fit tressaillir Meg. Elle avait employé le même, certes, mais avec de bonnes raisons. Comme elle gardait un silence obstiné, Cosimo finit par dire d'une voix radoucie :

— Mes sœurs ont trente-trois ans.

— Et les cousins ?

— Dix-sept.

Meg venait de fêter ses vingt-neuf ans. Alors qu'elles étaient à peine plus âgées qu'elle, les sœurs de Cosimo avaient des fils de dix-sept ans ! Cette pensée la perturba, même si le mariage n'avait jamais été une priorité à ses yeux et qu'elle ne se sentait pas particulièrement maternelle. Elle était célibataire – « vieille fille » aux yeux de la société – et contente de l'être.

Du moins le croyait-elle jusqu'à cet instant…

Son regard tomba sur les mains de Cosimo, posées sur le bastingage. Elles étaient brunes, solides, avec de longs doigts aux ongles courts et aux phalanges un peu noueuses. Pour maintenir le cap lorsque le vent se déchaînait, comme la nuit précédente, il devait posséder une force peu commune. Meg se souvint alors du trouble qu'elle avait ressenti en voyant le jeu des muscles puissants sur son torse et ses bras nus, lorsqu'il s'était changé dans la cabine.

Seigneur! Où ses pensées l'entraînaient-elles? Vite, il lui fallait un sujet de conversation anodin qui l'empêcherait d'être trop consciente de la proximité de leurs corps!

— De quelle région êtes-vous originaire, capitaine Cosimo? finit-elle par demander.

S'adossant à la rambarde, il croisa les bras sur sa poitrine et la regarda fixement, les yeux étrécis. Meg fut saisie de la conviction absolue qu'il avait eu conscience à la fois de son examen… et de son trouble.

— Du Dorset. Et vous, miss Meg?

— Je vous en supplie, ne m'appelez pas comme ça! Cela me hérisse.

— Alors, concluons un pacte: si vous ne m'appelez plus jamais «capitaine Cosimo», je ne vous appellerai plus jamais «miss Meg». Qu'en pensez-vous?

— Marché conclu. Je suis native du Kent.

— À mon tour d'essayer de trouver une façon détournée de pêcher les renseignements à votre sujet.

— Je vous épargnerai cette peine. J'ai vingt-neuf ans, déclara Meg. Je ne fais pas partie de ces gens qui pensent qu'une femme ne doit jamais révéler son âge.

— Je m'en serais douté…

Intrigué, Cosimo continua de l'observer. Meg Barratt n'avait rien de conventionnel. Elle n'était pas jolie au sens strict du terme, et pourtant étrangement séduisante; elle possédait une intelligence vive, un esprit acéré, ainsi que, comme l'avait fait remarquer David Porter, une remarquable maîtrise de soi. Bien qu'à contrecœur, elle paraissait s'être parfaitement adaptée à la situation.

Que penserait d'elle Ana? se demanda-t-il soudain. Le cœur serré, il ferma brièvement les yeux. Ana avait un jugement très sûr, et évaluait toujours à leur juste valeur les personnes susceptibles d'exercer la même activité qu'elle.

— Quelque chose ne va pas? s'enquit Meg qui semblait avoir perçu son changement d'humeur.

— Non, rien du tout, assura-t-il avant de détourner le regard vers le large.

D'Ana, il connaissait aussi la force intérieure. Elle saurait se protéger car elle avait appris à ne compter que sur elle-même en cas de problème. Cosimo voulait lui faire confiance pour se tirer d'un éventuel mauvais pas. Un peu rasséréné, il retrouva un ton désinvolte pour demander:

— Permettez-moi de vous poser une autre question personnelle. Vous avez parlé de vos parents, de vos amis... Il n'y a personne d'autre qui pourrait s'inquiéter de votre absence?

— Un homme, vous voulez dire? dit Meg avec un petit rire.

— Vous ne portez pas d'alliance.

— Non. Donc, pas de mari. Votre déduction est correcte, monsieur.

— Un fiancé?

Elle secoua la tête.

— Pas de fiancé.

— Un amant?

— Voilà qui devient très personnel, monsieur.

— Je vous prie de m'excuser, mademoiselle, si c'est trop personnel.

Meg éclata de rire.

— Je n'ai pas de secrets... et, pour le moment, pas d'amant.

Cosimo resta un instant songeur. « Pour le moment » ? Cela semblait impliquer que Meg Barratt était une femme d'expérience. Il n'en fut pas surpris, étant donné ce qu'il savait déjà de son caractère.

Une toux discrète derrière eux les fit se retourner.

— Le dîner est servi, cap'taine, annonça Biggins.

— Merci, dit Cosimo en présentant son bras à Meg. Si vous voulez bien me permettre de vous conduire à votre table, mademoiselle...

C'était absurde, mais Meg se prêta volontiers au jeu. La plage arrière avait été transformée en salle à manger improvisée : des lampes à huile accrochées aux vergues basses jetaient un halo doré sur la table dressée pour deux. Un délicieux parfum s'échappait de la cocotte posée au milieu. L'appétit sans doute aiguisé par l'air marin, Meg en eut l'eau à la bouche.

— Vos neveux et le docteur ne se joignent pas à nous ? demanda-t-elle en s'asseyant sur la chaise que Cosimo lui présentait.

— Les garçons dîneront dans le carré, une fois leurs tâches terminées ; quant à David, ma table lui est ouverte en permanence, mais il accepte rarement mon invitation. Il préfère la compagnie de ses livres.

Meg hocha la tête en dépliant sa serviette. Puis elle leva le visage vers le ciel constellé d'étoiles.

— Quelle nuit magnifique !

— Les nuits en mer sont en général très belles, dit Cosimo en remplissant leurs assiettes de pot-au-feu.

Il lui offrit ensuite du pain. Meg découvrit avec étonnement qu'il était encore chaud. Quand elle étala dessus une belle couche de beurre salé, le parfum succulent qui se dégagea lui fit presque tourner la tête.

Ils commencèrent à manger dans un silence qui, peu à peu, s'alourdit d'un trouble réciproque.

Lorsque Cosimo effleura sa main en voulant remplir son verre de vin, l'étincelle à laquelle Meg s'attendait jaillit. Le brusque papillonnement qu'elle ressentit dans l'estomac ne lui était pas inconnu. Sauf que, contrairement aux autres fois, elle se trouvait dans une situation qu'elle ne contrôlait pas.

Enfin, ce n'était pas tout à fait exact : elle pouvait toujours décider de ne pas succomber à l'appel de ses sens. La question se résumait à : que *voulait*-elle faire ?

Se penchant vers elle, Cosimo repoussa doucement une boucle qui tombait sur son front.

— Je craignais que cela n'arrive, dit-il.

Qu'il ne fasse aucun effort pour ignorer ou nier leur attraction mutuelle rendait la chose encore pire. Il ne se conduisait pas en gentleman ! s'indigna Meg *in petto*, avant de rire de sa propre hypocrisie. Comme si elle avait jamais été attirée par un gentleman !

— Pourquoi « craignais » ? demanda-t-elle.

Il s'adossa à sa chaise tout en faisant tourner le pied de son verre entre ses mains.

— Le mot n'est peut-être pas bien choisi…

— Au contraire, objecta Meg. Je suppose que ce genre de chose est presque inévitable lorsque deux personnes se retrouvent dans des circonstances aussi imprévisibles.

— C'est loin d'être inévitable, la contredit Cosimo avec un léger rire, et vous le savez fort bien. En vérité, de telles étincelles ne crépitent que rarement.

— Je suis toujours attirée par les hommes peu recommandables, confessa Meg avec une petite grimace.

Là, Cosimo éclata franchement de rire.

— Et je ne suis pas recommandable, bien sûr…

— Je n'ai jamais rencontré quelqu'un de moins recommandable que vous. Et pourtant, j'ai eu ma part. Vous êtes un corsaire sans identité véritable, chargé d'une mission si urgente qu'elle ne souffre pas de délai, même pour réparer une erreur que vous avez qualifiée vous-même de catastrophique. Vos hommes ignorent où se rend la *Marie-Rose* et pourquoi. J'en viens à me demander si vous-même le savez…

— Tout cela est vrai, répondit-il posément, sauf en ce qui concerne le « pourquoi ». Croyez-moi, je connais ma mission.

Une fois de plus, son ton avait changé ; Meg entrevit de nouveau l'homme implacable, sûr de lui et de ses chances de réussite.

— Je ne crois pas avoir déjà rencontré une femme comme vous, continua-t-il tandis qu'elle buvait une gorgée de vin. Vous donnez l'impression d'être une jeune femme d'excellente famille, mais j'ai le sentiment que cette apparence est trompeuse.

— Mes parents seraient horrifiés d'entendre cela, dit-elle en souriant. Je suis effectivement issue d'une famille irréprochable.

Tous deux tournèrent la tête au bruit des pas de Biggins sur le pont.

— Y a d'la tarte à la rhubarbe, si ça vous dit, à la dame et à vous, cap'taine.

— C'est ma préférée ! s'exclama Meg avec enthousiasme.

Une fois que Biggins eut débarrassé les assiettes et les couverts, Cosimo coupa la tarte et en servit une large part à Meg.

— Vous êtes si maigrichonne qu'on se demande où vous mettez tout ça, commenta-t-il en lui tendant l'assiette.

Meg prit conscience qu'après avoir mangé deux portions de pot-au-feu et la plus grosse partie du pain, elle s'apprêtait à dévorer près de la moitié d'une tarte à la rhubarbe.

— Ce soir, j'ai particulièrement faim, se défendit-elle. Je ne suis pas gloutonne, d'ordinaire.

— Je n'ai jamais dit que vous étiez gloutonne, protesta Cosimo avec solennité. Simplement dotée d'un appétit qui fait plaisir à voir.

À peine venait-il de porter sa fourchette à ses lèvres qu'une exclamation retentit :

— Voile à bâbord !

Très calmement, il reposa sa fourchette.

— Veuillez m'excuser, murmura-t-il en repoussant sa chaise.

Armé de sa longue-vue, il alla se placer sur le côté du bateau. Au-dessus des flots argentés par la lune, une forme blanche lui apparut, puis il distingua une longue silhouette sombre. Certainement une frégate.

Fisher arriva en courant.

— Français ou britannique, monsieur ? demanda-t-il, haletant.

— Je ne peux pas le dire pour le moment. Abaissez drapeau et pavillon.

Si lui-même ne distinguait pas la nationalité du navire, il pouvait raisonnablement espérer que ceux d'en face n'avaient pu identifier la corvette.

— À vos ordres, monsieur !

Aux coups de sifflet donnés par Fisher, deux matelots accoururent. Il leur ordonna d'amener les couleurs.

— Devons-nous hisser le pavillon français ? s'enquit l'autre neveu de Cosimo avec un mélange d'excitation et de panique.

— Jeune homme, pourquoi ferions-nous cela si ce bateau est l'un des nôtres ? répliqua Cosimo. Mieux vaut éviter qu'ils nous tirent dessus.

— Désolé, monsieur, murmura le garçon en rougissant jusqu'aux oreilles.

— Prenez l'autre lunette et grimpez dans le nid-de-pie. Dès que vous aurez identifié sa nationalité, criez.

— À vos ordres, monsieur.

Il allait partir en courant lorsque son oncle lui rappela patiemment :

— La lunette…

Meg observait la scène avec intérêt. Les deux lieutenants de Cosimo ne paraissaient pas aguerris. De quelle utilité seraient-ils, en cas de péril ?

Elle ne tarda cependant pas à comprendre qu'ils ne jouaient pas un grand rôle dans la marche du navire.

En revanche, Bosun, le maître d'équipage, Mike, le timonier, et tous les autres marins avaient déjà rejoint leurs postes respectifs sans attendre les ordres du capitaine.

Meg avait perdu tout intérêt pour sa part de tarte. Elle demeura néanmoins à sa place, partagée entre l'effroi et l'excitation. S'il s'agissait d'un navire français, y aurait-il une bataille ?

Puis le jeune assistant de Biggins surgit et, balbutiant une excuse, débarrassa la table en hâte avant de la replier. Meg se leva alors pour lui permettre d'emporter sa chaise. Après une hésitation, elle rejoignit Cosimo à bâbord. L'œil toujours rivé à sa longue-vue, il lui dit :

— Vous pouvez rester sur le pont pour le moment, mais je vous serai reconnaissant de descendre à la minute où je vous le demanderai.

— Oui, bien sûr. Si c'est un bateau français, vous allez vous battre ?

— Si nous ne pouvons le distancer, nous y serons obligés, répondit-il d'un ton indifférent.

Quelques instants plus tard, ils entendirent la voix étranglée du jeune Graves :

— Il arbore le drapeau tricolore, monsieur !

— Très bien. Messieurs, à toutes voiles ! commanda Cosimo en haussant à peine le ton. Si vous ne bougez pas d'ici, ajouta-t-il à l'intention de Meg, vous ne gênerez personne.

— Ça ne vous ennuie pas ?

Il secoua la tête.

— Non, si vous avez assez d'estomac pour ça.

Ce que Meg ignorait, c'est qu'il la mettait à l'épreuve. Ana, dans les mêmes circonstances, avait adoré braver le danger. Debout sur le pont, ses longs cheveux roux fouettés par le vent, ses yeux verts presque sauvages d'excitation, elle ne bronchait pas même lorsque les balles sifflaient autour d'elle.

De quel bois Meg Barratt était-elle faite ? Il ne tarderait sans doute pas à le savoir.

Resserrant les plis de sa cape autour d'elle, Meg scruta l'obscurité jusqu'au moment où elle distingua une ombre blanche. Des voiles! Et qui semblaient se rapprocher! Un petit frisson lui courut le long de l'échine.

— Est-il plus gros que la *Marie-Rose*? demanda-t-elle.

— C'est une frégate. Plus grosse, certainement, mais moins rapide et moins maniable.

Meg ne posa pas d'autre question pour ne pas distraire l'attention du capitaine.

Toutes voiles dehors, la *Marie-Rose* filait à présent comme le vent, poursuivie par le vaisseau français.

5

Cosimo gardait sa longue-vue fixée sur les voiles ennemies. Apparemment, la *Marie-Rose* conservait son avance. Puis il dirigea son regard sur les contours indécis de Sercq et aperçut les traces d'écume révélatrices des dangereux écueils entourant l'île. Un mince sourire lui vint aux lèvres.

— Mike! cria-t-il à l'homme de barre. Garde le cap, je descends une minute. Appelle-moi en cas de changement.

Meg le suivit des yeux tandis qu'il traversait le pont à grandes enjambées. Quand il disparut dans l'escalier, elle hésita. Elle avait remarqué son petit sourire, qui avait aussitôt évoqué pour elle celui de Méphistophélès ayant trouvé une âme à acheter.

Après un instant, elle descendit à son tour. Par la porte ouverte de la cabine, elle vit Cosimo penché sur ses cartes. Il ne paraissait prêter aucune attention à Gus, qui se dandinait avec agitation sur la barre de sa grande cage en émettant de petits cris plaintifs.

Meg entra sans bruit pour ne pas troubler sa concentration. Cependant, Cosimo n'était pas si oublieux qu'elle le croyait du monde extérieur puisqu'il dit:

— Meg, pourriez-vous mettre cette housse rouge sur la cage de Gus, s'il vous plaît?

— Bonne nuit! Bonne nuit! Pôvre Gus... grommela le perroquet dès qu'elle s'approcha de sa cage, la housse à la main.

66

— Pauvre Gus, tu as raison. Dois-je fermer la porte ?

— Non, répondit Cosimo sans relever la tête. Il n'aime pas être enfermé, mais simplement isolé quand la situation devient tendue.

Finalement, ce perroquet ne manquait pas de jugeote, songea Meg en allant s'asseoir sur la banquette. Elle observa Cosimo qui griffonnait de brèves annotations sur ses cartes.

— Avons-nous une destination ? finit-elle par demander.

— Pas vraiment, répondit-il en reposant son crayon. Juste un plan, qui nous mènera là où il nous mènera…

Cet étrange petit sourire s'attardait toujours sur ses lèvres, et ses yeux irradiaient une espèce de jubilation intime, comme s'il détenait un secret connu de lui seul. Toutefois, Meg remarqua la ligne durcie de sa mâchoire ainsi que la tension subtile qui raidissait son corps. Face à cet homme qui dominait totalement ses émotions, elle fut saisie d'une crainte soudaine qui l'empêcha de poser d'autres questions.

Quand Cosimo sortit, elle ne le suivit pas. À quoi bon se rendre sur le pont où elle n'était d'aucune utilité ?

Puis une résolution soudaine la fit sauter sur ses pieds. Ayant refermé la porte de la cabine derrière elle, elle s'enfonça dans les entrailles du bateau. Elle ne savait pas où elle allait, mais le moment lui semblait opportun de se livrer à une petite exploration.

Tout en luttant pour conserver son équilibre, Meg passa devant la cuisine déserte. Les fourneaux étaient éteints, les casseroles soigneusement calées derrière des barres en bois. Au bout de la coursive, elle se trouva face à une volée de marches étroites qui s'apparentaient plus à une échelle qu'à un escalier.

Elle entendit alors une voix qu'elle reconnut pour être celle de David Porter. Sans hésiter, elle descendit et se retrouva dans un espace bas de plafond, éclairé par des lampes à huile pendues à des crochets. Des sacs et des ballots s'entassaient contre les parois concaves ; une grande table en bois fixée au plancher occupait le centre de l'espace. Le jeune assistant de Biggins la frottait avec énergie sous les yeux du chirurgien, debout près d'un coffre sur lequel étaient disposés ses instruments.

Tous deux levèrent vers elle un regard interloqué.

— Mademoiselle Barratt ! Il est arrivé quelque chose ? demanda David, les sourcils froncés.

— Non, pas du tout. Est-ce l'hôpital ?

— L'infirmerie, quand cela s'avère nécessaire.

— Vous attendez-vous à des blessés ?

— Mieux vaut être prêt, au cas où, mais avec l'adresse et la chance de Cosimo, il n'y en aura aucun.

— Il ne veut donc pas engager le combat ?

— Bien sûr que non, assura David en lui jetant un coup d'œil en biais. Pourquoi le souhaiterait-il ?

— Je... je ne sais pas vraiment. Mais il avait un air de... de triomphe, presque, comme s'il espérait remporter une victoire.

— Je connais suffisamment Cosimo pour dire que vous n'avez probablement pas tort, dit le médecin avec un rire bref. Il doit avoir un plan, mais cela ne signifie pas forcément qu'il mettra ses hommes et son navire en danger.

Une fois de plus, Meg s'émerveilla de l'acceptation paisible que Cosimo paraissait obtenir de son équipage. De toute évidence, David Porter était un homme intelligent et cultivé ; pourtant, lui aussi accordait une confiance aveugle à un homme qui dissimulait toutes ses intentions.

— Que puis-je faire pour aider ? demanda-t-elle en écartant délibérément l'énigme Cosimo de son esprit.

— Déchirer ça en charpie afin d'en faire des bandages, répondit aussitôt David en désignant une pile de draps usagés pliés sur un tonneau.

Pleine de bonne volonté, Meg se mit à la tâche.

Le sol plongeait parfois sous ses pieds, puis se dressait comme un poulain qui se cabre sous la selle. Au bout d'un moment, David dut remarquer qu'elle changeait de couleur.

— Allez donc respirer un peu d'air frais, lui conseilla-t-il. On sent moins le mouvement du bateau ici, mais l'atmosphère est très confinée.

— Si cela ne vous ennuie pas, murmura Meg, qui gagna l'échelle en titubant, le cœur au bord des lèvres.

Dès qu'elle arriva à l'air libre, elle se sentit mieux. À la lueur de la lune, les voiles de la frégate ennemie étaient clairement visibles. Debout derrière le timonier, Cosimo braquait sa longue-vue dans sa direction.

— Amenez les voiles basses ! cria-t-il soudain.

Durant une fraction de seconde, un silence presque surnaturel régna sur le pont. Puis les hommes s'élancèrent pour exécuter son ordre.

Meg ne connaissait pas grand-chose à la navigation, mais elle savait cependant que moins de voile signifiait moins de vitesse. Le vent soufflait… alors, que signifiait ce ralentissement que Cosimo infligeait volontairement à son bateau ?

Son bref accès de nausée oublié, elle s'avança vers la barre.

— Pourquoi ? se contenta-t-elle de demander à Cosimo.

L'étincelle insolente brillait toujours dans le regard qu'il lui décocha.

— Connaissez-vous l'histoire du joueur de flûte de Hamelin ?

— Vaguement. On dit qu'il leurrait les…

Meg s'arrêta court, les yeux fixés sur Cosimo.

Pour toute réponse, celui-ci inclina la tête puis il reprit sa longue-vue et la braqua sur la frégate.

Meg sentait que la *Marie-Rose* ralentissait. Était-ce un effet de son imagination ou le bateau ennemi gagnait-il déjà du terrain ? De brusques frissons lui coururent le long du dos et elle resserra sa cape autour d'elle. Cosimo comptait tromper l'ennemi et l'entraîner vers... vers quoi, au fait ?

Il paraissait si concentré qu'elle n'osa le lui demander. Soudain, il se détourna et lança un nouvel ordre.

— Qu'on serre les perroquets !

Cette fois, il n'y eut pas une seconde d'hésitation. En quelques instants, les voiles furent descendues.

La frégate se rapprochait inéluctablement, au point que Meg discernait à présent la gueule des canons luisant au clair de lune.

Il y eut soudain un éclat de lumière et un nuage de fumée, suivis du bruit du plongeon d'un boulet juste derrière la poupe de la *Marie-Rose*.

— J'espère, mon ami, que ce n'était qu'un tir d'avertissement, dit Cosimo en secouant la tête. Pour causer quelque dommage, il faudrait que tu viennes un peu plus près !

Interdite, Meg le regarda puis reporta les yeux sur la frégate. Elle distinguait maintenant des silhouettes qui s'agitaient sur le pont. Un appel retentit au-dessus de l'eau.

Cosimo écouta avec attention puis se tourna vers le jeune Graves, debout à son côté.

— Miles, qu'on démasque les sabords. Les canonniers à leur poste !

— Oui, monsieur.

La pâleur du jeune homme trahissait son excitation. À celle-ci se mêlait sans doute de la peur, et Meg devina que Cosimo avait usé de familiarité envers lui afin de le rassurer.

D'une voix un peu étranglée, Graves transmit l'ordre du capitaine. Un bruyant grincement de roues se fit entendre dans l'entrepont.

— Feu ! ordonna Cosimo avec un calme olympien.

De nouveau, Graves transmit l'ordre. Des flammes jaillirent, accompagnées de la détonation de la poudre ;

des gerbes d'écume éclaboussèrent le flanc du bateau ennemi quand les boulets s'écrasèrent dans l'eau.

— S'ils sont trop loin pour nous atteindre, n'est-ce pas la même chose pour nous ? demanda Meg.

— Nous répondons à leur provocation, rien de plus, dit Cosimo, l'air sincèrement amusé.

À peine eut-il terminé sa phrase qu'une nouvelle lueur jaillit du vaisseau français ; cette fois, la *Marie-Rose* tressaillit quand un boulet s'enfonça dans le bois de la poupe qu'il déchiqueta dans un fracas assourdissant.

— Touché ! cria une voix.

Le maître d'équipage accourut vers Cosimo.

— Au-d'ssus d'la flottaison, cap'taine. Rien qu'on puisse pas réparer.

— Des blessés ?

— Deux. Des éclats d'bois. On les descend à l'infirmerie.

Cosimo hocha la tête, puis reporta son attention sur la frégate.

— Un peu trop près à mon goût, murmura-t-il, plus pour lui-même que pour ceux qui l'entouraient. Hissez toute la toile ! ordonna-t-il avant de prendre la barre des mains de Mike.

Il donna un violent coup à bâbord. Lorsqu'elle eut recouvré son équilibre, Meg eut l'impression que la *Marie-Rose* se dirigeait droit vers les brisants sur lesquels la mer s'écrasait avec un mugissement sourd.

Elle se retourna en entendant le vrombissement d'un boulet derrière elle, au moment précis où celui-ci percutait la coque, juste au-dessous de l'endroit où elle se tenait. À moitié assourdie par le fracas du bois, elle fut projetée contre le bastingage auquel elle s'accrocha pour ne pas tomber.

— Ça va ? demanda Cosimo en surgissant à côté d'elle.

— Oui, je crois, répondit-elle un peu étourdie.

Puis ses yeux tombèrent sur son bras et elle regarda avec incrédulité l'éclat de bois qui s'était fiché dedans comme une flèche. Elle ne ressentait aucune douleur, mais une tache de sang s'élargissait rapidement sur sa manche en lambeaux.

— Descendez montrer cela à David, ordonna Cosimo.

— C'est juste une égratignure, protesta Meg. Je vais simplement retirer l'écharde et nouer la dentelle de ma manche autour.

Elle s'apprêtait à joindre le geste à la parole lorsqu'un silence alarmant lui fit relever la tête.

Cosimo la regardait avec, dans les yeux, cette lueur glaciale qu'elle y avait déjà vue.

— Vous avez la mémoire courte, mademoiselle Barratt.

— Au contraire, rétorqua Meg qui refusait de se laisser impressionner. Ma mémoire est excellente !

Elle recula cependant, mais sans baisser les yeux jusqu'au moment où elle dut pivoter pour emprunter l'escalier.

Mieux valait faire attention à ses paroles et à ses gestes lorsqu'on se trouvait sur le navire du capitaine Cosimo ! songea-t-elle en se dirigeant vers l'infirmerie.

Le second tir avait sans doute causé d'autres dégâts, car l'espace minuscule de l'infirmerie semblait surpeuplé. David Porter était en train de placer des attelles autour du pied d'un matelot tandis que trois autres hommes, dont l'un saignait abondamment d'une blessure sous l'œil, attendaient, assis sur des tonneaux.

Meg baissa les yeux sur son bras qu'elle sentait à présent pulser douloureusement. Elle avait la désagréable impression que l'éclisse empêchait que le sang ne jaillisse en geyser.

David tourna les yeux vers elle.

— Blessée ?

— Juste une égratignure.

— Accordez-moi une minute et je suis à vous.

— Non, je vous en prie, protesta Meg en secouant la tête. Il n'y a pas urgence. Examinez ces hommes d'abord.

Quittant l'homme allongé sur la table, David s'approcha néanmoins d'elle, la tête penchée pour éviter de heurter le plafond bas.

— Faites-moi voir, dit-il en lui saisissant le bras.

— Non, je vous assure, ce n'est pas grave. Je ne serais même pas descendue si...

— Si quoi ? demanda-t-il quand Meg renonça à poursuivre.

— Si Cosimo ne m'avait pas lancé ce regard...

— Ah, « ce regard »... répéta le médecin d'un air amusé. Vous contestiez un ordre, n'est-ce pas ?

Meg haussa les épaules.

— Il ne me semblait pas nécessaire de vous embêter avec une égratignure alors que d'autres sont plus gravement atteints.

— Asseyez-vous là quelques instants, dit David en désignant un gros sac de toile qui laissait échapper son contenu de haricots secs. Quoi qu'il arrive, ne touchez pas à ce bout de bois.

Faute d'alternative, Meg obéit. Même si on se sentait plus éloigné du danger au fin fond de la cale, elle savait que cette impression était trompeuse. Sa gorge se serra d'horreur lorsqu'elle imagina l'eau se déversant à flots dans ce minuscule espace éclairé seulement par quelques lanternes vacillantes.

Afin de juguler sa panique naissante, elle s'appliqua à faire couler les haricots entre ses doigts en un geste lénifiant. Quand David lui demanda de venir s'asseoir sur la table, elle avait retrouvé son calme. Son bras, en revanche, l'élançait de plus en plus.

— Cosimo s'y connaît en blessures, dit le chirurgien en saisissant une longue pince. En mer, elles peuvent s'infecter très vite si elles ne sont pas correctement nettoyées. Je sais que ses manières peuvent heurter quand on n'y est pas habitué, continua-t-il tout en extrayant l'éclat de bois de la chair de Meg. Mais en règle générale, lorsqu'il use de son autorité, c'est avec raison.

— C'est acceptable si on s'y soumet volontairement, rétorqua Meg avec une pointe d'agressivité.

Parler l'aidait à distraire son attention de ce que David faisait.

Sitôt qu'il eut enlevé le long bout de bois, le sang jaillit ; quand il se mit à nettoyer la blessure avec un linge imprégné de vinaigre, Meg dut se mordre la lèvre pour ne pas hurler. Il examina ensuite la plaie avec soin et en retira quelques échardes.

— Voilà, je crois que c'est tout, dit-il en faisant signe à Meg de presser de sa main valide le tampon destiné à arrêter l'écoulement de sang. Chacun de nous doit trouver sa manière de traiter avec Cosimo, reprit-il comme si rien n'avait interrompu leur conversation.

— Bien sûr, quand on est *obligé* de le faire !

David la considéra avec un petit sourire ; cependant, Meg crut déceler dans celui-ci une ombre d'inquiétude inexplicable.

— Vous savez, mademoiselle Barratt, je ne crois pas que Cosimo vous veuille du mal.

— Peut-être pas, dit-elle en plongeant son regard dans celui du chirurgien. Il n'empêche qu'il y a deux jours, je ne prévoyais pas de me retrouver prisonnière sur un bateau engagé dans une bataille avec une frégate ennemie !

— Je comprends votre point de vue, mademoiselle Barratt. Mais il s'agissait d'un hasard malencontreux...

— Je vous en prie, laissons tomber ces formalités, David, dit Meg, sensible à l'embarras du médecin. Je m'appelle Meg.

David sourit.

— Eh bien, Meg, je ne pense pas que vous aurez de cicatrice. Des élancements, en revanche, c'est possible. Je referai ce pansement demain matin.

— Si nous passons la nuit, murmura Meg en s'accrochant à la table pour conserver son équilibre lorsque le bateau plongea sous ses pieds. La *Marie-Rose* essaie de leurrer la frégate... mais j'ignore où elle l'entraîne.

Comme elle gardait les yeux fixés sur le médecin, elle remarqua l'éclair d'inquiétude qui troubla fugitivement son regard. Ainsi, quoi qu'il pût prétendre, David Porter n'accordait pas une confiance aveugle aux plans de son capitaine.

Néanmoins, rien dans sa voix ne trahit ses sentiments.

— Voulez-vous que je vous fasse une écharpe pour soutenir votre bras ?

— Non, merci. Je ferai attention, assura Meg en se dirigeant avec précaution vers l'échelle.

Un piétinement se fit entendre au-dessus de sa tête, annonçant l'arrivée d'un nouveau blessé.

— Un canon s'est détaché, expliqua un homme en descendant l'échelle à reculons tout en soutenant les jambes du blessé qui gémissait. Sly s'est fait coincer contre la paroi. Il est salement touché.

Déjà, David donnait des ordres à son jeune assistant. Jugeant qu'elle ne serait d'aucune utilité, Meg remonta sur le pont.

Curieusement, sa peur s'était évanouie et elle n'éprouvait plus que de la curiosité. À première vue, la situation semblait inchangée : Cosimo se trouvait à la barre et la frégate poursuivait toujours la *Marie-Rose*.

Cependant, toutes voiles dehors, celle-ci semblait se précipiter droit sur les récifs cernant Sercq. Meg sentit soudain sa gorge se serrer. Cosimo n'avait certainement pas l'intention de précipiter son navire sur les rochers. Alors ? Alors, il y entraînait ses ennemis ! comprit-elle.

Mais pourquoi ceux-ci ne remarquaient-ils rien ? Sans doute étaient-ils aveuglés par l'excitation de la chasse, et d'autant plus acharnés qu'ils avaient cru la corvette à portée de canon lorsque celle-ci avait fortement ralenti.

Pour ne pas distraire l'attention de Cosimo, Meg essaya de s'approcher de la barre en restant hors de son champ de vision. Malgré tout, il eut instantanément conscience de sa présence.

— C'est douloureux ? demanda-t-il en baissant brièvement les yeux sur son bras.

— Ça lance, admit-elle. Est-ce que nous allons nous écraser sur ces rochers ?

— Ô femme de peu de foi ! dit-il avec un petit rire.

Meg déglutit avec peine.

— Est-ce qu'*eux* vont s'échouer ?

Cosimo lui jeta un coup d'œil légèrement moqueur.

— Je vous assure que si la situation était inversée, ils n'éprouveraient pas plus de compassion pour nous que je n'en ai pour eux.

Meg secoua la tête pour marquer sa désapprobation devant tant de cynisme.

— Si cela doit vous rasséréner, il y a un banc de sable juste derrière ces écueils. C'est là qu'ils s'échoueront. À présent, si vous voulez bien ne pas me distraire...

Meg s'éloigna. Soudain, tout alla très vite. Arc-bouté sur la barre, Cosimo hurla des ordres. Les voiles claquèrent, la *Marie-Rose* vira de bord puis, saisissant le vent arrière, bondit sur les vagues alors que la frégate continuait sur sa lancée.

Meg perçut des exclamations affolées, puis des ordres précipités qui jetèrent les matelots dans les vergues. Malheureusement, la frégate était trop lourde et trop encombrante pour manœuvrer avec la même facilité que la corvette ; un fracas de bois éclaté déchira la nuit et le bateau s'immobilisa brusquement sur le flanc, frémissant de toutes ses voiles abattues.

Après avoir remis la barre à Mike, Cosimo se dirigea vers Meg tout en s'épongeant le front avec sa manche.

— Que vont-ils devenir ? demanda Meg.

Il sourit.

— Ils vont rester là gentiment jusqu'à l'arrivée de la Royal Navy, répondit-il, l'air satisfait. Les deux vaisseaux de guerre croisent non loin d'ici. Quand l'aube sera venue, ils viendront cueillir cette prise non négligeable.

Comme il levait les yeux vers le ciel, Meg l'imita. Il se teintait imperceptiblement de gris vers l'est.

— La nuit a été plutôt courte, constata-t-elle, même s'il lui semblait qu'une éternité s'était écoulée depuis ce repas troublant sous les étoiles.

— Vous êtes fatiguée. Descendez dormir. Nous appareillerons d'ici à une heure.

Après une seconde de réflexion, elle choisit de ne pas dire qu'elle aurait préféré rester sur le pont. Avoir affronté le *regard* du capitaine une fois dans la nuit lui suffisait.

— B'jour, b'jour ! croassa Gus lorsqu'elle ouvrit la porte de la cabine.

Dès que Meg eut ôté l'éteignoir rouge de la cage, il s'envola et alla se poser devant l'un des hublots pour observer avec intérêt, lui sembla-t-il, le jour naissant.

Après lui avoir gratté le sommet du crâne, Meg s'étendit sur la couchette sans prendre la peine d'ôter ses bottines. Son intention était de remonter très vite sur le pont.

Elle n'entendit pas la porte s'ouvrir une heure plus tard, pas plus qu'elle n'eut conscience que Cosimo lui enlevait ses chaussures et la recouvrait d'une couverture.

Il l'observa ensuite quelques minutes, songeur.

Meg Barratt s'était bien comportée, cette nuit. Même si elle montrait moins d'exaltation qu'Ana, elle avait réussi à dominer son appréhension, et il était persuadé que, le cas échéant, elle ne reculerait pas devant le danger.

Cependant, les étranges scrupules qu'elle manifestait le déconcertaient. Jamais Ana ne se serait inquiétée du sort d'un navire ennemi et de ses passagers. Tout comme lui, elle ne songeait qu'au but à atteindre, et considérait qu'en temps de guerre tous les coups étaient permis.

Pourrait-il persuader Meg de souscrire au plan qu'il avait conçu ? Si elle ne ressemblait pas aux jeunes femmes de sa condition, elle avait néanmoins vécu une existence protégée. Accepterait-elle d'apporter son aide à l'exécution d'un meurtre ? Comprendrait-elle la nécessité de celui-ci ?

Cosimo serra les dents. Il ne pouvait agir avec précipitation mais, malheureusement, le temps lui était compté. Impossible de rester plus de trois jours à Sercq. Durant ce laps de temps, non seulement il lui faudrait apprendre à connaître davantage Meg Barratt, mais aussi recueillir d'éventuels messages à transmettre à la flotte de l'amiral Nelson et – si le ciel était avec lui – découvrir quelques indices sur ce qui avait pu arriver à Ana.

Ensuite, contre vents et marées, il devrait s'acquitter de sa mission.

6

Meg ressentit d'abord une douleur vague mais insistante. Quand elle ouvrit les yeux dans la cabine baignée de lumière, les événements de la nuit affluèrent à sa mémoire et elle ne fut pas étonnée de s'éveiller si tard.

Le bateau à l'ancre tanguait doucement. Dressée sur sa couchette, elle aperçut des collines verdoyantes. Par l'un des hublots ouverts, un délicieux parfum d'algues et de sel flotta jusqu'à elle, accompagné d'un bruit de voix.

La terre! Soudain galvanisée, Meg se leva rapidement, non sans prendre soin de plaquer son bras blessé contre son torse. Le pansement était taché de sang, mais l'écoulement semblait s'être tari.

Agenouillée sur la banquette, elle observa le quai sur lequel des pêcheurs réparaient des filets. Un peu plus loin, un hameau se blottissait au pied d'une colline; un chemin de terre serpentant à flanc de coteau montait jusqu'au sommet de celle-ci, et Meg distingua encore quelques toits disséminés dans la verdure.

Il était temps de songer à sa toilette. Sans trop y croire, elle regarda dans le cabinet de toilette; quel ne fut pas son ravissement d'y trouver deux brocs d'eau encore fumante, ainsi qu'une pile de serviettes propres!

Après avoir hésité, le temps de jeter un coup d'œil vers la porte, elle haussa les épaules et passa son bras valide dans son dos pour détacher sa robe. Elle ne tarda pas à s'apercevoir que ce serait impossible avec une seule main; elle s'acharna néanmoins avec une frustration grandissante, jusqu'au moment où elle sentit sa blessure se rouvrir.

Des larmes absurdes lui montèrent aux yeux quand elle observa, impuissante, le sang qui perlait de nouveau sous le pansement. Puis elle lâcha un juron bien senti et se contorsionna de nouveau pour atteindre le bouton supérieur de son corsage. En vain.

Au moment où elle jurait de plus belle, elle reconnut la manière de frapper de Cosimo.

— Entrez, bon sang! s'exclama-t-elle avec impatience.

— Que diable vous arrive-t-il? demanda Cosimo en entrant dans la cabine, Gus perché sur son épaule. Je me serais cru à la halle aux poissons.

— J'essaie de déboutonner cette fichue robe avec une seule main, répondit Meg entre ses dents serrées. Et je n'ai réussi qu'à faire saigner mon bras.

— Bon sang! Pourquoi n'êtes-vous pas venue me trouver? Venez ici!

Passant derrière elle, il défit prestement les boutons et repoussa la robe sur les épaules de Meg.

Quand la main de Cosimo effleura sa chair nue, Meg ressentit une brusque excitation qu'elle s'efforça aussitôt de dominer. Mais il se tenait si près d'elle qu'elle sentait son souffle tiède sur sa nuque...

Enjambant la robe tombée par terre, elle dit sans le regarder:

— Je vous remercie. Je peux me débrouiller seule, maintenant.

— Vous êtes sûre? demanda-t-il avec une sollicitude qui ne trompa pas Meg un instant.

— Ma chemise est boutonnée sur le devant, souligna-t-elle d'un ton acide.

— Oh! quel dommage...

Passant la main par-dessus son épaule, il lui prit le menton pour amener son visage vers lui et effleura sa bouche de ses lèvres.

— Êtes-vous certaine que je ne puisse vous aider?

— Certaine, affirma Meg sans se soucier de paraître choquée par sa familiarité.

Elle commençait à s'y habituer, sans être toutefois capable de déterminer s'il s'agissait de taquinerie ou de quelque chose de plus sérieux. Quoi qu'il en soit, si l'attraction qu'ils ressentaient l'un pour l'autre devait se concrétiser, ce serait au moment où *elle* le déciderait. Et en tout cas, pas avant que sa situation ne fût éclaircie et qu'elle ne sût avec certitude par quel moyen elle regagnerait l'Angleterre.

— Très bien, dit Cosimo qui, à son vif et incompréhensible désappointement, parut se satisfaire de son refus. Alors, je vous laisse. Je vais vous envoyer David pour qu'il regarde votre bras. Si vous avez besoin d'aide pour vous habiller, il fera une femme de chambre au-dessus de tout soupçon.

Il quitta la cabine accompagné d'une volée de « Salut ! » de la part de Gus qui était retourné sur son perchoir. Meg jura alors entre ses dents et le perroquet la regarda avec intérêt, la tête penchée sur le côté.

— Jusqu'à présent, je ne t'ai pas entendu jurer, et j'aimerais autant que tu ne l'apprennes pas de moi. Compris ?

Après s'être débattue pour finir de se déshabiller, elle se lava avec une seule main, puis enfila tant bien que mal des sous-vêtements propres. Au moment où elle passait la robe couleur bronze qu'elle portait la veille, David frappa à la porte.

— Entrez ! David, j'ai besoin d'aide, déclara-t-elle piteusement.

— Oui, Cosimo m'a dit que vous aviez des problèmes. Voyons d'abord votre bras.

— La blessure s'est rouverte.

— Mmm…

Le chirurgien ouvrit son sac, en tira de quoi nettoyer la plaie puis refit le pansement plus serré.

— Que puis-je pour vous ? demanda-t-il quand il eut terminé.

— Fermer les boutons de ma robe, s'il vous plaît. J'aurais bien demandé à Gus, mais j'ai peur qu'il s'agisse d'une des rares choses qu'il ne puisse pas faire.

Tout en riant, David s'exécuta.

— Autre chose ?

— Non, je vous remercie infiniment.

— Tout le plaisir est pour moi, assura-t-il avant de ramasser sa sacoche.

— David ?

La main sur la poignée, il se retourna.

— Cosimo m'a dit qu'il enverrait un message à mes amis par pigeon voyageur...

— Oui ?

— Est-ce que c'est vraiment possible ?

— Ma chère Meg, s'il l'a dit, c'est que c'est vrai. Depuis des années que je le connais, je n'ai jamais vu Cosimo faire une promesse qu'il ne pouvait tenir.

Meg hocha la tête, sans savoir exactement pourquoi elle avait douté de Cosimo.

D'un geste machinal, elle commença à se brosser les cheveux. Dieu merci, leur coupe courte n'exigeait pas qu'elle bataille avec des épingles. Mettre des bas requérait en revanche l'usage des deux mains, aussi se contenta-t-elle d'enfiler des sandales sur ses pieds nus avant de partir à la recherche du capitaine de la *Marie-Rose*. Son estomac criait famine, mais elle était pressée d'aller à terre pour préparer son retour.

— Bonjour, mademoiselle, dit Miles Graves en accourant à sa rencontre dès qu'elle mit le pied sur le pont. Le capitaine m'a demandé de me mettre à votre service. Avez-vous besoin de quelque chose ?

— Bonjour, Miles. Oui, je voudrais aller sur l'île. Quelqu'un peut m'y conduire ?

— Malheureusement, mademoiselle, le capitaine n'est pas à bord, répondit le jeune homme avec embarras. Il est descendu à terre.

— Vraiment ? Eh bien, c'est justement ce que je souhaite faire, moi aussi.

— Je suis désolé, c'est… c'est impossible, je crois.

— Et pourquoi donc ? Il y a un canot amarré à la *Marie-Rose*. Un matelot peut sûrement me conduire à quai, insista Meg, perplexe et vaguement irritée.

— Pas sans la permission du capitaine, mademoiselle. Personne ne peut quitter le navire sans son autorisation.

— C'est ridicule ! Je ne suis pas prisonnière.

— Euh… non, mademoiselle… Bien sûr que non, balbutia Miles, écarlate. Mais vous ne pouvez aller à terre sans la permission du capitaine.

— C'est lui qui l'a dit ? demanda-t-elle avec une indignation croissante.

Visiblement au supplice, il se gratta la tête.

— Personne n'a de permission à terre, finit-il par dire.

— Cela concerne les membres de l'équipage, rétorqua Meg en s'adjurant à la patience. Je n'en fais pas partie. Si je veux aller à terre, c'est mon problème. Et s'il n'y a personne pour m'y conduire, eh bien, je ramerai moi-même. De cette façon, aucun des hommes du capitaine ne pourra être accusé de lui avoir désobéi.

Au moment même où elle prononçait ces mots, Meg prit conscience de leur stupidité. Avec son bras bandé, comment pourrait-elle ramer ? Et même descendre le long de l'échelle qui se balançait périlleusement contre le flanc du navire ?

— Mademoiselle, je ne peux vous laisser prendre le canot, murmura Miles, navré. Je suis vraiment désolé.

Le pauvre ! songea Meg. Il était pris entre le marteau et l'enclume…

— Je comprends, Miles. Je réglerai le problème avec votre oncle.

— Merci, mademoiselle, dit le jeune homme avec un soulagement évident. Y a-t-il autre chose pour votre service ?

— Je voudrais déjeuner. Je meurs de faim.

— Tout de suite, mademoiselle.

Souriant jusqu'aux oreilles, il s'élança vers l'entre-pont, laissant Meg accoudée au bastingage, plongée dans la contemplation de ce quai si proche et pourtant hors de portée.

*
* *

Cosimo se dirigeait d'un bon pas vers le sommet de la colline. De temps à autre, il tirait sa longue-vue pour surveiller l'éventuelle approche des bâtiments de guerre.

Au cas où ceux-ci manqueraient la frégate naufra-gée, il les ferait alerter par des signaux envoyés des hauteurs de Sercq. Mais il n'y avait toujours rien en vue au moment où il s'approcha d'une petite maison grise que rien ne distinguait des autres, hormis la sen-tinelle en uniforme qui la gardait.

— Oh! c'est vous, capitaine Cosimo! dit le soldat en esquissant un salut hésitant que ce dernier ne lui ren-dit pas.

— C'est moi. Le lieutenant est-il là?

— Oui, monsieur, répondit la sentinelle en le précé-dant dans la maison. Mon lieutenant, le capitaine de la *Marie-Rose,* est ici.

— Ah! lieutenant Murray, je suis heureux de vous voir! dit Cosimo en lui tendant la main.

Le jeune officier se raidit; il salua d'abord Cosimo dans les formes avant de lui serrer la main, non sans avoir marqué une légère hésitation. Cosimo savait que sa personne constituait un affront aux yeux de la hié-rarchie militaire. D'une part parce qu'il refusait d'ob-server l'étiquette, mais surtout parce qu'il bénéficiait de la confiance du roi et qu'il avait mené à bien nombre d'opérations délicates, ce qui lui valait un res-pect obligé mais réticent de la part des officiers.

— Un verre de bière, monsieur? proposa le lieute-nant.

— Ce n'est pas de refus, je vous remercie. La montée jusqu'ici est rude, sous le soleil. Dites-moi, Murray, avez-vous repéré le *Leopold* et l'*Edwina* ?

— Oui, de l'autre côté de l'île, répondit le lieutenant avec une animation soudaine. En approchant, savez-vous ce qu'ils ont trouvé ? Une frégate française naufragée sur les bancs de sable au-delà des récifs, et qui semblait tout bonnement attendre leur arrivée !

— Oui, je sais, dit Cosimo avec un sourire entendu. Cette frégate s'est échouée juste avant l'aube.

— Vous l'avez passée ? demanda l'officier, surpris.

— On peut dire cela... Oh ! merci, dit Cosimo en acceptant le pot de bière que lui apportait la sentinelle.

Le lieutenant n'eut aucune peine à interpréter la réponse de son visiteur. Une question lui brûlait visiblement les lèvres, même si chaque succès remporté par le corsaire restait en travers de la gorge de la marine officielle.

— Comment avez-vous fait ?

Cosimo haussa les épaules.

— Son capitaine était trop pressé d'assurer ses parts de prise...

Puis, changeant de sujet :

— J'attends un message, Murray...

Cosimo savait que si un pigeon voyageur en avait apporté un pour lui, le lieutenant l'en aurait déjà informé ; cependant, son inquiétude était telle qu'il ne put s'empêcher d'aborder le sujet.

— Un message d'Angleterre ?

— Je le pense.

Il ne pouvait en être certain. Des relais de pigeons voyageurs étaient disséminés tout au long des côtes européennes, et Ana voyageait au gré des missions qu'on lui confiait, tout comme les agents français. Cosimo ne pouvait savoir où elle avait été capturée, le cas échéant, car il ignorait tout de la mission d'Ana, excepté qu'ils devaient se retrouver à Folkestone.

— Nous n'avons rien reçu jusqu'à maintenant, lui confirma le lieutenant.

— Faites-le-moi porter dès que vous le recevrez.

— Oui, monsieur.

— J'aurai moi-même un message à envoyer en Angleterre, reprit Cosimo après avoir vidé son verre. Vous avez un pigeon prêt ?

— Nous en avons trois.

— Bien. Je vous l'apporterai cet après-midi. Je passerai trois jours ici, au cas où il y aurait des messages pour l'amiral Nelson.

— Vous rejoignez l'amiral ? demanda le lieutenant d'un ton envieux.

— Cela se peut, répondit vaguement Cosimo.

Il tourna les talons après avoir pris congé d'un geste de la main, auquel le lieutenant répondit par un salut précipité.

Une fois de l'autre côté du bâtiment, Cosimo ajusta sa longue-vue sur la mer en contrebas.

Venues des deux trois-ponts ancrés plus au large, des chaloupes entouraient la frégate française. Des hommes s'employaient à l'extraire du sable à l'aide de palans ; après les avoir observés d'un œil critique, Cosimo jugea qu'ils savaient ce qu'ils faisaient.

Il redescendit lentement vers le village. À mi-côte, il porta de nouveau sa longue-vue à ses yeux. Sur le pont de la *Marie-Rose*, il distingua Meg qui regardait en direction du quai et crut déceler une certaine impatience dans son attitude. Sans doute avait-elle hâte de procéder aux préparatifs de son retour en Angleterre. Il espérait la convaincre de différer celui-ci de deux jours sans éveiller ses soupçons afin de bénéficier d'un peu plus de temps pour affiner ses plans.

*
* *

Appuyée au bastingage, Meg s'apprêtait à mordre dans un sandwich au jambon lorsqu'elle reconnut la longue silhouette qui descendait la colline à grandes enjambées. Elle posa son sandwich et but une gorgée, tout en suivant la progression du capitaine d'un œil torve.

Après avoir disparu quelques minutes dans les ruelles du village, Cosimo réapparut sur le quai. Un foulard coloré ornait son cou, et ses cheveux auburn étaient négligemment noués sur la nuque.

Au coup de sifflet strident qu'il lança, deux matelots dégringolèrent l'échelle menant au canot. En quelques coups d'avirons puissants, ils atteignirent le quai ; Cosimo sauta dans l'embarcation et, quelques minutes plus tard, il montait à bord.

L'air satisfait, il embrassa son empire du regard, puis se dirigea en souriant vers Meg.

Son sourire s'effaça lorsqu'il vit son expression.

— Vous avez l'air furibond. Quelque chose ne va pas ?

— Il se trouve que oui !

Du coin de l'œil, elle remarqua la retraite prudente opérée par les deux cousins qui, jusque-là, s'étaient tenus non loin d'elle.

— Voilà une heure que je ronge mon frein sur ce bateau, poursuivit-elle, alors que je dois envoyer un message à ma famille et préparer mon retour en Angleterre. J'aurais pu m'entretenir avec une bonne douzaine de pêcheurs pendant que vous baguenaudiez je ne sais où, au lieu de venir dire à vos hommes que je ne suis pas prisonnière ici et que je suis libre d'aller où je veux. Pourquoi m'avez-vous...

— Hooo ! s'exclama Cosimo comme s'il s'adressait à une jument rétive. Quand je suis parti, vous étiez en petite tenue et vous attendiez que David vous prodigue ses soins. Et j'ai été absent moins d'une heure.

Meg prit une profonde inspiration dans l'espoir de recouvrer son calme.

— Pourriez-vous, s'il vous plaît, dire à vos neveux et à quiconque a besoin de le savoir que je ne suis pas prisonnière sur ce bateau et que j'ai le droit de le quitter quand je veux ?

— Mais certainement. Miles ? Frank ? Approchez… Mlle Barratt étant sa propre maîtresse, je vous prie d'accéder à ses désirs dans la mesure du possible.

— Bien, monsieur, acquiescèrent-ils à l'unisson.

— Et voilà, dit Cosimo en se tournant vers Meg. Êtes-vous satisfaite, à présent ? Il s'agissait d'un simple malentendu.

— Fort bien, murmura Meg après quelques instants. Maintenant, j'aimerais bien qu'on me conduise à quai afin que je puisse prendre mes dispositions pour rentrer. Il est trop tard pour partir aujourd'hui, je le comprends bien ; mais je suis certaine que l'une de ces grosses barques de pêche pourra quitter l'île demain dès l'aube.

Cosimo secoua la tête, les sourcils froncés.

— Malheureusement, il y a un avis de tempête pour les vingt-quatre heures à venir. Je serais surpris que vous trouviez un pêcheur prêt à risquer son bateau et son gagne-pain dans un tel voyage.

— Comment peut-on le savoir ? demanda Meg, la curiosité l'emportant sur l'irritation.

Cosimo esquissa un geste vague vers le ciel.

— Les marins lisent le temps dans les nuages, le sentent dans l'atmosphère, et ils se trompent rarement. Ils font confiance à leur instinct…

— Alors, il est d'autant plus impératif que j'envoie un message à mes amis le plus tôt possible. Je suppose que les pigeons, eux, ne rechignent pas à braver la tempête ? ajouta-t-elle, ironique.

— Ils suivent leur propre instinct, répondit Cosimo d'un ton égal. S'ils sentent un danger, ils se mettent à l'abri.

— En attendant, je vais réserver une chambre dans une auberge.

— Je crains fort qu'il n'y en ait pas sur Sercq.

— Pas d'auberge ? Qu'est-ce que c'est que cette île ? Un monastère ?

Cosimo éclata de rire.

— Non, il y a plusieurs tavernes, bien sûr. Mais elles n'offrent pas ce genre de commodités pour les voyageurs.

Il la regarda avec une compassion que Meg ne trouva pas le moins du monde convaincante.

— Vous comprenez, poursuivit-il, on ne peut arriver à Sercq que par la mer. Ceux qui y restent quelque temps vivent donc à bord de leurs bateaux.

Échec et mat ! À l'idée que toute initiative lui était ôtée et qu'elle devrait rester sur le bateau de Cosimo contre son gré, Meg sentit son sang bouillonner.

Comme pour désamorcer l'explosion qu'il sentait imminente, Cosimo se montra conciliant.

— Allons rédiger le message à l'intention de vos amis, suggéra-t-il. Il faut user d'un code particulier afin qu'il puisse être déchiffré.

— D'accord, acquiesça Meg après avoir soupiré. Montrez-moi comment procéder.

Sitôt dans la cabine, Cosimo ouvrit un tiroir, dont il tira un papier fin comme une pelure d'oignon. Après l'avoir étendu sur la table, il prit une plume.

— Qui est le destinataire ?

— La duchesse de Saint-Jules.

— Vous fréquentez du beau monde, commenta Cosimo en levant un sourcil éloquent. Quelle est l'adresse de Sa Grâce ?

Meg réfléchit un instant. Arabella était-elle toujours à Folkestone ? À moins qu'elle ne soit retournée à Londres, ou à Lacey Court, auprès de la famille Barratt ?

Elle finit par donner l'adresse des Fortescu à Folkestone, en se disant qu'ils ne quitteraient pas cette ville avant d'avoir retourné ciel et terre à sa recherche.

Cosimo traça de minuscules traits sur le papier. Penchée sur son épaule, Meg les observait, fascinée.

Ils ressemblaient aux sortes de hiéroglyphes figurant dans la marge de son dictionnaire.

— À présent, donnez-moi un mot… quelque chose qui permettra à votre amie, et à elle seule, de savoir que le message vient de vous.

Spontanément, un mot vint aux lèvres de Meg.

— Curieux… dit Cosimo en transcrivant le mot que Meg venait de lui indiquer. À présent, que voulez-vous écrire ? Il faut que ce soit concis, bien entendu.

Après un instant de réflexion, Meg dit :

— Que suggérez-vous ? Après tout, vous connaissez la vérité mieux que moi.

Au regard aigu que Cosimo lui décocha, elle répondit par un sourire suave. Pinçant les lèvres, il traça en silence quelques hiéroglyphes supplémentaires, puis agita le papier afin de sécher l'encre. Enfin, il prit un minuscule tube dans le même tiroir, roula le papier à ses dimensions et l'y introduisit.

— Attendez ! dit brusquement Meg. Qu'avez-vous écrit ?

— Que vous étiez saine et sauve et qu'ils ne devaient pas s'inquiéter. Je suppose que cela suffit ?

— Vous n'avez pas dit que j'étais sur le chemin du retour ?

— Vous ne l'êtes pas. Pas pour le moment, en tout cas. Je me trompe ? dit-il avec, dans le regard, une flamme qui tenait à la fois de la promesse et de la provocation.

Meg passa la langue sur ses lèvres.

— No… non.

— Ce serait dommage que vous partiez si vite…

Elle ferma les yeux un instant dans l'espoir de tempérer le brusque emballement de ses sens, mais il était déjà trop tard.

— Oui, acquiesça-t-elle avec un petit soupir. Je le suppose.

— Nous avons tant de choses à… explorer.

— Je suis sûre que cette île présente beaucoup d'intérêt, renchérit Meg. La visiter serait un moyen agréable d'attendre l'heure de mon départ.

— On ne devrait jamais perdre de temps... ou gâcher une opportunité, murmura Cosimo d'un ton sentencieux.

Un sourire lent se dessina sur son visage tandis qu'il touchait du bout du doigt la fossette qui creusait le menton de Meg. Puis ses lèvres effleurèrent le même endroit avant de remonter jusqu'à la commissure de sa bouche.

Ce fut une caresse fugitive mais, en sentant une tension révélatrice au creux de ses reins, Meg comprit que le contrôle de la situation lui échappait.

Cosimo recula d'un pas et secoua la tête comme pour lui-même.

— Les choses importantes d'abord, dit-il en tapotant la poche dans laquelle il avait glissé le message. Nous allons chercher ce pigeon ?

— Certainement. Les choses importantes d'abord... répéta-t-elle à voix basse.

7

Assise devant la baie vitrée surplombant la rue, Arabella contemplait la chaussée luisante de pluie. Les passants étaient rares, ce dont elle se félicita. Depuis la disparition de Meg, l'après-midi précédent, les commères avides de ragots sonnaient sous le moindre prétexte, ou même braquaient leur face-à-main sur la maison sans la moindre discrétion.

— Des nouvelles, Jack ? demanda-t-elle avec espoir en entendant la porte s'ouvrir.

— Aucune, répondit le duc de Saint-Jules en jetant son chapeau sur une chaise. Mme Carson affirme que Meg a quitté la bibliothèque juste avant que la tempête n'éclate. Elle a emporté deux livres.

Il secoua la tête, l'air découragé, avant de s'approcher d'une console supportant une carafe.

— Un peu de madère ?

— Non, merci.

Jack se servit puis alla se placer à côté d'Arabella.

— Mon amour, dit-il en lui entourant l'épaule de son bras, je sais que c'est difficile à entendre alors que nous ne savons rien, mais il nous faut trouver le moyen de faire taire les commérages.

Après une hésitation peu coutumière chez lui, il continua :

— Découvrir que le nom de leur fille est sur toutes les lèvres aggraverait encore la douleur de sir Mark et de lady Barratt. Il est vrai que, même si Meg n'a rien fait de scandaleux, elle ne s'est jamais vraiment souciée de l'opinion de la bonne société, et celle-ci est donc prête à lui attribuer les pires turpitudes.

— Je le sais, et c'est entièrement ma faute si les commérages se sont répandus comme une traînée de poudre.

Que n'avait-elle consulté Jack avant d'envoyer leurs domestiques aux quatre coins de la ville ? Prise de panique en ne voyant pas Meg rentrer après la fin de la tempête, Arabella avait fait frapper à toutes les portes, ce qui avait évidemment suscité la curiosité générale.

— Ce qui est fait est fait. Maintenant, il nous faut concocter une histoire plausible.

— Et... et si elle était morte ? murmura Arabella d'une voix blanche.

— On ne peut l'exclure, bien entendu, mais je n'en crois rien, mon amour. Qui s'attaquerait à Meg ?

— Des voleurs...

— Au milieu de l'après-midi ? Dans la rue principale d'une minuscule ville côtière ?

— Que faisons-nous, alors ? Il faut que je prévienne sir Mark et lady Barratt... dit-elle d'une voix tremblante.

Jack passa la main dans ses cheveux. Il connaissait la force d'Arabella, son sang-froid et sa détermination. Ne s'était-elle pas battue pour le tirer des profondeurs de la culpabilité et de la tristesse ? Ne s'était-elle pas aventurée jusque dans le cloaque d'une prison parisienne pour délivrer sa sœur, qu'elle avait ensuite assistée sur son lit de mort ?

Il ne savait comment l'aider lorsque cette force ne la soutenait plus, hormis en prenant lui-même les choses en main.

— Je vais m'en charger. Nous prétendrons que Meg est malade... qu'elle a la fièvre... que ce n'est pas très grave, mais qu'ils devraient peut-être venir. Puis nous ferons courir le bruit qu'elle s'est sentie mal en sortant de la bibliothèque et qu'un commerçant l'a recueillie dans sa boutique ; qu'un certain temps s'est écoulé avant qu'elle ne reprenne connaissance et puisse nous faire prévenir ; et qu'elle est à présent bien au chaud dans sa chambre.

— Et tout le monde le croira ?

— Probablement pas, mais personne ne pourra nous contredire non plus, assura Jack en vidant son verre. Allons, trêve de lamentations, Arabella. Je suis sûr que Meg est quelque part, saine et sauve, et que tu auras bientôt de ses nouvelles. En attendant, je pars à Londres.

— À Londres ? répéta Arabella, consternée. Pourquoi me quittes-tu précisément maintenant ?

— Pour recruter une patrouille de *Bow Street Runners*, la police londonienne. Je serai là-bas cette nuit et de retour ici demain vers midi.

— Tu ne peux faire l'aller et retour en vingt-quatre heures, Jack ! protesta Arabella. Tu n'auras pas le temps de dormir.

— Laisse-moi m'inquiéter de cela. Je vais écrire la lettre aux Barratt avant de partir.

Arabella quitta le salon avec lui.

— Tidmouth, faites seller mon cheval, dit-il au passage à son majordome. Je pars pour Londres sur-le-champ.

La pluie plongeant la bibliothèque dans la pénombre. Arabella alluma un chandelier qu'elle plaça sur le bureau de Jack.

— Je devrais peut-être écrire moi-même cette lettre, suggéra-t-elle. Cela inquiéterait sans doute moins les Barratt.

— Si tu veux. Encore que cela les rassurerait davantage de te savoir au chevet de leur fille. Il serait donc naturel que j'écrive à ta place.

Ayant acquiescé de la tête, Arabella se percha sur le coin du bureau tandis que Jack taillait une plume.

Meg avait disparu depuis près de vingt-quatre heures.

*

* *

— Vous ne pourrez pas descendre l'échelle avec ce bras, dit Cosimo quand Meg parut sur le pont.

— Je suis certaine du contraire, affirma Meg bien qu'elle eût ses propres doutes.

— Mmm... marmonna Cosimo avant de faire signe à l'un des cousins.

— Frank, suspendez le siège pour dame.

— Le siège pour dame ? Qu'est-ce que c'est ? demanda Meg.

— Une sorte de balançoire que l'on fait descendre au bout d'une corde jusqu'au canot.

— J'aurai l'air ridicule ! Je préfère me débrouiller par mes propres moyens.

— Non.

Le maître avait parlé ! Cette fois, cependant, il n'aurait pas gain de cause. Meg observa les matelots qui, après avoir attaché une corde aux deux extrémités d'une mince planche en bois, la firent passer de l'autre côté du bastingage.

— Bien. Je vais vous soulever et vous installer dessus, déclara Cosimo. Vous tiendrez la corde de votre main valide et on vous descendra très lentement jusqu'au canot...

Remarquant son expression, il ajouta :

— À moins, bien sûr, que vous ne préfériez rester à bord.

— Non, pas plus que je ne veux m'asseoir sur ce machin !

Avant que Cosimo ne fût revenu de sa surprise, Meg franchit la coupée et, sans se soucier de la douleur dans son bras, attrapa l'échelle de corde qui oscillait dangereusement. Serrant les dents, elle prit pied sur le premier échelon.

Bras croisés, dents serrées, Cosimo la regarda descendre en silence. L'échelle s'arrêtait à quelques pieds de la petite embarcation qui dansait sur l'eau. Fermant les yeux, Meg se laissa tomber. Le canot oscilla violemment et elle manqua perdre l'équilibre.

— Pour l'amour du Ciel, asseyez-vous à l'arrière ! cria Cosimo. Immédiatement !

Meg obtempéra. Quand elle releva les yeux le long de la coque, elle fut surprise de sa hauteur considérable. Heureusement qu'elle ne s'en était pas aperçue plus tôt !

Cosimo dégringola le long de l'échelle avec une agilité enviable, sauta dans le canot et saisit les avirons. Il ne les plongea toutefois pas immédiatement dans l'eau.

— Votre esprit d'indépendance est assez irritant, mademoiselle Barratt ! déclara-t-il en la fixant d'un œil peu amène.

— Uniquement parce que vous avez l'habitude de tout régenter, riposta-t-elle, heureuse d'écarter de son esprit l'épisode troublant de la cabine. Je suis capable de décider par moi-même de ce que je peux faire ou non. Et jamais je ne consentirai à être hissée sur ce machin comme un vulgaire sac de pommes de terre !

Impassible, Cosimo commença à souquer en direction du quai. Meg sourit intérieurement. De telles victoires étaient rares dans ses rapports avec le capitaine Cosimo ; bien que mince, celle-ci lui procurait un très agréable sentiment de triomphe.

Lorsqu'ils accostèrent, Cosimo lança la corde d'amarrage à un jeune garçon et se hissa sur le quai.

— Pouvez-vous grimper seule ou avez-vous besoin d'aide ? demanda-t-il à Meg.

La hauteur à franchir n'était pas négligeable, et Meg savait que la longueur de ses jambes n'y suffirait pas. Cosimo le savait aussi : il suffisait de voir son sourire exaspérant.

— Si vous vouliez bien me tendre la main, dit-elle avec toute la grâce dont elle était capable face à un tel sourire.

— Mais certainement...

Il sauta dans le canot, la prit par la taille et l'éleva à bout de bras pour la déposer sur le quai.

— J'avais besoin de votre main, rien de plus! s'exclama Meg, indignée, en lissant ses jupes.

— Oh! mais pensez au plaisir dont j'aurais été privé! murmura-t-il avant d'effleurer le menton de Meg du bout du doigt. Et vous aussi, peut-être?

Les yeux étrécis, elle rejeta la tête en arrière.

— Quelle insupportable outrecuidance!

— Vraiment? Allons, miss Meg, rengainez votre épée. Je croyais que nous étions convenus d'admettre cette… cette «attirance mutuelle», faute d'un meilleur terme.

Meg ne pouvait le nier. Elle trouvait cependant que Cosimo allait un peu vite en besogne, et qu'il tendait à considérer le terrain comme conquis.

— Peut-être, admit-elle de mauvaise grâce. Mais il y a une différence entre admettre une chose et décider d'agir en conséquence.

— Certes… Faites-le-moi savoir lorsque vous serez décidée, alors. Nous allons par là, ajouta-t-il en se dirigeant vers le village.

Meg le suivit à pas lents, pensive. Pourquoi s'opposaient-ils – s'opposait-elle à lui – sur ce sujet? Était-ce effectivement parce que Cosimo semblait considérer son consentement comme acquis? Ou bien parce qu'elle s'effrayait un peu de la puissance de cette attirance? Elle savait qu'elle jouait avec le feu, mais ce n'était pas la première fois. Alors, en quoi était-ce différent avec Cosimo?

Elle le rattrapa à la sortie du village. Il l'attendait, son long corps musclé nonchalamment appuyé contre un arbre; le soleil embrasait sa chevelure cuivrée et ses yeux bleus étincelaient dans son visage bronzé. Sans aucun doute, Cosimo était l'homme le plus séduisant qu'elle eût jamais rencontré.

— Il nous faut monter à l'assaut de la colline, dit-il avec un geste derrière lui. Vous sentez-vous d'attaque?

— Bien sûr ! Les pigeons sont là-haut ?

— Oui, juste au sommet, précisa-t-il en désignant du doigt un bâtiment en pierre grise.

Ils se mirent à grimper d'un pas régulier. Pour soulager son bras douloureux, Meg était obligée de le garder plié contre son torse, ce qui rendait sa progression moins aisée. Elle s'obstina cependant à marcher au même rythme que Cosimo, ne s'arrêtant qu'à deux reprises pour regarder les eaux bleues de la Manche en contrebas.

Parvenue presque en haut de la colline, elle distingua Guernesey, l'île la plus proche de Sercq. Bien plus étendue que cette dernière, elle paraissait posséder une activité maritime intense, à en juger par le nombre de navires qui croisaient au large.

— Cosimo…

— Oui ? dit-il en ralentissant le pas.

— Est-ce qu'il ne serait pas plus facile que je parte de Guernesey pour retourner chez moi ? On dirait qu'elle abrite plus de bateaux, et des plus gros.

— C'est parce que son port est mieux protégé et plus profond.

Tout en repoussant une boucle de ses cheveux malmenés par le vent, Meg lui décocha un regard aigu.

— Eh bien, peut-être qu'on pourrait me conduire à Guernesey et que, de là, je trouverai un passage pour l'Angleterre.

— Vous pouvez toujours essayer, dit-il avec un haussement d'épaules indifférent. Venez, nous y sommes presque.

— Que vous êtes encourageant ! maugréa Meg pour elle-même.

Au bruit de leurs pas, un jeune homme en uniforme sortit de la maison qu'ils venaient d'atteindre.

— Bonjour, capitaine, dit-il en saluant Cosimo.

— Meg, voici le lieutenant Murray, de la Royal Navy. Murray, je vous présente Mlle Barratt. Elle voyage avec nous et doit envoyer un message urgent à sa famille, en Angleterre.

Murray ne put dissimuler sa curiosité lorsqu'il salua la jeune femme accompagnant le corsaire. Son allure était des plus choquantes. Quelle femme comme il faut se présenterait ainsi, essoufflée, le front emperlé de sueur et les cheveux en désordre ? Pour dire la vérité, aucune femme respectable ne voyagerait sur la *Marie-Rose* en compagnie du corsaire.

— Mademoiselle... murmura-t-il en guise de salutation.

Meg n'eut aucun mal à déchiffrer son expression. Relevant le menton, elle le gratifia d'un signe de tête hautain. Que lui importait l'opinion d'un jeune fat qui se rengorgeait dans son uniforme immaculé, et qui n'avait sans doute jamais rien affronté de plus dangereux qu'une pluie d'orage !

— Si vous voulez bien me suivre, dit-il en les guidant vers un petit bâtiment situé derrière la maison.

Un doux roucoulement les accueillit quand ils pénétrèrent dans le pigeonnier plongé dans une semi-pénombre. Cinq pigeons étaient perchés sur les poutres basses de la charpente apparente.

— En ce moment, nous en avons trois qui font le trajet jusqu'en Angleterre, expliqua le lieutenant. Les autres viennent d'arriver de France.

Malgré son dédain pour ce jeune freluquet, Meg était fascinée par l'existence d'un tel service.

— Ils connaissent chacun leur propre trajet ? ne put-elle s'empêcher de demander.

— Oui, répondit Cosimo. Certains sont capables d'aller directement de la France à l'Angleterre ; d'autres s'arrêtent ici. Cela dépend du message qu'on leur confie.

Plongeant la main dans sa poche, il en sortit une poignée de grains de maïs, qu'il présenta aux oiseaux sur sa paume ouverte. L'un des pigeons vint délicatement ramasser un grain avant de se percher sur son épaule.

Puis, dans un bruissement d'ailes, un autre se posa sur la tête de Cosimo et un troisième sur son bras.

Meg se souvint des livres d'ornithologie qu'elle avait vus dans la cabine. Cosimo semblait avoir une affinité particulière avec les oiseaux, pigeons ou aras.

— On dirait qu'il vous considère comme un oiseau honoraire, fit-elle remarquer.

— Il y a de pires choses au monde. Murray, lequel allons-nous utiliser ?

— Numéro 3 est reposé. Préparez-le, Hogan, ordonna le lieutenant à la sentinelle qui les avait accompagnés.

Le jeune homme décrocha l'un des pigeons de son perchoir et, maintenant son corps avec fermeté, le présenta à Cosimo. Celui-ci fixa le petit cylindre à l'une de ses pattes à l'aide d'une fine attache de cuir, puis il lui caressa doucement la gorge. La sentinelle plaça alors Numéro 3 dans une cage dont il referma la porte.

— J'aimerais bien assister à son envol, dit Meg en emboîtant le pas au jeune homme lorsqu'il sortit du pigeonnier. Est-ce qu'il s'appelle simplement « Numéro 3 » ? Cela paraît un peu impersonnel.

— C'est son identification officielle, mademoiselle. Moi, je l'appelle Tommy.

Ils avaient atteint le sommet de la colline ; la sentinelle déposa la cage sur le sol.

Meg se pencha pour caresser à son tour les plumes douces de la gorge de l'oiseau.

— Bon voyage, Tommy, murmura-t-elle avant de se redresser pour regarder en direction de l'Angleterre. Où va-t-il se poser ?

— À Douvres. Nous avons un poste sur les falaises.

Le cœur de Meg fit un bond. Folkestone n'était qu'à quelques kilomètres de Douvres !

— Combien de temps lui faudra-t-il ?

— Cela dépend du vent. S'il n'est pas détourné de sa route, il devrait arriver peu après l'aube.

Meg songea à la tempête qui, d'après Cosimo, se préparait ; elle retarderait peut-être le vol de l'oiseau de quelques heures. Même dans ce cas, cependant, Arabella serait rassurée sur son sort dans le courant de la matinée.

Hogan retira le pigeon de la cage et l'éleva entre ses mains. Après s'être assuré que le cylindre était bien accroché, il lança l'oiseau dans le vent, et celui-ci fila aussitôt dans le ciel.

Meg le suivit des yeux quelques instants, soulagée. Elle avait fait tout ce qu'elle pouvait pour le moment.

Sentant peser sur elle le regard de Cosimo, elle se retourna. La question qu'elle lut dans ses yeux faisait écho à celle qu'elle-même se posait. Dans quelques heures, sa famille et ses amis seraient rassurés sur son sort ; était-il toujours aussi urgent qu'elle trouve un moyen de regagner l'Angleterre dans les plus brefs délais ? Cela pouvait peut-être attendre un ou deux jours... si elle avait mieux à faire. Un bref intermède amoureux avec le corsaire entrait-il dans cette catégorie ?

L'onde de désir qui irradia au creux de ses reins à cette perspective répondit pour elle.

Cosimo n'éprouvait aucune peine à suivre les pensées de Meg sur son visage mobile. Il était simplement un peu surpris qu'elle affiche aussi ouvertement sa sensualité. Certes, il existait de nombreuses femmes comme elle, Ana au premier chef. Toutefois, il n'en avait jamais rencontré appartenant à la haute société londonienne, ce qui rendait sa conquête d'autant plus excitante.

Il se tourna vers le lieutenant qui montrait quelques signes d'impatience.

— Envoyez-moi quelqu'un dès qu'un message arrive, Murray. C'est très important.

— Entendu, capitaine.

— Je vous remercie. Meg, regagnons-nous la *Marie-Rose* ?

— Il fait si beau que ce serait dommage ! répondit-elle. A-t-on besoin de vous à bord, ou pouvons-nous visiter un peu l'île ?

— Rien ne s'oppose à ce que nous flânions un peu. Mais, d'abord, venez jeter un coup d'œil de l'autre côté.

Meg contempla avec intérêt la scène qu'elle découvrit peu après. La frégate française, qui arborait à présent le drapeau britannique, était solidement arrimée à l'un des navires de guerre. Des chaloupes transportaient des hommes de l'une à l'autre.

— Vont-ils retourner en Angleterre ? demanda-t-elle tout en regrettant d'avoir à poser la question.

Elle savait que les bateaux de la marine nationale transportaient souvent des passagers civils, et voyager à bord de l'un de ces vaisseaux serait infiniment plus confortable que dans une barque de pêcheur.

Néanmoins, quel dommage ce serait si leur départ était imminent ! Elle se sentirait obligée de profiter de l'occasion, ce qui impliquait de renoncer à une éventuelle aventure avec le capitaine Cosimo. Et, décemment, comment pourrait-elle agir autrement ?

Cosimo fit mine de réfléchir à sa question.

Il était plus que probable que la frégate serait amenée en Angleterre et que ses hommes d'équipage y seraient détenus comme prisonniers de guerre.

Cela dit, il ne voulait pas voir Meg quitter Sercq, et pour des raisons autrement plus importantes que la simple satisfaction de son désir.

Il lui fallait la retenir auprès de lui le plus longtemps possible car, s'il ne recevait aucune nouvelle d'Ana, Meg serait son dernier atout.

Un pieux mensonge s'imposait.

— J'en doute, finit-il par dire. Un équipage anglais va prendre le commandement de la frégate, laquelle sera aussitôt incorporée à la Royal Navy.

— Et qu'adviendra-t-il de l'équipage français ?

Cosimo haussa les épaules.

102

— Les officiers seront échangés contre une coquette rançon. En attendant, je suppose qu'on va les laisser à la garde du poste militaire. Quant aux matelots, on leur proposera de s'engager dans la marine britannique. Sinon, ils seront considérés comme prisonniers de guerre et on les transportera un jour ou l'autre en Angleterre.

Meg garda le silence. La réponse de Cosimo paraissait cohérente ; pourtant, quelque chose sonnait faux sans qu'elle parvienne à mettre le doigt dessus.

— Ainsi, aucun de ces navires ne retourne en Angleterre ?

— Pas immédiatement. Les trois-ponts vont certainement partir à la poursuite de Bonaparte, ajouta-t-il avec une désinvolture un peu forcée.

— Et où va Bonaparte ? demanda-t-elle, sa curiosité éveillée.

Cosimo hésita. Finalement, il estima que communiquer ce renseignement à Meg ne risquait pas d'avoir d'incidence grave ; de plus, cela pourrait l'inciter par la suite à épouser sa cause.

— Nous pensons qu'il se rend en Égypte.

— Pensons ou savons ?

— Rien ne vous échappe, répondit-il en souriant. Nous le savons. Mais je n'aurais pas dû vous le dire : c'est une information encore secrète pour le moment.

Meg hocha la tête d'un air dubitatif.

— Je vois…

— Vraiment ? dit-il avec un petit rire. Oui, je le suppose. À présent, voulez-vous vous promener un peu ?

— J'aimerais tout de même demander au commandant de l'un de ces navires s'il ne compte pas retourner à Douvres, reprit Meg en lui emboîtant le pas. On ne sait jamais…

— Certes. Envoyer un message au *Leopold* ne présente aucune difficulté. Si vous le souhaitez, vous pourrez être renseignée dès aujourd'hui.

Meg jeta un coup d'œil furtif à Cosimo. Rien, dans son expression, ne trahissait une tromperie quelconque. Alors, d'où lui venait cette impression qu'il était rien moins que sincère?

8

— Vous êtes-vous toujours intéressé à l'ornithologie ? demanda Meg après que Cosimo se fut arrêté à plusieurs reprises pour observer un oiseau ou un autre.

— Oui, depuis mon enfance. Oh! attention! Regardez...

De la main, il désignait quelque chose enfoui dans l'herbe épaisse et moelleuse.

— Un nid de pluviers, chuchota-t-il quand Meg s'approcha à pas précautionneux. Vous voyez les œufs ? Ils ont un camouflage particulier.

— Ce n'est pas dangereux, pour eux, de faire leur nid à même le sol ?

— Si, acquiesça-t-il en se redressant. Mais la nature a quelquefois des caprices bizarres et plutôt cruels. Éloignons-nous à présent, la mère revient.

Meg s'écarta rapidement en entendant les cris affolés de l'oiseau derrière elle.

— Elle ne va pas les abandonner à cause de nous ?

— Non, nous ne les avons pas touchés.

Les mains enfoncées dans ses poches, Cosimo tourna son visage vers le soleil. Il paraissait aussi à l'aise à terre que sur le pont de son bateau.

— Combien de temps resterez-vous ici ? s'enquit Meg. À Sercq ?

— Nous partirons mercredi à l'aube, avec la marée.

Nous sommes dimanche, il reste donc un peu plus de deux jours, calcula Meg. N'était-ce pas la durée idéale pour une idylle passionnée mais libre d'attache ou d'engagement? Deux jours pleins d'amour et de rires, suivis d'un adieu sans regret...

— Nous ne devrions peut-être pas gaspiller notre temps, murmura Cosimo.

Meg tressaillit, tant elle fut surprise de la concordance de leurs pensées.

Quand elle tourna les yeux vers lui, il souriait. Mais ce n'était pas son sourire habituel, agréablement désinvolte. Il y avait une résolution évidente dans la courbe sensuelle de ses lèvres, ainsi que dans la tension soudaine qui assombrissait son regard bleu.

Ils traversaient à présent un bosquet de pins aux troncs inclinés et tordus par le vent. Un odorant parfum de résine s'échappait des aiguilles qui crissaient sous leurs pas.

Se plaçant devant Meg, Cosimo mit ses mains sur ses épaules et la poussa doucement contre un tronc d'arbre. Au-dessus d'eux, un oiseau solitaire chantait; sinon, un silence total régnait, et le temps suspendu semblait anticiper l'inéluctable.

Meg leva le visage. Ses yeux croisèrent le regard enflammé de Cosimo, qui abaissa doucement sa bouche vers la sienne jusqu'à la poser sur ses lèvres. Elle aima le parfum de sa peau, à la fois frais et un peu musqué. Elle aima aussi son goût subtilement salé lorsque, de la pointe de la langue, elle effleura sa lèvre supérieure. Levant sa main valide, elle la posa sur son visage et suivit du bout des doigts les contours accusés de sa joue, depuis la pommette haute jusqu'à la mâchoire carrée.

Les mains de Cosimo descendirent lentement de ses épaules jusqu'à ses flancs, puis il les referma doucement sur ses seins. Un frisson en fit dresser la pointe lorsqu'il les caressa du pouce.

D'une pression de la langue, Meg força le passage entre ses lèvres. L'emportement soudain avec lequel Cosimo répondit à sa suave intrusion la prit par surprise. Tandis que leurs langues entamaient une danse effrénée, il posa les mains sur ses hanches pour l'attirer plus étroitement contre lui. Rassurée de constater qu'il ne s'offusquait pas de leur regrettable minceur, Meg s'abandonna totalement à la curiosité sensuelle qui la dévorait. Oubliant son bras blessé, elle appliqua ses deux mains sur les fesses de Cosimo et en pétrit les muscles durs avec l'impatience d'un désir impérieux qui réclamait l'assouvissement.

— Faites attention à votre bras, murmura Cosimo d'une voix rauque et haletante.

Meg secoua la tête, puis laissa échapper un petit rire allègre. Avec la torturante sensation du sexe dur pressé contre son ventre, que lui importait son bras ?

Elle s'empara de ses lèvres avec une fougue renouvelée, avide d'un plaisir qui préfigurait une extase plus grande encore. Leurs souffles saccadés se mélangeaient intimement lorsque Cosimo, soulevant ses jupes, glissa ses doigts agiles entre ses cuisses jusqu'à en atteindre l'enfourchure palpitante. Les bras étroitement noués autour de sa nuque, la bouche écrasée contre la sienne, Meg arqua les reins pour mieux s'offrir à sa caresse, puis laissa échapper un gémissement étouffé lorsque les vagues de la jouissance la submergèrent.

Cosimo laissa alors retomber ses jupes et prit le visage de Meg entre ses mains pour le baiser avec délicatesse. L'attirant ensuite contre lui, il caressa doucement sa nuque jusqu'à ce qu'elle retrouve son souffle. Il souriait en lui-même de voir ainsi confirmée son intuition : Mlle Barratt promettait d'être une partenaire amoureuse d'une ardeur enivrante.

Elle le caressait, à présent, les doigts de sa main valide jouant sur le relief agressif de son sexe érigé. Au prix d'un effort surhumain, Cosimo jugula son désir et saisit fermement le poignet de Meg pour écarter sa main.

— À moi de donner, maintenant, protesta Meg d'une voix frustrée.

— Nous aurons tout le temps, répliqua-t-il, la voix rieuse. Je dois retourner sur le bateau.

— Cela ne semble pas très équitable, insista Meg en plissant les yeux contre le soleil pour regarder Cosimo.

— Oh, votre tour viendra, je vous le promets.

Quel remarquable contrôle de soi ! songea Meg, non sans admiration car elle avait été consciente de la puissance de son désir. Un jour, elle mettrait ce contrôle à l'épreuve, se promit-elle, et cette simple pensée suffit à allumer une nouvelle flamme au creux de ses reins.

— Je compte sur vous pour honorer votre promesse, dit-elle en lissant sa jupe du plat de la main. Est-ce que je n'ai pas l'air trop échevelée ?

— Pas plus que d'habitude.

— Si je n'étais pas dans un état d'euphorie, je pourrais prendre la mouche.

— Faites, je vous en prie, répliqua-t-il en la prenant par la main pour l'entraîner hors du bosquet. Cela risque d'être amusant...

— Attendez un peu et vous verrez.

Ainsi, le sort en était jeté. Elle allait vivre deux jours de passion avec Cosimo. Ce serait une aventure excitante et sans lendemain, comme elle les aimait.

Ils redescendirent en silence vers le village, chacun plongé dans ses pensées. Meg se demandait si celles de Cosimo rejoignaient les siennes. Elle aurait été plus que déconcertée si elle avait pu lire en lui.

Car Cosimo songeait à Ana et, malgré lui, il se surprit à scruter le ciel dans l'espoir de voir un pigeon rejoindre à tire-d'aile le poste militaire. La jouissance à laquelle Meg s'était abandonnée sans aucune fausse honte dans le bosquet lui rappelait beaucoup Ana. Pourtant, leurs différences étaient aussi frappantes que leurs ressemblances.

Ana portait une carapace. Celle-ci, il le savait, s'était formée au fil d'une existence difficile, d'où toute faiblesse était exclue. Si Cosimo appréciait de trouver en elle son égale, il ne connaissait pas l'Ana que dissimulait la carapace. Il soupçonnait même parfois qu'elle-même l'ignorait. Lors de leurs rencontres, il n'obtenait d'elle que ce qu'elle savait – ou voulait bien – lui donner.

Meg, elle, ne possédait pas cette dureté inexpugnable au plus profond d'elle-même. D'une certaine façon, cela trahissait une force intime supérieure à celle d'Ana puisqu'elle n'éprouvait pas le besoin de se protéger.

Inconsciemment, il balançait la main de Meg dans la sienne tandis qu'ils traversaient la prairie de trèfles précédant le village. Ana ne lui reprocherait pas l'allégresse du plaisir anticipé qu'il éprouvait. Tous deux se retrouvaient lorsque l'occasion s'en présentait et se séparaient tout aussi facilement.

Mais que n'aurait-il donné à cet instant précis pour savoir ce qui lui était arrivé !

À l'imperceptible raidissement de ses doigts, Meg pressentit un changement d'humeur chez Cosimo. Quand elle tourna les yeux vers lui, elle constata que toute passion avait déserté son expression. Il paraissait regarder en lui-même, et il était évident que ce qu'il voyait le chagrinait profondément.

— Quelque chose ne va pas ? demanda-t-elle après une hésitation.

Instantanément, le visage de Cosimo retrouva son insouciance accoutumée.

— Qu'est-ce qui pourrait ne pas aller ? demanda-t-il d'un ton léger.

— Je ne sais pas. J'ai eu l'impression qu'une ombre passait sur vous.

Cosimo resta silencieux un instant. Meg possédait une sensibilité aiguë qui la différenciait aussi d'Ana. Cette dernière n'aurait sans doute pas remarqué son rembrunissement passager ; dans le cas contraire, elle aurait considéré que le fait était sans importance et ne la regardait pas. Une fois de plus, Cosimo se demanda si Meg possédait la dureté nécessaire pour le seconder dans son entreprise. Peut-être était-elle trop sensible, trop encline à l'émotivité et à la compassion ? C'était une femme qui sortait de l'ordinaire, incontestablement ; mais était-ce suffisant ?

— Oh ! je songeais juste à la tempête qu'on a annoncée... prétendit-il avec un haussement d'épaules désinvolte.

Meg demeura dubitative. Elle renonça cependant à insister, estimant ne pas le connaître suffisamment pour se permettre d'être indiscrète.

— Je suis affamée, déclara-t-elle pour changer de sujet. Vous n'avez pas faim ?

— Si, admit Cosimo. Il y a une taverne sur le quai où l'on peut manger d'excellentes moules accompagnées de bière brassée sur place.

— Je croyais que vous deviez retourner à bord ?

Meg trébucha en marchant dans une ornière et se raccrocha *in extremis* à la manche de Cosimo.

— Il suffit que je sois à portée de sifflet au cas où on aurait besoin de moi. Vous avez recouvré votre équilibre ?

— Oui, merci. C'est plus difficile avec un seul bras...

Qu'ils puissent tenir ce genre de conversation banale après ce qui s'était passé dans le bosquet paraissait un peu étrange à Meg. En même temps, prétendre que ces préliminaires n'avaient pas existé accroissait son excitation. Ils allaient manger des moules, boire de la bière puis retourner sur la *Marie-Rose*... Comment faisait-on l'amour sur une couchette ? Voire... dans un hamac ?

— Qu'est-ce qui vous fait rire ? demanda Cosimo quand elle pouffa, lèvres fermées.

— Oh ! pas grand-chose. Je me demandais comment un hamac se comportait quand on y pratiquait... certaines activités.

— Cela dépend de l'habileté de ceux qui s'y livrent, répondit-il avec solennité.

Meg se tut, laissant la bride sur le cou à son imagination.

La taverne au plafond bas empestait la bière rancie et le tabac froid. Un seul client se tenait au comptoir, un homme vêtu d'un gilet taché qui contemplait son verre d'un air renfrogné et répondit à peine au salut que lui adressa Cosimo.

Celui-ci frappa du poing sur le comptoir. Quelques instants plus tard apparut une femme débraillée qui rajustait un chiffon sur sa chevelure douteuse.

— Qu'est-ce que c'est? Oh! c'est vous, cap'taine, dit-elle d'un ton qui parut peu accueillant aux oreilles de Meg. Ce s'ra quoi?

— Des moules, Bertha, s'il vous plaît, ainsi qu'une miche de pain et deux pots de votre meilleur tonneau. Nous nous installerons dehors, précisa-t-il avec un geste en direction de la porte restée ouverte.

La femme se contenta de hocher la tête et disparut. Quand Cosimo l'invita à ressortir, Meg ne se fit pas prier.

— Est-ce bien prudent de manger ici? demanda-t-elle, un peu honteuse de faire preuve d'une délicatesse peut-être exagérée.

— Il y a assez d'ail dans les moules pour tenir à distance une armée de vampires, assura Cosimo en prenant place sur le banc.

— Et si nous en mangeons tous les deux, nous n'aurons pas, *nous*, à tenir nos distances.

— Précisément, dit Cosimo en effleurant sa main de la sienne.

Meg fut presque surprise de ne pas voir se matérialiser l'étincelle qui jaillit de ce contact furtif.

— Ne devez-vous pas avertir votre équipage que vous vous trouvez ici? demanda-t-elle pour essayer de détourner la conversation vers une voie moins périlleuse.

— Oh! ils savent où je suis! Merci, Bertha, dit-il quand la femme déposa deux pots de bière mousseuse à souhait devant eux.

— Les moules s'ront prêtes dans que'ques minutes, marmonna-t-elle en s'éloignant.

Meg dirigea son regard vers la *Marie-Rose* qui se balançait doucement à quelques encablures de la côte. Il était évident, bien sûr, que Miles Graves, Frank Fisher ou un autre matelot surveillait l'apparition du capitaine sur le quai.

Les moules arrivèrent dans une marmite fumante en compagnie d'une miche de pain à la croûte dorée. Cosimo partagea le pain en deux, en tendit une moitié à Meg, puis il plongea les doigts dans la marmite pour en retirer une coquille vide. Il s'en servit ensuite à la fois comme pince pour se saisir des mollusques et comme cuillère pour boire le jus.

La technique était nouvelle pour Meg, qui n'avait jamais mangé avec ses doigts ; mais elle l'adopta aussitôt, utilisant son pain pour saucer le jus parfumé et accompagnant le tout de grandes gorgées de bière.

Quand Cosimo tendit l'index vers son menton pour y cueillir une goutte de jus, puis porta sensuellement celui-ci à ses lèvres, Meg sentit son ventre se contracter de désir. Après avoir plongé un morceau de pain dans la marmite, elle le lui tendit avec un sourire provocant. Il referma ses lèvres sur ses doigts et leurs yeux se retinrent, pleins de promesses.

Que penserait un spectateur devant ce petit jeu de séduction ? songea Meg. Mais ce ne fut qu'une pensée fugitive. Peu lui importait. Nul ne la connaissait, à Sercq, et elle n'avait de comptes à rendre à personne.

L'après-midi était bien avancé lorsqu'ils se levèrent pour retourner vers le bateau. Meg éprouvait une certaine réticence à quitter le quai baigné de soleil pour retrouver l'espace confiné de la *Marie-Rose*.

À terre, Cosimo paraissait différent. Plus détendu… Alors que, quand il commandait son équipage, il semblait toujours en alerte, constamment sur le qui-vive malgré la décontraction apparente de ses manières. Les inévitables contraintes dues à ses responsabilités, à l'espace réduit, à la promiscuité, pèseraient-elles sur le temps qu'ils passeraient ensemble ?

Eh bien, elle ne tarderait pas à le découvrir.

Cosimo la souleva pour la déposer dans le canot avec une absence de cérémonie qui, un peu plus tôt, l'aurait offusquée. Puis il prit les avirons et, quelques minutes plus tard, il lançait la corde d'amarrage au matelot de garde à la coupée afin qu'il l'attache solidement à la poupe de la *Marie-Rose*.

— Je suppose que vous allez dédaigner le siège pour dame? dit-il en indiquant la balançoire toujours accrochée au flanc du bateau.

— Vous supposez juste.

Ce qui ne l'empêcha pas de considérer avec appréhension l'échelle qui se balançait à deux pieds au-dessus de sa tête. Comment allait-elle l'attraper et se hisser dessus avec l'aide d'un seul bras?

— Je suppose également que vous ne dédaignerez pas l'aide d'une main secourable?

— Non.

Cosimo la souleva à bout de bras afin qu'elle puisse mettre le pied sur le premier échelon. Non sans peine, Meg grimpa jusqu'au bastingage, et ne refusa pas l'assistance de Frank Fisher lorsqu'il s'agit de le franchir.

D'un bond souple, Cosimo la rejoignit sur le pont.

— Capitaine, un message en provenance du *Leopold* est arrivé il y a une heure, dit Frank.

— Bien. Il est dans ma cabine?

Comme Meg le craignait, les quelques heures qui venaient de s'écouler parurent s'effacer d'un seul coup.

— Oui, monsieur.

Cosimo le remercia d'un signe de tête avant de se diriger vers l'escalier. Incertaine de la conduite à tenir, Meg finit par suivre le même chemin.

— Cosimo, qu'est-ce que votre équipage sait de moi? demanda-t-elle en refermant la porte de la cabine derrière elle.

— Rien, répondit-il, les yeux fixés sur le papier qu'il décachetait. Pourquoi?

— Oh! cela n'a pas d'intérêt...

Meg tourna son attention vers Gus, qui accueillait leur retour avec de grandes démonstrations d'amitié.

— Attendaient-ils Ana ou bien une femme quelconque? reprit-elle.

Cosimo leva la tête et la fixa d'un œil aigu.

— Cela a-t-il de l'importance?

Meg s'était persuadée que sa liaison avec le capitaine Cosimo serait des plus éphémères. Que lui importait ce que pensaient ou savaient les membres de l'équipage?

— Non, affirma-t-elle. Bien sûr que non.

— Cela ne devrait pas en avoir, en tout cas, dit Cosimo avec un lent sourire. Je suis invité à dîner ce soir par le commandant du *Leopold*. Voulez-vous m'accompagner?

Meg réfléchit. Une chose était de ne pas se soucier de l'opinion des matelots de la *Marie-Rose* sur sa présence dans la cabine du capitaine; une autre de l'afficher aux yeux du monde. Elle ignorait dans quel milieu évoluait le commandant du *Leopold*. Pouvait-elle courir le risque de voir son histoire avec le corsaire se répandre dans toute la bonne société? Certainement pas. Elle ne s'était jamais montrée imprudente et ne commencerait pas aujourd'hui. Arabella et Jack s'emploieraient certes à étouffer toutes les rumeurs... jusqu'au moment où cela se révélerait impossible.

— Non, finit-elle par répondre, je ne peux pas faire cela, à moins de demander officiellement leur protection. Et j'aurais alors à expliquer comment j'en suis venue à en avoir besoin, ajouta-t-elle avec un regard narquois.

Les dés avaient été jetés dans le bosquet de pins. De toute évidence, solliciter l'aide de la marine pour assurer son retour n'était pas compatible avec une liaison, si brève fût-elle, avec Cosimo.

— Je retournerai en Angleterre aussi clandestinement que j'en suis partie, poursuivit Meg. Moins il y aura de gens au courant de ma mésaventure, mieux cela vaudra.

Cosimo aurait aimé qu'elle jette purement et simplement son bonnet par-dessus les moulins. Au diable les convenances !

Ana, elle, n'aurait pas été arrêtée par de telles considérations. Cependant, Ana vivait hors de la société et n'était pas esclave de ses règles. Meg Barratt, si indépendante d'esprit fût-elle, appartenait encore à ce monde inflexible. Cosimo ne pouvait lui demander de faire quelque chose qui ruinerait irrémédiablement sa réputation. Après tout, elle n'avait rien accepté d'autre, de manière tacite, qu'une liaison courte et discrète avec lui.

— Je comprends…

Il envisagea un instant de décliner l'offre du commandant, mais il était curieux d'apprendre où se rendaient les deux navires de guerre. Au cas où il aurait besoin d'aide pour sortir de Toulon, une fois sa mission terminée, il pourrait lui être utile de savoir quels bateaux croiseraient dans les parages.

— Malheureusement, je ne peux me soustraire à cette invitation, poursuivit-il. Mais je serai de retour avant minuit, promit-il en lui soulevant le menton pour embrasser le bout de son nez. Essayez de rester éveillée…

— Comptez sur moi. Ne serait-ce que pour essayer le hamac.

— Alors, faites peut-être une sieste préparatoire, murmura Cosimo tout contre ses lèvres. La nuit pourrait être fatigante.

— J'espère que ce n'est pas une promesse en l'air, répliqua Meg en posant sa paume à plat sur le devant de ses culottes. D'ailleurs, j'ai moi aussi une promesse à tenir…

De crainte de succomber à la tentation, Cosimo se dégagea en toute hâte

— Cela suffit, j'ai des choses à faire avant de partir, prétendit-il avant de s'éclipser.

Malgré lui, un sourire lui vint aux lèvres tandis qu'il montait l'escalier d'un pas allègre.

— Le cap'taine, on dirait un chat qui vient d'manger d'la crème, murmura le maître d'équipage à l'oreille de Biggins.

Celui-ci leva la tête du bouton qu'il était en train de recoudre sur sa veste.

— Ouaip, acquiesça-t-il avec un sourire en biais. Tu l'as dit, Bosun !

*
* *

Debout au sommet de la colline, la sentinelle observait le mince oiseau gris qui volait vers l'île. Les derniers rayons du soleil teintèrent de rose l'extrémité de ses ailes quand il amorça la descente vers le pigeonnier. Après s'être posé sur le rebord de l'une des ouvertures, il entreprit de lisser ses plumes avec le soin d'une blanchisseuse pliant une nappe.

Hogan referma avec précaution ses mains sur lui pour l'examiner. Quand il vit la minuscule bague d'identification accrochée à la patte gauche de l'oiseau, il fronça les sourcils.

— Eh bien, ma belle, où étais-tu passée ? murmura-t-il. On t'a crue perdue.

Le cœur du pigeon palpitait contre sa paume ; il émit néanmoins un léger roucoulement lorsque Hogan lui caressa doucement la gorge.

Après avoir détaché le mince cylindre métallique accroché à son autre patte, Hogan prit du maïs dans sa poche et le lui présenta sur sa paume ouverte. Le pigeon picora délicatement quelques grains, puis s'envola et entra dans le pigeonnier.

La sentinelle se rendit alors dans la maison où le lieutenant Murray terminait son repas.

— Numéro 6 est rentrée, mon lieutenant, annonça-t-il en déposant le cylindre sur la table. Je pensais que nous l'avions perdue pour de bon.

— Cela fait combien… six semaines, depuis que nous l'avons envoyée pour la dernière fois ?

— Oui, à peu près.

— En général, on nous les renvoie dans la semaine, fit remarquer Murray avant de hausser les épaules. Je suppose qu'ils l'auront oubliée…

Ouvrant le cylindre, il en tira une feuille presque transparente qu'il présenta à la lumière d'une lampe.

— Pour le capitaine de la *Marie-Rose*, annonça-t-il après avoir déchiffré les hiéroglyphes. Ce doit être ce que Cosimo attendait. Portez-le sur la *Marie-Rose*, Hogan, ajouta-t-il en repliant le message pour le replacer dans son étui.

Le jeune homme salua, sortit et commença à descendre le long de la colline gagnée par le crépuscule. Quelques lampes brillaient dans le hameau, mais les ruelles étaient désertes lorsqu'il les traversa pour rejoindre le quai. À la lueur des nombreuses lanternes suspendues sur la *Marie-Rose*, il aperçut des hommes nonchalamment appuyés au bastingage.

Portant deux doigts à sa bouche, il donna un coup de sifflet strident. L'un des matelots leva la main en signe de reconnaissance ; quelques minutes plus tard, le canot accostait.

— Un message pour votre capitaine, dit Hogan en tendant le cylindre au rameur.

— Il est sur le *Leopold*, répondit celui-ci. C'est urgent ?

— Aucune idée. Le lieutenant a dit que votre capitaine l'attendait.

— De toute façon, il sera de retour avant minuit, conclut le marin en le saluant d'un geste de la main.

*
* *

Confortablement installé dans l'un des fauteuils du carré des officiers, Cosimo dégustait l'excellent porto qu'on venait de lui servir.

— Vous vivez plutôt bien, fit-il remarquer à ses hôtes. Ceux-ci opinèrent en riant.

— Je ne crois pas que vous-même viviez trop mal sur votre bateau, capitaine Cosimo, dit le commandant.

— Pas trop mal, admit Cosimo, avant de reposer son verre vide et de se lever. Je vous remercie de votre hospitalité, messieurs, mais je dois rentrer.

— Je suppose que vous mettrez le cap sur Brest ? reprit le commandant.

— Cela dépend, répondit Cosimo avec un sourire évasif.

— Damné filou ! maugréa le commandant au bénéfice de son second, tandis que tous deux raccompagnaient Cosimo sur le pont.

Au moment des adieux, cependant, ils le remercièrent une nouvelle fois avec force sourires pour la prise qu'il leur avait permis de faire. Puis Cosimo s'installa dans la chaloupe qui devait le ramener vers la *Marie-Rose*, de l'autre côté de l'île.

Lorsqu'il leva la tête pour contempler les étoiles, ni les rameurs ni le jeune enseigne qui les dirigeait n'auraient pu deviner que, sous son apparente indolence, il était en train d'élaborer toutes sortes de plans d'action. Les deux trois-ponts se rendaient dans la Méditerranée pour contrer la flotte française qui se rassemblait à Toulon. Cette nouvelle était excellente.

Le plan original de Cosimo prévoyait qu'il débarque à Brest et traverse ensuite la France jusqu'à Toulon, *avec Ana*. S'il avait choisi ce trajet dangereux, c'était justement parce que personne ne soupçonnerait deux agents ennemis de se jeter ainsi dans la gueule du loup. Pour quelle raison suspecterait-on un couple de marchands voyageant pour ses affaires ?

Mais, pour avoir une chance de succès, sa mission impliquait qu'il ait une partenaire.

Une partenaire... Il en avait une potentielle, songeait-il tandis que la chaloupe approchait de la *Marie-Rose* illuminée. Meg était-elle éveillée, l'attendait-elle avec un désir décuplé par l'impatience ? Pouvait-il mettre à profit cette nuit pour se l'attacher de telle manière qu'elle accepte de rester avec lui et de le suivre ?

La voix de Frank Fisher tombant du ciel le tira de ses pensées.

— Bonsoir, capitaine !

— Tout s'est bien passé, en mon absence ? demanda Cosimo en mettant le pied sur le pont.

— Oui, monsieur. On a apporté ceci pour vous, dit le jeune homme en lui tendant un mince cylindre métallique.

Le cerveau de Cosimo s'emballa aussitôt. Meg s'attendait à ce qu'il la rejoigne dès qu'il serait rentré... Or, le devoir l'appelait.

9

Cosimo leva la pelure d'oignon vers la lumière pour déchiffrer les minuscules caractères. C'étaient des nouvelles d'Ana, comme il en avait eu le pressentiment. Cependant, si c'était bien elle qui avait écrit le message, ce n'était pas elle qui l'avait composé.

Il fronça les sourcils lorsqu'il vit la signature: «Anna». Un code utilisé en cas de danger. Le texte du message était très bref, comme d'habitude: «Retenue – Mission d'une importance capitale – Continue comme prévu – Bonne chance – Anna.»

Le message était arrivé par pigeon voyageur. L'un de leurs pigeons avait-il été capturé par l'ennemi et renvoyé avec un faux message? Ce ne serait pas la première fois. S'ils avaient arrêté Ana, les services de renseignement français devaient à présent connaître les détails de leur mission, et Cosimo serait à coup sûr attendu à Brest.

Continue comme prévu…

Il ne put retenir un sourire méprisant. Les imbéciles! Pensaient-ils vraiment qu'Ana et lui étaient assez bêtes et inexpérimentés pour tomber dans ce piège grossier? Ils pouvaient forcer Ana à écrire ce message; mais quelle naïveté de leur part de croire qu'elle ne disposait pas de stratagèmes pour sauvegarder leur mission! On pouvait compter sur elle pour berner l'ennemi, quels que soient les moyens employés pour lui soutirer des informations.

Cependant, un vertige saisit Cosimo à la simple pensée des tortures auxquelles elle avait peut-être été

120

soumise. Il ferma les yeux un instant puis décida de se rendre auprès du lieutenant Murray pour en avoir le cœur net : il lui fallait savoir quel pigeon avait apporté ce message et, si possible, d'où il venait. Au cas où son hypothèse se vérifierait, il avertirait au plus tôt son réseau d'espions afin qu'ils se mettent en quête d'Ana. Le lieutenant Murray serait sans doute profondément endormi, mais tant pis, il le réveillerait.

Alors qu'il s'apprêtait à redescendre dans le canot, Cosimo aperçut Meg, debout à quelques pas de lui, qui le regardait.

Il fut stupéfait de la voir, car il l'avait complètement oubliée au cours des quelques minutes qui venaient de s'écouler. Était-elle là depuis longtemps ? Et qu'allait-il faire ?

L'abandonner à cet instant crucial, c'était la perdre, car leur attirance était trop récente pour supporter ce qui pourrait apparaître comme une désaffection de sa part. Or, Cosimo ne pouvait se permettre de la perdre. Il y avait davantage en jeu, désormais, qu'un simple intermède amoureux : sa mission reposait sur sa capacité à gagner la coopération de Meg.

Murray attendrait donc, de même que le message. Cosimo haïssait l'idée de gaspiller ne serait-ce qu'une précieuse minute avant de se lancer au secours d'Ana, mais celle-ci serait la première à mépriser ce genre de considération. Pour elle, une mission passait avant toute chose, y compris les sentiments personnels.

— Je vous ai entendu revenir à bord, puis parler à Frank, dit Meg sans esquisser un geste. Je suis montée voir ce qui vous retenait…

Le silence de Cosimo la déconcertait, de même que l'expression grave de son visage. Quand il avait tourné vers elle un regard déconcerté, elle avait compris que quelque chose était arrivé, quelque chose d'assez important pour chasser toute idée de badinage de son esprit.

— Un message, rien de plus, dit-il en esquissant un sourire forcé. Je voulais en prendre connaissance avant de vous rejoindre.

Cosimo fit les quelques pas nécessaires pour se rapprocher d'elle et posa son index sur la fossette de son menton.

— Je ne voulais pas être distrait par quoi que ce soit, continua-t-il d'une voix caressante.

Mais ni ses mots ni son sourire ne rassurèrent Meg. Pendant un moment, il l'avait complètement oubliée, elle le sentait.

— Si une affaire vous appelle, vous devriez la régler, dit-elle.

— C'est vous, mon affaire. Ce soir, c'est vous et vous seulement.

Ses yeux s'assombrirent, sa voix se fit plus douce encore. Si grave qu'eût été sa préoccupation, il était évident qu'il l'avait écartée pour ne plus s'inquiéter que d'elle. Le désir régnait de nouveau en maître dans le regard dont il l'enveloppait.

La capacité de Cosimo à changer d'humeur en un instant ne laissait pas de surprendre Meg, voire de la préoccuper. Elle avait pourtant vu cette ombre inquiète sur son visage, cette crispation résolue de sa mâchoire. Où étaient-elles passées ? Comment pouvait-on effacer aussi vite un tourment et le remplacer par une émotion absolument différente ?

Malgré ses interrogations, Meg ne trouvait pas les mots pour exprimer son malaise. Une fois de plus, elle se voyait confrontée au fait qu'elle ne connaissait pas cet homme, et qu'elle n'avait pas le droit de forcer ses confidences. L'attirance entre eux ne suffisait pas à créer le genre d'intimité qui l'aurait autorisée à poser des questions.

Cosimo eut conscience du danger ; il sentit que Meg risquait de lui échapper s'il ne provoquait pas sur-le-champ l'étincelle érotique susceptible de les réunir. Refermant ses mains en coupe autour de son visage, il l'embrassa longuement. Sans chercher à se soustraire à son baiser, elle demeura dans un premier temps passive, comme indécise. Puis il la sentit se détendre à mesure qu'il lui effleurait les lèvres de la pointe de la langue, tout en lui caressant les joues. Enfin, elle s'abandonna et répondit à son étreinte avec une ferveur croissante.

— Venez... dit-il doucement en l'entraînant jusqu'à l'escalier.

Dans la cabine, elle se tourna vers lui. À la lueur de la lampe, ses yeux se pailletaient d'étincelles dorées ; sa peau habituellement pâle se colorait d'un rose délicat et ses lèvres entrouvertes brillaient, humides et gonflées. Tout en l'embrassant, Cosimo commença à détacher d'une main adroite les petits boutons de perle qui fermaient le dos de sa robe depuis la nuque jusqu'à la taille.

— Bonne nuit ! Bonne nuit !

— Enfer et damnation ! s'exclama Cosimo. J'oubliais Gus.

— Comment est-ce possible ? demanda Meg avec un petit rire étranglé. Nous pouvons peut-être le mettre dehors...

Pour toute réponse, Cosimo saisit fermement le perroquet et le mit dans sa cage, sur laquelle il jeta l'éteignoir de tissu rouge en disant :

— Bonne nuit, Gus.

— Pôvre Gus... murmura l'oiseau d'un ton lugubrement étouffé.

— Où en étions-nous ? reprit Cosimo en se tournant vers Meg. Vous avez un nouveau pansement ?

— David l'a refait, grommela Meg dont le désir se trouvait décuplé par la diversion.

— Bien, dit Cosimo en hochant la tête avec approbation.

Puis, conscient du plaisir et de l'impatience de Meg qui reflétaient parfaitement les siens, il laissa échapper un petit rire.

Quand il l'attira de nouveau contre lui pour défaire les derniers boutons, elle éprouva contre sa chair tendre la dureté des muscles de son torse. Les pointes de ses seins s'érigèrent au moment où il fit glisser sa robe sur ses hanches et où l'air froid coula sur sa peau.

Cosimo embrassa le creux de sa gorge avant de s'employer à dégrafer les minuscules boutons qui fermaient sa chemise de jour. Il paraissait n'éprouver aucune hâte. Au contraire, il se concentrait sur sa tâche comme s'il s'agissait de la plus délicate des opérations. Meg baissa la tête pour observer avec un curieux détachement ses doigts agiles qui écartaient lentement le fin tissu et révélaient ses seins à la pointe tendue.

La chemise rejoignit la robe sur le sol et Meg se retrouva nue, à l'exception de ses sandales. Le regard de Cosimo, brûlant de désir, se posa un instant sur son visage. Puis il sourit avant de baisser la tête pour embrasser ses seins, les mains refermées en coupe sur leur doux renflement, avant de taquiner chacun des mamelons de la langue. Il se laissa ensuite tomber à genoux pour tracer de ses lèvres un chemin humide de sa poitrine vers son ventre.

Meg émit un son étouffé lorsqu'il titilla de la langue le creux de son nombril. Sans plus se soucier de son bras douloureux, elle s'accrocha à ses épaules et écarta légèrement les pieds, en partie pour conserver son équilibre, mais aussi en une sollicitation involontaire. Elle aspirait à ce moment tout en désirant qu'il vînt trop vite.

— C'est mon tour, protesta-t-elle faiblement en glissant ses doigts dans la chevelure auburn qui lui chatouillait les cuisses.

Elle essaya sans conviction de repousser Cosimo avant qu'il ne se livre à la caresse qu'elle appelait de tout son être.

— Oh... juste cette fois, murmura-t-il. J'ai besoin de vous connaître, de vous goûter, de savourer votre essence la plus profonde.

En vérité, Meg n'avait aucune résistance réelle à lui opposer. Après lui avoir doucement écarté les jambes, il explora du bout des doigts, puis de la langue, les replis de sa chair la plus intime, et elle se mordit la lèvre au sang pour ne pas crier de plaisir.

Tandis que la nuit s'écoulait dans la cabine doucement bercée par les flots, Meg songea que jamais elle n'avait rencontré d'amant plus doué ni moins égoïste. Les caresses subtiles de Cosimo comblaient ses vœux les plus secrets et, quand le moment fut venu pour elle de tenir sa promesse, elle aima tout de lui : sa peau, son odeur et son goût. L'inventivité de Cosimo ne cédant en rien à la sienne, ce ne fut qu'à l'aube qu'ils s'effondrèrent sur la couchette.

À peine Meg eut-elle le temps de penser qu'elle pourrait faire l'amour avec cet homme jusqu'à la fin des temps… Le sommeil les terrassa dans les bras l'un de l'autre.

*
* *

Lorsque Meg s'éveilla dans la cabine baignée de soleil, elle était seule. Appuyée sur un coude, elle constata que ses vêtements, laissés à même le sol la nuit précédente, avaient disparu, de même que ceux de Cosimo. La cage de Gus était vide. Comment diable Cosimo avait-il pu se lever, s'habiller et emporter l'intarissable oiseau sans qu'elle entende quoi que ce soit ?

Elle se laissa retomber sur l'oreiller, un bras replié sur les yeux. Sans doute avait-elle dormi d'un sommeil de plomb, après cette nuit agitée. Il aurait été agréable d'être réveillée par un baiser, mais le capitaine de la *Marie-Rose* avait certainement des affaires à traiter. En particulier celle qui semblait tant le préoccuper lorsqu'elle l'avait rejoint sur le pont…

Meg s'assit brusquement. En se présentant inopinément devant lui, elle avait détourné Cosimo de quelque chose qui aurait pu l'empêcher d'honorer leur rendez-vous. Un léger frisson lui courut dans le dos lorsqu'elle se souvint de la manière dont il avait soudain fait feu de tous ses charmes, comme s'il était animé d'une motivation particulière.

Sans doute se montrait-elle d'une sensibilité exagérée... Était-ce si grave que Cosimo ait oublié leur flirt, l'espace d'une minute ? Après tout, elle avait affaire à un espion, un corsaire, un homme mystérieux connu par son seul prénom. Et c'était pour toutes ces raisons qu'elle le trouvait si séduisant... Toutes ces raisons plus une, désormais : ses prouesses d'amant !

Après s'être extirpée de la couchette, Meg bâilla tout en s'étirant avec volupté. Elle avait toujours aimé cette impression de satiété de tout le corps après une nuit d'amour. Une pensée tout à fait inconvenante qui, comme d'habitude, la fit pouffer de rire.

La chemise et la robe vert bronze ne se trouvant pas dans le placard, elle enfila un ample peignoir et, décemment vêtue, se risqua à agiter la clochette d'argent posée sur la table. Le résultat fut presque immédiat : quelques instants plus tard, on frappa à la porte.

— Oui, mam'zelle ? dit Biggins quand elle l'eut prié d'entrer.

— Serait-il possible de remplir la baignoire ? lui demanda-t-elle, un peu embarrassée à l'idée qu'il devine, notamment en voyant les draps chiffonnés, ce qui s'était passé cette nuit.

Par bonheur, Biggins se montra aussi impassible qu'à l'ordinaire.

— Y a pas d'problème, mam'zelle. Les fourneaux sont allumés, on peut faire chauffer d'l'eau. Vous voulez vot'p'tit déjeuner ?

— Oui, s'il vous plaît, répondit Meg sans dissimuler son enthousiasme. Je suis perpétuellement affamée, ces jours-ci.

Un sourire fugitif éclaira le visage buriné du matelot. C'était le premier qu'elle lui voyait.

— C'est l'air d'la mer, sûrement, mam'zelle.

— Sûrement, renchérit Meg, non sans s'interroger sur la signification de ce sourire.

Ne sachant à quoi s'en tenir, elle préféra renoncer à s'enquérir de Cosimo, mais Biggins ajouta de lui-même :

— Le cap'taine vous fait dire qu'il s'ra bientôt d'retour. Il a dû s'rendre au poste de garde.

Sur ce, il sortit et revint peu après avec du café et une assiette d'œufs brouillés.

— Ça vous va, mam'zelle ?

— Merveilleusement ! s'exclama Meg en prenant place à table. Ça a l'air délicieux. Je vous remercie, Biggins.

— Oh ! c'est pas moi qu'il faut r'mercier, mam'zelle. C'est Silas. C'est lui, l'coq. L'cuisinier, si vous préférez...

— Alors, je ne manquerai pas d'aller le remercier, assura Meg, la fourchette en l'air. En attendant, faites-le de ma part.

L'homme hocha la tête avec un air approbateur.

— J'vais chercher l'eau, dit-il avant de tourner les talons.

Au fur et à mesure que Meg mangeait, l'euphorie de la nuit se dissipait et la réalité finit par lui apparaître dans toute sa crudité. Aujourd'hui, c'était lundi ; la *Marie-Rose* lèverait l'ancre mercredi à l'aube. Cela leur laissait deux jours entiers à passer ensemble, durant lesquels Cosimo aurait à se préoccuper de lui trouver un moyen de retourner chez elle.

Le problème, c'est que Meg n'avait nul désir de retourner chez elle...

Ayant reposé sa fourchette, elle appuya sa tête contre sa main et laissa son regard errer vers la côte. Après une aussi longue absence, elle allait devoir passer quelque temps auprès de ses parents, dans le Kent. Car, quelle que fût l'histoire inventée pour justifier sa disparition, une retraite discrète à la campagne s'imposerait sûrement. Le soupir que cette perspective lui arracha gonfla ses poumons d'air marin, au frais parfum d'algues et de trèfle.

Existait-il un moyen de prolonger cet intermède ?

Le retour de Biggins, accompagné du mousse, mit provisoirement un terme à ses réflexions. Tous deux accomplirent encore deux voyages avant de juger suffisant le niveau d'eau dans le cuveau.

— Je vous remercie tous les deux, dit Meg avec chaleur. Je suis désolée de vous donner tant de mal.

— Y a pas de mal du tout, mam'zelle, répondit Biggins en faisant signe à son acolyte de débarrasser la table. Y a pas grand-chose à faire, quand on est au port.

Dès qu'ils furent partis, Meg enleva son peignoir pour se glisser avec volupté dans l'eau chaude. Les yeux fermés, elle revint à sa préoccupation : pouvait-elle envisager une brève prolongation de son idylle avec Cosimo, et devait-elle aborder le sujet avec lui ? Elle en doutait. Il n'y avait certainement pas de place pour une femme sur le bateau d'un corsaire chargé d'une mission importante et secrète. Cosimo en avait lui-même donné la preuve la nuit précédente…

Elle entendit alors la porte s'ouvrir, puis la voix de Cosimo demander :

— Puis-je entrer ?

Son cœur accéléra brusquement ses battements.

— Tu es déjà dedans, si je ne m'abuse… répondit-elle.

— Je n'irai pas plus loin sans ta permission. Je tiens toujours mes promesses, figure-toi.

— Oui, c'est ce qu'on m'a dit, dit Meg en se savonnant les pieds.

La haute silhouette de Cosimo s'encadra dans le chambranle. Les bras croisés, il promena un regard appréciateur sur son corps à peine immergé dans le cuveau peu profond.

— Dommage qu'il n'y ait pas de place pour deux…

D'un geste prompt, Meg se releva, attrapa la serviette et s'enroula dedans.

— Non, c'est définitivement exclu ! Que sont devenus mes vêtements ?

— Biggins a dû s'en occuper. Il a sans doute jugé qu'ils avaient besoin d'un coup de fer.

— Pourquoi ne m'as-tu pas réveillée avant de partir ? demanda Meg en le suivant dans la cabine, sans se soucier des traces que laissaient ses pieds mouillés sur le parquet d'acajou.

— Ma chère Meg, ç'aurait été d'une cruauté impardonnable, déclara Cosimo en l'attirant dans ses bras. Crois-moi, tu n'aurais pas entendu les trompettes du Jugement dernier.

— C'est possible, admit-elle en l'embrassant. As-tu vaqué à tes affaires ?

La même ombre que le soir précédent voila le regard de Cosimo, mais cela ne dura qu'un instant.

— J'avais un problème à régler avec Murray. Il me rend fou, avec ses histoires de règlements. Les navires doivent faire ci, les commandants doivent faire ça… Ce n'est pas avec de la paperasserie qu'on gagne les guerres ! conclut-il en s'approchant de la table des cartes.

— Non, je le suppose, murmura Meg.

Il n'y avait pas une once de vérité dans ce qu'il venait de dire. Malgré les plaisirs partagés la nuit dernière, elle ne se sentait pas autorisée à le pousser dans ses retranchements. Comme il se penchait sur une carte, elle se plaça derrière lui pour passer les bras autour de sa taille.

— Tes affaires te tiendront-elles occupé toute la journée ? demanda-t-elle en laissant tomber la serviette sur le sol.

Les mains tendues en arrière, Cosimo caressa ses fesses nues.

— Cela dépend.

— De quoi ? chuchota-t-elle contre sa nuque.

— Des autres occupations qui me sont proposées…

Arabella avait arpenté le salon de long en large toute la matinée en espérant entendre revenir l'étalon de Jack à chaque instant.

Il était près de midi lorsque, au lieu de celui-ci, ce fut un lourd véhicule démodé qui s'arrêta devant la maison. Arabella le reconnut aussitôt, et eut la sensation que son cœur cessait de battre. C'était la voiture des Barratt ! Ils avaient dû partir à l'aube pour arriver aussi vite à Folkestone… Qu'allait-elle leur dire, grands dieux ? Et Jack qui ne revenait pas !

Dans un état voisin de la transe, Arabella resta figée devant la fenêtre, à regarder sir Mark descendre du véhicule puis aider sa femme à en faire autant. Elle aurait dû courir à la porte, elle le savait, pour accueillir en personne les parents de Meg.

Mais que leur dire ? se lamenta-t-elle de nouveau. Dans l'absolu, Meg avait disparu alors qu'elle était à la charge des Fortescu. Il était bien sûr ridicule de se sentir responsable d'une adulte qui menait son existence à sa guise. Les Barratt connaissaient le tempérament indépendant de leur fille, et Arabella ne pensait pas qu'ils les considéreraient, elle et Jack, comme fautifs en aucune manière. Il n'empêche qu'une panique grandissante lui serrait la gorge.

Lady Barratt retint d'une main son bonnet qu'une rafale de vent essayait de lui arracher, tout en s'accrochant de l'autre au bras de son mari. Elle entraîna celui-ci vers le perron à petits pas pressés, et la rougeur de son visage rond trahissait son agitation.

Arabella se força à bouger. Elle arriva dans le vestibule au moment même où Tidmouth, le majordome, faisait entrer les visiteurs.

— Sir Mark… Lady Barratt… balbutia Arabella en se précipitant au-devant d'eux. Comme c'est gentil de votre part d'être venus si vite !

Quelles paroles stupides ! se tança-t-elle aussitôt. Quoi d'étonnant à ce que des parents se précipitent au chevet de leur fille souffrante ?

— Oh ! Bella, ma chérie, comment va-t-elle ? demanda lady Barratt tout en l'embrassant. Meg n'est jamais malade ! S'agit-il d'une fièvre maligne ? Pourvu que ce ne soit pas la typhoïde ! Ou la variole ! J'étais si inquiète... je n'ai pu fermer l'œil de la nuit.

— Non, ce n'est pas la typhoïde, je vous rassure, dit Arabella en jetant un regard désespéré à Tidmouth.

Elle offrit son front au baiser paternel de sir Mark, alors que lady Barratt continuait à l'assaillir de questions auxquelles elle répondait elle-même.

— Le médecin est-il venu ? Oui, bien sûr qu'il est venu. Tu n'aurais pas négligé cette précaution, ma chérie, je peux te faire confiance.

Le majordome toussota pour attirer l'attention de lady Barratt.

— Peut-être que Madame aimerait se rendre au salon pour prendre quelque rafraîchissement...

— Oh non ! Je vais tout de suite aller voir Meg, répondit lady Barratt. Sir Mark, m'accompagnez-vous ?

Les yeux de celui-ci, verts et perçants comme ceux de sa fille, pesaient sur Arabella depuis son apparition dans le vestibule. À n'en pas douter, sir Mark avait surpris son échange muet avec Tidmouth.

— Nous monterons dans quelques minutes, ma chère, dit-il à son épouse. Allons au salon afin que vous vous repreniez un peu. Vous ne voudriez pas courir le risque d'inquiéter Meg, n'est-ce pas ?

Sa calme fermeté parut juguler l'affolement de lady Barratt qui prit une profonde inspiration.

— Non, bien sûr. Vous avez raison, mon ami.

— Venez, lady Barratt, dit Arabella. Vous devez être fatiguée et transie. Tidmouth nous servira du café. À moins que vous ne préfériez du madère ou du sherry, sir Mark ?

— Du sherry, merci.

Le père de Meg gardait les yeux fixés sur elle, et il fronçait à présent ses épais sourcils gris.

— Laissez-moi vous débarrasser de votre bonnet et de votre cape, lady Barratt, reprit Arabella dès qu'ils furent dans le salon. Sir Mark, donnez-moi votre canne et votre manteau.

Puis elle fit signe à un laquais.

— John, prenez les affaires de sir Mark et de lady Barratt, s'il vous plaît.

La panique d'Arabella commençait à refluer, même si elle déplorait toujours l'absence de Jack en cet instant pénible.

— Quand Meg est-elle tombée malade, Bella ? s'enquit sir Mark qui se tenait devant la cheminée, les mains nouées dans le dos. Le message du duc n'était pas vraiment clair à ce sujet.

L'entrée de Tidmouth épargna à Arabella d'avoir à répondre sur-le-champ. Elle fut soulagée de constater que lady Barratt, sous l'influence apaisante de son mari, paraissait moins agitée. Quand elle accepta une tasse de café, ses mains tremblaient à peine.

Arabella attendit que le domestique soit sorti pour reprendre :

— Je ne sais comment vous le dire…

— Ô mon Dieu, elle est morte ! Ma petite fille est morte ! s'exclama lady Barratt, brusquement livide.

Sa tasse à café retomba bruyamment dans la soucoupe et sir Mark se précipita pour la lui retirer.

— Du calme, du calme, ma chère, dit-il en posant sa main sur son épaule. Laissez parler Bella.

Quand il reporta son regard sur elle, Arabella y décela une inquiétude évidente, bien qu'il s'efforçât de n'en rien laisser paraître.

— Bella, nous t'écoutons.

— Meg a disparu, déclara Arabella, optant pour la vérité. Il y a deux jours. Nous nous étions promenées toutes les deux sur le front de mer, puis je suis rentrée

132

à la maison pendant que Meg se rendait à la bibliothèque. Plus personne ne l'a vue ensuite.

— Disparu ? répéta sir Mark, incrédule, sans prêter attention au gémissement étouffé de sa femme. Comment aurait-elle pu disparaître ? Meg est une adulte responsable, tout à fait capable de se débrouiller par elle-même.

— Elle est morte ! gémit lady Barratt. Des voleurs l'ont assassinée.

— Ne soyez pas ridicule, je vous prie ! lui intima sèchement son mari. On aurait retrouvé son corps.

Cela ne parut pas rassurer lady Barratt qui s'effondra contre les coussins du canapé en s'éventant de la main.

— On... on a pu le jeter... le jeter à... la mer.

— Je vais chercher des sels, s'empressa de dire Arabella en voyant que lady Barratt était sur le point de s'évanouir. Tidmouth ! appela-t-elle en ouvrant la porte. Dites à Becky d'apporter des sels, lady Barratt ne se sent pas bien.

— Je l'avais prévu, Votre Grâce, dit Tidmouth en lui tendant un petit flacon brun. Voulez-vous que Becky vienne prendre soin de lady Barratt ?

— Non, je m'en occupe. Merci, Tidmouth.

En toute hâte, elle revint s'agenouiller auprès du sofa, déboucha le flacon et le promena sous le nez de lady Barratt.

— Respirez, lady Barratt, cela vous fera du bien...

Sir Mark tambourinait avec impatience sur le manteau de la cheminée. Il finit par demander :

— Où est ton mari, Bella ?

— À Londres, répondit Arabella en se relevant. Il est parti hier pour engager une patrouille de *Bow Street Runners*.

Le visage ordinairement haut en couleur de sir Mark perdit un peu de son éclat, car les gardiens de la paix londoniens éveilleraient les rumeurs.

— Il pensait agir au mieux, je suppose... dit-il lentement.

— Jack m'a dit qu'il ne fallait pas perdre une minute, pour ne pas risquer de perdre des pistes éventuelles... Je... je suis vraiment désolée. Nous ne savions pas que...

Incapable d'aller plus loin, Arabella se tordit les mains tout en regardant alternativement le père et la mère de Meg.

— Ce n'est pas ta faute, Bella, reprit sir Mark. Tu n'es pas responsable de Meg, pas plus que ton mari. Elle va bientôt avoir trente ans, après tout.

Lady Barratt porta un mouchoir en dentelle à ses yeux et commença à pleurer doucement. Arabella s'agenouilla de nouveau à côté d'elle.

— Elle reviendra, lady Barratt. Il *faut* qu'elle revienne.

À cet instant, la porte du salon s'ouvrit et Jack entra, couvert de poussière des pieds à la tête.

— Sir Mark, lady Barratt, je suis heureux que vous ayez pu venir aussi rapidement, dit-il.

Il déposa un rapide baiser sur la joue de sa femme, puis s'inclina devant la pauvre mère éplorée et serra la main de sir Mark.

— Les *Runners* fouillent la campagne environnante, poursuivit-il. Nous avions déjà passé toute la ville au peigne fin avant mon départ, mais ils repasseront discrètement derrière nous. Sinon, nous avons fait courir le bruit que Meg était malade et devait garder la chambre. Si vous le souhaitez, nous pourrons dire que vous êtes venus la chercher pour la ramener chez vous.

— Et vos domestiques ? demanda sir Mark.

— Mes domestiques ne diront que ce que je leur ordonnerai de dire.

Cette assurance sembla suffire à sir Mark, qui autorisa Jack à remplir de nouveau son verre.

— Il vaudrait mieux, je crois, que nous restions quelques jours à Folkestone. Ma femme...

De la main, il désigna lady Barratt qui sanglotait toujours.

— Oui, bien sûr, acquiesça Jack en s'approchant de la cheminée pour tirer le cordon de sonnette. Mieux vaut que vous soyez là lorsque Meg reviendra.

Puis il se tourna vers le majordome lorsque celui-ci parut sur le seuil.

— Tidmouth, sir Mark et lady Barratt seront nos invités durant quelques jours.

— Bien, Votre Grâce.

— Préparez la chambre chinoise, dit Arabella, qui précisa ensuite à lady Barratt avec un sourire affectueux : Elle se trouve à l'arrière de la maison, vous n'entendrez pas le bruit de la rue. Et Becky sera à votre disposition.

— Tu es vraiment gentille, ma chérie, dit lady Barratt en esquissant un sourire tremblant. Je crois que je vais aller m'étendre un peu. Le choc...

— Oui, bien sûr. Je vous accompagne.

Sitôt que les deux femmes eurent quitté le salon, sir Mark se tourna vers Jack.

— En toute honnêteté, Saint-Jules, avez-vous une idée de ce qui a pu se passer ?

— Pour parler franchement, monsieur, pas la moindre. La bibliothèque n'est qu'à quelques minutes d'ici. Il pleuvait à verse... Meg a pu se mettre à l'abri quelque part, mais nous l'aurions su, certainement, car quelqu'un l'aurait vue.

Sir Mark demeura silencieux un moment ; il but une gorgée de sherry et reposa son verre.

— Serait-il possible qu'elle soit partie de son plein gré ? murmura-t-il, presque comme pour lui-même.

— Elle n'aurait pas imposé une telle torture à Arabella. Ni à ses parents...

— Sans doute. Je ne sais que penser, ajouta sir Mark après avoir soupiré profondément.

Dans le silence qui suivit, le marteau de la porte d'entrée résonna plusieurs fois. La voix d'Arabella s'éleva dans le vestibule, d'abord perplexe, puis surprise.

— Voilà qui est étrange, dit-elle en entrant dans le salon, une lettre à la main. Un homme vient d'apporter ceci pour moi.

— Un homme de la poste ? Un messager ?

— Vu son allure, ni l'un ni l'autre. Il était élégamment vêtu de soie verte et montait un superbe cheval bai. De plus, il s'exprimait de manière très choisie.

Tout en parlant, Arabella avait pris un coupe-papier sur son secrétaire. Après avoir rompu le cachet de cire, elle déplia la feuille. Sa bouche s'arrondit et elle releva lentement les yeux.

— C'est de Meg...

— Quoi ? s'exclama sir Mark en bondissant vers elle. Fais-moi voir.

Il lui arracha presque la feuille des mains avant de contempler celle-ci, l'air stupéfait.

— Qu'est-ce que cela signifie ? Ce n'est pas l'écriture de Meg...

— Vous permettez, monsieur ? intervint Jack en se saisissant de la lettre à son tour.

Lui aussi fixa un instant l'écriture – manifestement masculine – puis il tourna son regard vers sa femme.

Le visage d'Arabella rayonnait de soulagement et, au fond de ses yeux bruns, brillait une étincelle malicieuse que Jack connaissait bien. Déconcerté, il relut la courte phrase.

J'ai été victime d'un accident, mais tout va bien.

Dans l'angle supérieur de la feuille figurait un mot unique : *Gondolier.*

— Pourquoi ce message est-il si court ? demanda sir Mark. Et pourquoi ne l'a-t-elle pas écrit elle-même ? Pouvons-nous être certains qu'il est d'elle ?

— Oh oui ! il est bien d'elle, affirma posément Arabella. Même si Meg n'a pas tenu la plume, elle a eu son mot à dire dans la rédaction de ce billet, je vous l'assure.

— À cause de sa brièveté et du fait qu'elle ne l'a pas écrit elle-même, on peut penser que ce message n'a pas suivi des voies orthodoxes pour nous parvenir… dit Jack, songeur, en retournant le papier entre ses mains. Je ne serais pas étonné qu'il ait été codé à l'origine… pour être transporté par un pigeon voyageur, peut-être.

— Un pigeon voyageur! répéta sir Mark avec incrédulité. Sacrebleu, qu'est-ce que ma fille aurait à voir avec un pigeon voyageur?

— Seule Meg pourrait nous le dire, répondit Jack. Ou peut-être Arabella? ajouta-t-il en se tournant vers sa femme, persuadé qu'elle savait quelque chose qu'ils ignoraient.

— Je n'en ai pas la moindre idée, assura Arabella. Au moins savons-nous que Meg se porte bien et que, quel que soit l'accident dont elle a été victime, celui-ci l'a empêchée de rentrer ou de nous prévenir immédiatement. Je vais de ce pas apporter cette bonne nouvelle à lady Barratt.

Redoutant que son trop perspicace époux ne pose une nouvelle question embarrassante, elle s'éclipsa en toute hâte.

Il ne lui fallut pas moins d'une heure pour apaiser lady Barratt. Au moment où elle refermait doucement derrière elle la porte de la chambre, Arabella découvrit Jack qui l'attendait dans le couloir, les bras croisés, une lueur de mauvais augure dans le regard.

— À présent, madame ma femme, vous allez me dire ce que signifie ce *gondolier*.

— Chuuut! fit Arabella en regardant autour d'elle. Sir Mark peut arriver d'un instant à l'autre. C'est un miracle qu'il n'ait rien remarqué. Je suis sûre que Meg pensait que moi seule lirais ce message.

— Peut-être, mais il n'empêche que tu vas en partager la signification avec moi.

— Viens, dit-elle en étouffant un petit rire de sa main. Je te le dirai dans mon boudoir.

Jack la suivit jusqu'à la confortable petite pièce située à l'arrière de la maison. Après avoir redressé les lourdes têtes d'un bouquet de pivoines, Arabella se tourna vers Jack, qui rongeait son frein en silence.

— Le mot « gondolier » signifie qu'à l'heure qu'il est, Meg est engagée dans une... aventure amoureuse.

Jack la dévisagea avec une incrédulité mêlée de colère. Un muscle se crispa sur sa mâchoire.

— Ainsi, elle est partie volontairement... Elle nous fait passer des moments insupportables pour une simple...

— Non ! l'interrompit aussitôt Arabella. Bien sûr que non ! Meg n'agirait jamais ainsi. Quelque chose s'est passé, sûrement. J'ignore quoi, continua-t-elle après avoir haussé les épaules, mais Meg n'a pas pu l'empêcher. Cependant, d'après son message, les conséquences se révèlent plutôt... agréables.

La colère de Jack reflua. Il connaissait assez Meg pour savoir que sa femme disait vrai. Meg n'aurait pas infligé volontairement un tel chagrin à ses proches. Le mystère demeurait néanmoins entier.

— Et que sommes-nous censés faire, à présent ? demanda-t-il.

— Nous pouvons déjà cesser de nous faire du souci, répondit Arabella dont les yeux pétillèrent de nouveau de malice. Peut-être a-t-elle été enlevée par un cheik arabe et coule-t-elle des jours merveilleux dans son palais en plein désert...

Constatant que son mari ne paraissait pas apprécier les fantaisies de son imagination, elle reprit son sérieux.

— Cela étant, pourquoi aurait-elle utilisé les services d'un pigeon voyageur... si toutefois tu as raison ?

Jack fronça les sourcils. Parler d'enlèvement n'était peut-être pas si extravagant, après tout. On utilisait les pigeons lorsque aucun transport terrestre n'était possible.

— J'ai l'impression que Meg n'est plus en Angleterre, finit-il par dire lentement. Peut-être est-elle sur un bateau... ou en France. Il n'y a pas d'autre explication à l'utilisation d'un pigeon.

— Et tu es persuadé qu'il a été apporté par un pigeon ? Je ne parle pas du messager qui a frappé ici, bien sûr, il était beaucoup trop élégant pour un simple pigeon ! Mais de l'original...

— Quelquefois, Arabella, tu es d'une légèreté coupable ! dit Jack d'un ton tendrement réprobateur. Mets ton manteau, nous descendons sur le port.

— Pourquoi le port ?

— Les postes de garde de la marine utilisent des pigeons voyageurs. Il y a moins de trois jours que Meg a disparu. Ce message a dû arriver non loin de Folkestone. Je vais me livrer à une petite enquête.

— Tu crois que Meg est sur un bateau de la marine ? demanda Arabella avec incrédulité.

— Je ne crois rien, ma chère. Je suis simplement mon intuition.

— Dans ce cas, je ne serai que trop heureuse de la suivre avec toi.

Ils redescendirent ensemble au rez-de-chaussée. Après avoir boutonné son manteau, Arabella posa un ravissant chapeau de paille sur sa chevelure brune.

— Où qu'elle soit, j'espère que Meg s'amuse bien, en tout cas !

10

— Cosimo ?

— Oui, Meg ? répondit-il, souriant, en levant les yeux de la carte qu'il étudiait. Que puis-je pour toi ?

Sa voix irradiait une telle sensualité que Meg en eut des frissons dans l'estomac.

— Pour commencer, ne pas me regarder de cette manière, dit-elle. Je voudrais te parler sérieusement.

— Oh…

Il posa sa plume. S'étant approchée de la table, Meg se pencha sur la carte et regarda les notations incompréhensibles que Cosimo y avait griffonnées.

— Tu prépares ton itinéraire pour demain ?

Il émit un vague grognement tout en enfonçant ses doigts dans la chevelure de Meg.

— Ta peau a l'odeur du soleil, murmura-t-il en l'embrassant dans le cou.

Meg s'écarta doucement mais fermement. Chaque fois qu'elle s'apprêtait à aborder le sujet de leur séparation, douloureux mais de plus en plus pressant, Cosimo se débrouillait pour le lui faire sortir de la tête. Ou alors, il prétendait qu'il était trop tôt pour jeter une ombre sur leur idylle. Or, cette discussion ne pouvait plus être ajournée.

— Cosimo, nous *devons* parler. As-tu consacré une seule pensée à la façon dont je vais pouvoir retourner chez moi ? Tu ne vas quand même pas me déposer sur le quai au moment de partir et tout oublier de moi ?

— Oh! je serais bien incapable de tout oublier de toi! affirma-t-il avec un sourire lascif.

Il avait saisi le menton de Meg entre deux doigts pour tourner son visage vers lui.

— Cosimo, écoute-moi! lui intima-t-elle en se dégageant prestement. Je suis sérieuse.

Cosimo avait tout fait pour retarder cet instant. Il comptait sur chaque minute de passion supplémentaire pour s'attacher un peu plus Meg, et il prévoyait de profiter de leur dernière nuit d'amour pour suggérer, de manière naturelle, qu'elle pourrait rester avec lui un peu plus longtemps.

Il se percha sur le coin de la table, croisa les bras et, tout en balançant un pied dans le vide, il lui adressa un sourire un peu incertain.

— Contrairement à ce que tu sembles croire, il se trouve que j'y ai beaucoup pensé…

— Et ta conclusion? dit Meg quand il s'en tint là.

— Eh bien… C'est que… Nous pourrions peut-être décider de… ne pas mettre une fin… brutale à cette délicieuse… relation.

Un frisson d'excitation parcourut le dos de Meg, qui sentit les petits cheveux se hérisser sur sa nuque.

— Comment cela serait-il possible? demanda-t-elle avec circonspection. Tu m'as dit que tu étais obligé de partir…

— Tes amis sont maintenant rassurés sur ton sort. Existe-t-il une raison impérieuse pour que tu retournes immédiatement dans le giron familial?

— Poursuis… murmura-t-elle.

À la soudaine rougeur qui embrasa son visage, à l'éclat chatoyant de ses yeux verts, Cosimo eut la confirmation qu'il recherchait: il avait réussi à la conquérir.

— La *Marie-Rose* va se rendre à Bordeaux, où je dois délivrer des dépêches à nos agents, dit-il avec un lent sourire. En échange, ils m'en remettront d'autres à destination de l'Angleterre. Tu pourrais accomplir ce périple avec moi…

Une vague d'euphorie déferla dans les veines de Meg, mais elle s'exhorta à ne pas crier victoire trop vite.

— Tu reviens en Angleterre aussitôt après ?

Cosimo préféra hocher la tête plutôt que de proférer un mensonge de vive voix.

— Combien de temps ce voyage durera-t-il ?

— À cela, je ne peux répondre. Tu as pu constater par toi-même que nous sommes à la merci de chaque changement de temps.

— Mais il se compte en semaines ? En mois ?

— En semaines, sans doute. Encore que, pour l'occasion, j'aimerais qu'il dure des mois, ajouta-t-il avec un sourire de pure séduction.

Il était au-dessus des forces de Meg de refuser une invitation aussi tentante. Même si elle ne s'autorisait pas à se l'avouer, c'était ce dont elle rêvait.

Puis, aussi soudainement que si on lui avait jeté un seau d'eau froide au visage, la réalité reprit le dessus. Elle prit conscience qu'elle ne pouvait *pas* souscrire à un tel plan, car comment justifier ou dissimuler une absence de plusieurs semaines, voire d'un mois ou deux ?

— Il faut que je réfléchisse, murmura-t-elle, embarrassée de sentir le regard aigu de Cosimo qui ne la quittait pas, comme s'il lisait chacune de ses pensées.

Sachant qu'elle ne parviendrait pas à prendre une décision si elle restait soumise à une telle pression, elle quitta la cabine d'un pas vif.

Toujours assis sur le coin de la table, Cosimo attendit qu'elle eût refermé la porte. Son sourire s'effaça alors et son expression se durcit. Avait-il joué la mauvaise carte ? S'était-il trompé sur les désirs de Meg ? Sincèrement, il ne le pensait pas. Il fut un instant tenté de la suivre mais, sachant que cela ne servirait à rien, y renonça.

Il reporta son attention sur ses cartes : avec ou sans Meg, il lèverait l'ancre à l'aube pour Bordeaux. Sa visite à Murray lui avait confirmé que le pigeon avait été dérouté, ce qui le portait à croire que les Français attendraient la *Marie-Rose* à Brest. Il emprunterait donc la voie la plus longue, par mer. De Bordeaux, il gagnerait ensuite Toulon par une route dont il savait qu'elle était très fréquentée et donc plus dangereuse, mais la capture d'Ana ne lui laissait pas le choix. Et s'il échouait à enrôler Meg, il devrait se débrouiller seul pour mener sa mission à bien.

La plume à la main, Cosimo s'abîma dans ses pensées. Agir seul signifiait que les chances de succès étaient minces, et celles d'en sortir vivant plus encore...

Non, il n'avait d'autre choix que de convaincre Meg de l'accompagner. Elle était dotée d'un esprit libre qui n'aspirait qu'à braver les conventions, ainsi que d'un solide appétit pour les plaisirs de l'amour. Durant les quelques jours que durerait la traversée jusqu'à Bordeaux, Cosimo se faisait fort d'aiguiser cet appétit. Un appétit qui, à en croire Shakespeare, s'accroissait à mesure qu'il était nourri...

Cela valait pour lui, en tout cas, s'avoua-t-il avec une légère grimace. Il n'avait aucun mal à imaginer que faire l'amour avec Meg pouvait devenir une drogue. La façon dont elle bougeait, la sensation de son corps – si mince et pourtant d'une surprenante sensualité – contre le sien, le parfum de sa peau, le feu de ses prunelles vertes au moment où elle atteignait l'orgasme, ses gémissements de plaisir... il aimait tout d'elle.

La simple évocation de Meg abîmée dans l'extase suffisant à le troubler, Cosimo prit une brusque inspiration. Oui, faire l'amour avec Meg s'apparentait à une drogue ; il fallait simplement qu'il s'emploie à ce que cela devienne réciproque.

*

* *

Appuyée au bastingage, Meg regardait sans vraiment les voir les pêcheurs de homards qui relevaient leurs casiers. Elle réfléchissait à l'histoire plausible qu'elle pourrait bâtir pour justifier une absence prolongée. Son mensonge devrait être assez solide pour dissuader toute rumeur, car elle ne voulait pas risquer de se voir exclue de la société à son retour.

Elle allait écrire à Bella pour lui demander son aide, et aussi lui suggérer que ses parents répandent le bruit qu'elle séjournait dans de la famille lointaine pour raisons de santé. Mais où? En Europe? Non: aucune personne sensée ne s'aventurerait sur le continent ravagé par les combats. En revanche, sa mère avait de la famille en Écosse. Meg ne connaissait pas cette branche de sa parentèle, certes, mais peu importait.

Ou alors, je peux retourner à la maison dès demain…

Et renoncer à l'aventure de sa vie? Au meilleur amant qu'elle eût jamais connu? Absurde! De plus, l'idée de participer, même de très modeste façon, à la lutte contre la France lui plaisait. Naviguer sur un bateau de guerre et prendre part à un échange de messages secrets pouvait être considéré comme un acte qui, pour être passif, n'en était pas moins patriotique. En fait, il était de son devoir vis-à-vis de son pays de poursuivre son idylle avec le corsaire Cosimo!

Sa mauvaise foi la fit éclater de rire. À cet instant, Cosimo émergea de l'entrepont et s'avança vers elle, tout sourire.

— Qu'est-ce qui t'amuse tant?

— Mes propres raisonnements, qui sont d'une imparable hypocrisie.

— Je peux rire aussi?

Meg secoua la tête.

— Non, je ne crois pas. Si j'écrivais une lettre d'explication à mon amie, y aurait-il un moyen de la lui faire parvenir?

— Les pêcheurs sortiront demain avec la marée. Ils vendent beaucoup de homards sur les côtes de l'Angleterre, où on en trouve moins qu'ici. Ils peuvent faire passer une lettre, ils en ont l'habitude.

— Alors, je vais aller l'écrire sans tarder.

Cosimo posa sa main, chaude et quelque peu possessive, au creux de ses reins.

— Est-ce là ma réponse ?

Meg lui sourit.

— Il se trouve que je suis d'humeur aventureuse, monsieur.

— Alors, va vite écrire cette lettre. Nous partons ce soir.

— Pourquoi un tel changement de plan ? demanda Meg, interloquée.

— Parce que, ma chère amie, si vous venez avec moi, il n'est pas nécessaire de perdre davantage de temps.

— Je croyais que tu devais attendre des dépêches...

— Murray me les a remises ce matin.

— Oh ! je comprends... prétendit Meg bien que ce ne fût pas le cas.

Malgré l'urgence de sa mission, une urgence sur laquelle il avait insisté à plusieurs reprises et qui l'avait empêché de la reconduire à Folkestone, Cosimo avait donc été disposé à patienter une nuit de plus pour le simple plaisir de la passer avec elle ?

Il y avait là quelque chose d'étrange que Meg ne parvenait pas à s'expliquer.

— Je vais écrire ma lettre, dit-elle avant de gagner l'escalier, intriguée.

Ce matin, comme la veille, Cosimo avait quitté la cabine avant son réveil. Sans doute était-ce à ce moment-là qu'il était allé chercher les fameuses dépêches. Mais d'où venaient-elles ? Les seuls navires que Meg avait vus dans les parages de l'île étaient les deux vaisseaux de la Royal Navy. Il semblait peu probable que leurs commandants aient eu des dépêches à remettre à Cosimo, alors qu'ils avaient quitté Folkestone au même moment que la *Marie-Rose*.

À vrai dire, Meg ne connaissait rien aux rouages secrets de ces activités d'espionnage. Pour le moment, du moins, car elle pourrait peut-être mettre son voyage à profit pour parfaire son éducation dans ce domaine.

*
* *

Inconscient des questions que son propos désinvolte avait fait naître chez Meg, Cosimo inspectait son navire depuis la plage arrière. La mer serait haute à 18 heures ; ils auraient donc le temps de passer les récifs et de gagner le large avant la nuit. Lui qui détestait l'inactivité et s'était contraint à l'immobilité le temps de conquérir Meg, il avait à présent hâte de repartir. Il fit signe à Miles qui, vigilant comme toujours, se présenta sur-le-champ pour prendre les ordres.

*
* *

Un brusque remue-ménage – courses de pieds nus sur le pont, bruyantes interpellations – attira l'attention de Meg. Sensible lui aussi au changement d'atmosphère, Gus se mit à arpenter son perchoir en marmottant.

Alors que, plume à la main, elle réfléchissait à la rédaction de sa lettre, on frappa à la porte de la cabine. David Porter entra, chargé de sa sacoche.

— Bonjour, David. Nous allons lever l'ancre plus tôt que prévu, apparemment…

— Ce ne serait pas la première fois, dit le chirurgien en déposant sa sacoche sur la table. Je crois deviner que vous restez avec nous ?

— Vous ne vous trompez pas, répondit Meg non sans rougir légèrement.

Si c'était une chose de braver les convenances, c'en était une autre de devoir le reconnaître…

David hocha simplement la tête.

— Ça fait toujours plaisir de voir un nouveau visage. Naviguer peut être assommant, lorsqu'on reste longtemps sans faire escale.

— Ce ne sera pas si long que cela d'atteindre Bordeaux, j'imagine.

— Parce que c'est là que nous allons? demanda David, l'air intéressé.

— Vous ne le saviez pas? dit Meg, embarrassée d'avoir peut-être trahi un secret. Je n'aurais peut-être pas dû vous le dire...

— Si Cosimo vous en a parlé, c'est qu'il n'y a pas de problème pour que tout le monde le sache, fit remarquer le chirurgien en commençant à défaire son pansement.

Meg n'apprécia que modérément d'être mise dans le même sac que l'équipage de la *Marie-Rose*: elle se serait assez bien accommodée de l'illusion qu'elle était dans les confidences de Cosimo. Cependant, ce n'étaient que les premiers jours de leur liaison, se raisonna-t-elle en portant résolument son attention sur sa blessure.

— Est-ce qu'un bandage est indispensable?

— Il vaut mieux que votre bras soit protégé encore un jour ou deux. La blessure pourrait se rouvrir, si jamais vous vous cogniez par inadvertance. Et cela arrive souvent, dans des espaces aussi restreints, ajouta-t-il tandis que ses yeux se posaient brièvement sur la couchette du capitaine.

Meg se mordit durement la lèvre. Devait-elle partir d'un petit rire complice, ou traiter cette allusion par une indifférence hautaine?

— Ne vous inquiétez pas, je ferai attention, finit-elle par dire d'un ton neutre.

David plongea un instant dans le sien un regard direct et interrogateur. Puis il reposa les yeux sur le bras qu'il bandait.

— Vous écriviez une lettre?

Meg abandonna une réserve qui, de toute façon, n'était pas dans sa nature.

— Oui, une lettre difficile, avoua-t-elle avec une petite grimace chagrinée. À mes amis de Folkestone... Cosimo m'a dit que des pêcheurs pourraient la délivrer en Angleterre.

— Vos amis savent que vous êtes saine et sauve ? Cosimo a fait envoyer un message par pigeon ?

— Oui, mais il faut que je trouve une explication plausible pour justifier mon évaporation du monde... Enfin, de *mon* monde, corrigea-t-elle.

— Difficile, effectivement, admit David en se levant. Je vous souhaite bonne chance. Cela dit, j'ai toujours été persuadé que chacun devait vivre selon sa fantaisie.

— Vraiment ?

Meg n'en revenait pas d'entendre ces paroles tomber de la bouche de cet homme solitaire et d'ordinaire réservé.

— J'accompagne Cosimo, non ? souligna-t-il avec un petit sourire. Là où il va je vais, alors que je pourrais mener une existence tranquille et lucrative à soigner les bobos de la haute société londonienne.

Meg gloussa d'amusement lorsqu'il se fut retiré. Ainsi, David Porter aimait lui aussi mettre un peu de piment dans sa vie... Il en avait *besoin*, et c'était auprès de Cosimo, dont il était apparemment l'antithèse, qu'il le trouvait.

En quelque sorte stimulée par cet exemple, elle se pencha avec une attention accrue sur sa lettre. Arabella comprendrait ses raisons, elle le savait ; Jack aussi, s'il ne lui gardait pas rancune d'avoir inquiété son épouse bien-aimée. Sur ce point, Meg n'avait cependant rien à se reprocher, puisqu'elle avait tout fait pour rassurer Arabella au plus vite.

Quant à ses parents, qui allaient se trouver en butte à des questions sans nombre, ils lui pardonneraient d'autant plus facilement son escapade qu'aucun scandale n'y serait attaché.

Lorsque Cosimo entra dans la cabine, un quart d'heure plus tard, Meg répandait un peu de sable sur la feuille couverte de lignes serrées et quelquefois raturées.

— C'est une longue lettre, remarqua-t-il.

— Je n'ai pas réussi à décrire en quelques phrases une situation aussi compliquée, se justifia-t-elle. Y serais-tu parvenu ?

— Sans doute, répondit-il joyeusement. Je suis un homme de peu de mots.

— As-tu de la cire ? demanda Meg tout en pliant sa missive.

Cosimo leva la main vers l'étagère qui surmontait la table des cartes et lui tendit un bâton de cire rouge. Après en avoir chauffé l'extrémité, Meg cacheta sa lettre, tout en déplorant de ne pouvoir y apposer aucun sceau distinctif. Soudain, une idée lui vint et, du bout de la plume, elle traça un « G » dans la cire encore molle. Arabella comprendrait.

— Voilà. Ma lettre est prête.

— Parfait. Porte-la à Miles, il l'attend. Nous lèverons l'ancre dans une heure, précisa Cosimo sans détourner les yeux des cartes qu'il étudiait.

Le regard de Meg s'attarda sur la courbe élancée de son dos, puis sur les cuisses musclées que dessinait l'étoffe tendue ; une onde de désir lui mordit le ventre.

Cosimo n'avait absolument pas conscience de son regard, elle le savait. Le commandant de navire avait pris le pas sur l'amant passionné, et il en serait toujours ainsi. Au moins ne se faisait-elle pas d'illusions quant à sa place dans l'ordre des priorités de Cosimo.

Cela dit, quand venait son tour, songea Meg avec un petit sourire gourmand, Cosimo lui donnait vraiment la priorité !

*
* *

Ils quittèrent le port à marée haute, et Cosimo prit la barre pour passer le banc de récifs.

Enveloppée dans une cape pour se protéger du vent, Meg regarda s'éloigner rapidement le petit village qui représentait sa dernière attache avec le monde normal. Celui dans lequel elle allait vivre à présent possédait ses propres lois et ses propres dangers. Quant à celui qui serait le sien une fois son aventure terminée, à quoi ressemblerait-il ? Elle ne pouvait l'imaginer. Parviendrait-elle à se réadapter à une vie conventionnelle dans la société ?

Meg ne s'était jamais sentie vraiment à l'aise dans le monde. À la différence d'Arabella – secondée en cela par le caractère fantasque de son mari et par son titre de duchesse –, elle n'avait pas réussi à modeler la société suivant ses propres goûts. Ce que la duchesse de Saint-Jules pouvait se permettre sans susciter de scandale était interdit à une simple demoiselle Barratt.

Meg avait donc choisi d'agir à sa guise tout en affectant de respecter les convenances. Elle doutait cependant d'être encore capable d'une telle hypocrisie après son aventure avec Cosimo. Alors, quel avenir l'attendait ?

Une brusque bouffée d'angoisse lui fit détourner le regard du rivage qui s'éloignait. Ses yeux se posèrent sur la silhouette puissante de Cosimo et elle ne vit plus rien d'autre. Pour le moment, son avenir se trouvait là, auprès de lui. Elle ne s'autoriserait pas à regretter la décision qu'elle avait prise.

Elle l'observa tandis que, les yeux plissés, il dirigeait la manœuvre de la corvette entre les rochers, lançant sans jamais élever la voix des séries d'ordres pour ajuster les voiles au plus près. Bientôt, le grondement des vagues se brisant sur les récifs devint assourdissant et les embruns qu'elles projetaient dans l'air ne tardèrent pas à imprégner les cheveux et la peau de Meg. Une fois le dangereux goulet franchi, la *Marie-Rose*, toutes voiles dehors, s'élança vers la pleine mer.

Les cheveux fouettés par le vent, le teint avivé par l'air du large, Meg éprouvait sous ses pieds le balancement puissant du navire. Ce qui restait de son appréhension s'évanouit; elle s'abandonna à l'exaltation du moment, à l'excitation de savoir que cet homme qui dominait ainsi les éléments consacrerait bientôt ses forces à un tout autre exercice.

Le joyeux éclat de rire qu'elle ne put retenir fut aussitôt emporté par le vent.

11

Le temps changea alors qu'ils laissaient derrière eux les côtes déchiquetées de Bretagne. De gros nuages alourdis de pluie pesaient sur une mer grise, fouettée par un vent piquant et glacial.

Accoudée au bastingage à l'arrière du navire, Meg s'enveloppa plus étroitement dans sa cape en frissonnant. La ligne des côtes de France se profilait vaguement à l'horizon, et elle songea avec envie à un bon feu, à une marmite de soupe fumante, à un bol de punch parfumé d'épices… toutes choses auxquelles elle n'avait pas accordé une pensée tant que le soleil avait brillé dans un ciel sans nuages.

— Nauséeuse ? demanda Cosimo avec sollicitude, alors que la proue de la *Marie-Rose* plongeait lourdement vers l'avant.

— Non, répondit Meg en se tournant vers lui. Mais ce n'est pas très agréable.

Cosimo déboutonna son ample manteau huilé. Prenant Meg par l'épaule, il l'attira contre lui puis referma autour d'eux l'épais vêtement. Blottie dans sa chaleur, elle inhala les parfums mêlés de sa peau et du linge séché au grand air.

— Nous voguons loin des côtes, fit-elle remarquer.

— Pour le moment, oui. Je ne veux pas risquer d'attirer sans nécessité l'attention des patrouilles françaises. Mais demain soir, nous toucherons terre.

— Ce sera moins dangereux, demain soir ?

— Non, mais j'ai une affaire à traiter.

Depuis leur départ de Sercq, Meg avait savouré chaque heure qui s'écoulait. Ce rappel de la mission poursuivie par la *Marie-Rose* suffit à réveiller son malaise.

— Tu vas descendre à terre?

— Juste une heure ou deux.

— Pour quoi faire?

Cosimo secoua la tête en affectant un air de reproche.

— Ne pose pas de questions, ma douce, et tu n'entendras pas de mensonges.

— Mais je ne suis pas l'un de tes hommes d'équipage! protesta Meg. Si eux se moquent d'être laissés dans le vague, moi pas. Je m'inquiète de ce que tu fais et pourquoi.

Comme elle s'y attendait, l'expression de Cosimo s'assombrit. Dans ses yeux bleus, l'étincelle amusée fit place à cette lueur glaciale, impitoyable, qu'elle détestait.

— Tu es sur mon navire, dit-il. Tu sauras exactement ce que je veux que tu saches. Ni plus ni moins.

— C'est insuffisant, Cosimo, ne put-elle s'empêcher de rétorquer, au risque de provoquer une querelle. Je refuse d'être soumise aux mêmes règles que ton équipage. Je suis ton amante, certes, mais j'aimerais pouvoir penser que je suis aussi une amie... digne de ta confiance.

— Tu es les deux, cela n'a rien à voir. Tant que tu seras sur la *Marie-Rose*, tu recevras les mêmes informations que les autres. Un point, c'est tout. Crois-moi, j'ai mes raisons.

— Oh! je n'en doute pas! s'exclama-t-elle d'un ton acide en se libérant de son étreinte. Dis-moi une chose, je te prie: si c'était Ana qui se trouvait ici, maintenant, lui manifesterais-tu aussi peu de confiance?

Cosimo resta silencieux un moment.

— Si tu veux bien m'excuser... dit-il enfin avant de tourner les talons.

La question de Meg l'avait pris au dépourvu, car si Ana avait été avec lui, il n'aurait pas eu besoin de faire cette escale imprévue à Quiberon.

Sur la presqu'île se trouvait un relais secret de pigeons voyageurs, au service non pas de la marine, mais du propre réseau de Cosimo. Si ses agents avaient d'ores et déjà découvert un indice concernant la disparition d'Ana, ils enverraient un message à Quiberon. Dans le cas contraire, le relais suivant se trouvait à La Rochelle. Chaque incursion sur le territoire ennemi présentait certes de sérieux risques, mais Cosimo n'aurait l'esprit en paix que lorsqu'il aurait obtenu des nouvelles d'Ana.

Il était trop tôt pour mettre Meg dans la confidence. D'une part, elle n'était pas encore investie d'un rôle dans la mission et, d'autre part, il n'avait pas eu le temps de la mettre à l'épreuve. Il ne pouvait lui confier aucune information capitale qu'elle risquait de trahir faute d'expérience.

Or, le moment n'était-il pas opportun, justement, pour éprouver ses aptitudes et commencer son entraînement ? Comment saurait-il de quoi elle était capable s'il ne la mettait pas à l'épreuve ?

Cosimo tourna la tête, mais Meg avait disparu. Sans doute était-elle descendue bouder.

Non, rectifia-t-il *in petto*. Meg n'était pas le genre de femme à bouder ou à garder rancune à quelqu'un. Si elle était toujours irritée, elle ne manquerait pas de le lui faire savoir.

*
* *

Quand Meg pénétra dans la cabine, Gus l'accueillit avec un tel enthousiasme que sa contrariété se dissipa quelque peu.

— Pauvre Gus, tu te sentais seul ? dit-elle lorsque le perroquet se percha sur son épaule et commença à lui mordiller tendrement l'oreille.

154

Il répondit par quelques marmonnements rauques. Meg le reposa alors doucement sur son perchoir pour se débarrasser de son manteau, mais elle frissonna aussitôt dans sa mince robe de soie verte. Curieusement, elle n'avait trouvé aucun vêtement chaud parmi les affaires d'Ana. Cosimo et elle devaient pourtant bien savoir que le temps pouvait être mauvais en mer...

Elle n'avait toutefois pas exploré la cabine à fond ; peut-être se trouvaient-ils dans un autre placard ? Agenouillée devant les bancs-coffres qui s'alignaient sous les hublots, elle en fouilla le contenu. Ils ne contenaient rien d'autre que des effets de Cosimo, bas et cravates compris.

Les sourcils froncés, Meg s'assit sur ses talons. Où se trouvaient donc les mystérieuses dépêches reçues du lieutenant Murray ? Elles étaient forcément quelque part ici...

Oubliant sa recherche de vêtements chauds, elle alla se pencher au-dessus de la table des cartes pour étudier de nouveau le contenu des étagères. Envisageant que les dépêches puissent être dissimulées entre les volumes, elle les sortit un à un, et s'étonna une fois de plus de trouver une majorité de dictionnaires. Quel usage Cosimo pouvait-il avoir d'un dictionnaire de latin, par exemple ? Et d'une bible ? Célébrait-il un quelconque service dominical ? Elle avait passé un dimanche à bord sans remarquer quoi que ce soit de ce genre. Quant à imaginer le corsaire en lecteur assidu des Saintes Écritures... Cette idée saugrenue suffit à lui rendre sa bonne humeur.

Elle ne renonça pas pour autant à découvrir les dépêches qui justifiaient le voyage de la *Marie-Rose*. Repoussant les cartes maritimes, elle ouvrit le petit tiroir sous la table. Il ne contenait qu'une provision de plumes, de papier pelure et de minuscules cylindres. Rien d'étonnant, puisque Cosimo n'avait pas fait mystère de son rôle d'agent transmetteur. Un maillon important dans le monde de l'espionnage, sans doute, mais ses activités ne se résumaient manifestement pas à cela.

Quand elle se pencha pour ouvrir un minuscule placard qu'elle aperçut, logé sous la table, Meg fut surprise de le trouver fermé à clé, contrairement à tous les autres. Quels secrets Cosimo y gardait-il? Les mystérieuses dépêches? Autre chose encore?

Abîmée dans ses pensées, elle contemplait la mer d'un gris plombé à travers le hublot strié de pluie lorsque la porte de la cabine s'ouvrit. Incapable de réprimer un petit sursaut de culpabilité, elle se retourna vivement. Les livres gisaient toujours sur le côté de la table, dont le tiroir était resté ouvert.

— Tu cherches quelque chose? demanda Cosimo, les sourcils froncés.

— Oui. Des vêtements chauds.

— Dans ce tiroir? Derrière les livres? répliqua-t-il en lui jetant un regard perçant.

— Non, admit Meg, résignée à subir le supplice de son regard glacé. Je fouillais...

— Ah...

Cosimo hocha lentement la tête et s'adossa au chambranle.

— Qu'espérais-tu trouver?

— Je n'en sais rien, répondit Meg avec un haussement d'épaules impuissant. Un indice... quelque chose... n'importe quoi, en fait.

— Permets-moi de te dire, ma chère, que tu ne feras jamais une bonne espionne si tu n'effaces pas tes traces...

— Mon intention n'était pas d'espionner, protesta Meg en s'écartant lorsqu'il se dirigea vers la table aux cartes.

— ... et que tu ne dois entreprendre ce genre d'opération qu'en ayant la certitude de n'être pas dérangée, continua-t-il sans paraître prendre garde à son interruption, tout en replaçant les dictionnaires sur l'étagère.

— Sans clé à la porte, ça paraît difficile ! rétorqua Meg que son ton raisonneur irritait.

Cosimo se contenta de la regarder d'un air songeur en secouant la tête.

— Un indice de quoi ? s'enquit-il.

— Un indice te concernant, bien sûr ! Comme je ne peux obtenir de réponses franches et directes de ta part, je n'ai pas d'autre choix que de les chercher moi-même.

— Tu pourrais simplement te conformer à ma volonté.

— Je le suppose… sauf que notre accord n'a jamais stipulé que je devrais me soumettre aveuglément à tes désirs. Sinon, il y a longtemps que je serais retournée en Angleterre. Je ne suis pas ta marionnette, Cosimo. Tu peux tirer les fils de ton équipage, mais pas les miens.

Meg avait-elle vraiment pris la mesure de sa situation ? se demanda Cosimo avec intérêt. Elle n'avait aucune liberté, aucune latitude tant qu'elle se trouvait à bord de son bateau, au beau milieu de l'Atlantique. Le cas échéant, cela trahissait chez elle une détermination et un entêtement rares. Des qualités qu'il avait toujours appréciées chez une femme, et qui se révéleraient indispensables le moment venu.

— Que veux-tu savoir ? demanda-t-il tout en se débarrassant de son lourd manteau de marin.

Meg s'attendait si peu à cette question – et à la capitulation que celle-ci impliquait – qu'elle en resta un instant frappée de stupeur.

— Parle-moi d'Ana, finit-elle par dire non sans se demander pourquoi, parmi les dizaines de questions qui se bousculaient dans sa tête, c'était celle-là qui s'imposait.

— Que veux-tu savoir exactement sur Ana ?

Meg se maudit d'avoir entamé cette discussion, que Cosimo pouvait attribuer à un pathétique sentiment de jalousie. En fait, elle n'était pas le moins du monde jalouse d'Ana, mais elle brûlait d'élucider ses relations avec Cosimo.

— Elle travaille avec toi ?

— À l'occasion.

— Elle est anglaise ?

— Non, autrichienne.

— Tu sais où elle est ?

— Non, pas encore.

— Mais tu t'attends à l'apprendre bientôt ?

— Je l'espère, oui.

Même si la voix de Cosimo, soigneusement neutre, ne trahissait aucune hostilité, Meg comprit qu'elle se heurtait à un mur infranchissable.

— Cela ne me regarde pas, finit-elle par dire, admettant sa défaite.

Puis l'implication de sa dernière réponse fulgura dans son esprit.

— C'est pour avoir de ses nouvelles que tu vas à terre ?

Cosimo sourit, et cela suffit à transformer son expression. Meg retrouva l'homme résolument charmeur qu'elle connaissait.

— Il t'a fallu un moment, mais tu as fini par parvenir à tes fins.

— Tu aurais pu simplement me le dire.

— C'est vrai, admit-il. Mais cela ne me vient pas facilement. Il est d'autres choses, en revanche... Viens ici, lui commanda-t-il en l'appelant de l'index. Je vais te démontrer, ma douce Meg, que même toi, tu peux jouer les marionnettes lorsqu'on tire certains fils...

Il avait raison, songea Meg en se blottissant dans ses bras, mais elle aussi pouvait jouer les marionnettistes, à l'occasion. Ce qui était valable pour l'un l'était aussi pour l'autre !

*
* *

Faire l'amour sur un bateau soumis à un tangage violent était une curieuse expérience qui requérait un sens de l'équilibre peu commun.

Cosimo, lui, ne paraissait pas éprouver de difficultés particulières : il faut dire que la mer était son élément naturel. Tenant Meg étroitement serrée contre lui, il s'employait à l'empêcher de heurter les dures parois de bois de la couchette sans pour autant cesser de donner les coups de reins réguliers qui l'amenaient progressivement vers la jouissance. Elle finit par se détendre et par abandonner son corps au rythme de la mer.

— C'est un peu comme faire l'amour sur le dos d'un cheval, murmura-t-elle d'une voix entrecoupée, lorsque Cosimo se laissa retomber à son côté.

— Quand as-tu fait l'amour sur le dos d'un cheval ?

— Eh bien… jamais, en vérité. Mais j'imagine que c'est ce qu'on ressent.

— On devrait essayer, un jour…

Avec un soupir, il s'assit puis descendit de la couchette.

— J'ai laissé mon bateau sans surveillance trop longtemps, dit-il en enfilant ses culottes et sa chemise. Au fait, que disais-tu à propos de vêtements chauds, tout à l'heure ?

— Que j'en cherchais, parce que j'ai froid en petite robe de soie, répondit Meg en se blottissant sous les couvertures. Si Ana n'a rien prévu pour le mauvais temps, je resterai couchée jusqu'au retour du soleil.

— Ana a bien prévu des tenues pour le mauvais temps…

L'étincelle qui s'alluma dans le regard de Cosimo parut suspecte à Meg.

— Et où sont-elles ? demanda-t-elle, un peu méfiante.

— Dans l'un de ces coffres, je suppose, répondit-il en désignant les banquettes.

— J'ai regardé dedans, mais je n'ai rien trouvé.

L'œil de Cosimo se fit plus narquois.

— Tu n'as peut-être pas reconnu ces vêtements pour ce qu'ils sont, dit-il en s'asseyant pour mettre ses bottes. Ils sont un peu particuliers, mais ils te tiendront chaud. J'avoue que j'ai hâte de te voir dedans, ajouta-t-il en attrapant son manteau de toile huilée. Je pense qu'ils t'iront à merveille.

Après l'avoir embrassée sur le bout du nez, il conclut avec un petit rire amusé :

— Viens sur le pont dès que tu seras habillée.

Puis il sortit.

— De quoi parle-t-il donc ? marmonna Meg à l'intention de Gus qui lissait ses plumes avec application.

— Bonjour ! lança-t-il avec insolence.

— Toi-même ! riposta Meg.

L'air froid mordit sa peau échauffée lorsqu'elle sortit de la couchette. Après s'être enroulée dans une couverture, elle retourna s'agenouiller auprès des coffres et commença à en sortir les effets de Cosimo, qu'elle empila tout autour d'elle. Tout au fond, elle découvrit une nouvelle rangée de vêtements : des chemises de coton épais, des caleçons de laine, des culottes en solide nankin ainsi qu'une redingote en gros drap.

Quand elle les eut étalés autour d'elle, elle ne put réprimer un sourire incrédule. Ces vêtements étaient bien trop petits pour aller à Cosimo ; à elle, par contre... « Un peu particuliers », avait-il dit. Quel euphémisme ! Après une hésitation, Meg glissa ses bras dans les manches de la redingote et put vérifier que, bien qu'un peu trop large, elle ne lui allait pas mal du tout.

Elle déposa les vêtements sur la couchette avant d'entreprendre de remettre ceux de Cosimo dans le coffre. C'est alors que ses doigts rencontrèrent, tout au fond de celui-ci, une pochette en velours fermée d'un cordon. Curieuse, Meg l'ouvrit et la retourna sur sa paume. Une petite clé d'argent en tomba. Une clé dont la taille paraissait exactement adaptée à la serrure du mystérieux placard.

L'espace de quelques secondes, Meg la retourna pensivement entre ses doigts. Si Cosimo la tenait cachée, c'est qu'il ne voulait pas que quiconque ouvre ce placard, elle y compris. Cependant… n'était-il pas normal qu'elle veuille en découvrir le plus possible sur un amant dont elle était, vu sa situation actuelle, entièrement dépendante? Ne se devait-elle pas d'être préparée à toute éventualité?

En son for intérieur, Meg répondit «oui» à ces deux questions. Toujours à genoux, elle gagna le petit placard et introduisit la clé dans la serrure. Une véritable terreur lui tordit l'estomac lorsqu'elle en aperçut l'intérieur, plus spacieux qu'il n'y paraissait: sur un plateau de feutre s'alignaient plusieurs couteaux, soigneusement polis et aiguisés. Ce n'étaient pas des couteaux ordinaires, du genre à tailler le bois ou à cisailler une corde. Non. Il y avait là un stylet, un sabre à la lame recourbée qui ressemblait à un cimeterre, un poignard horriblement effilé, un couteau avec une lame en dents de scie et un autre encore en forme de couperet.

C'étaient des couteaux destinés à tuer, enfermés à clé pour cette raison même.

D'un geste brusque, Meg referma la porte, la verrouilla avec des doigts tremblants, remit la clé dans la pochette et celle-ci dans le coffre. Puis elle entassa les vêtements de Cosimo par-dessus. Puisque lui-même l'avait autorisée à fouiller dans le coffre, il ne s'étonnerait pas de retrouver ses affaires rangées différemment.

Qui avait-il tué avec l'un ou l'autre de ces couteaux? Meg n'envisageait pas un instant qu'il puisse s'agir d'armes de défense. Il y avait quelque chose de sinistre, d'intentionnel, dans leur alignement soigneux, chacun paraissant prêt à remplir son office particulier. Un pistolet était bruyant, peu précis; un couteau silencieux et fatal.

Elle songea aux mains de Cosimo, ces mains qui, quelques instants plus tôt, effleuraient sa peau, la caressaient avec une habileté tendre jusqu'à ce qu'elle gémisse de plaisir. À ces mains puissantes, aux doigts effilés, qui jouaient sans doute du couteau avec la même maîtrise confondante qu'elles jouaient de son corps...

Lentement, Meg se redressa. Son imagination s'emballait-elle ? Sans doute y avait-il une explication parfaitement rationnelle à l'existence de cette collection. Peut-être Cosimo était-il, justement, un collectionneur ? Non, elle voulait se leurrer ! Elle avait vu le côté sombre, dur, impitoyable de son caractère, qu'il dissimulait sous une apparence plaisante et désinvolte. Les actions guerrières qu'il menait, de quelque nature qu'elles fussent, étaient secrètes, retorses et sans doute condamnables. Sinon, il aurait banalement commandé un navire de la Royal Navy.

Meg n'oublierait pas de sitôt la leçon qu'elle venait de recevoir en matière d'espionnage : on pouvait découvrir des choses qu'on n'avait pas envie de savoir. À présent, elle allait être tourmentée par des interrogations sans grand espoir d'obtenir une explication ou une justification, à moins d'avouer à Cosimo la découverte de son secret.

Comme cela lui semblait impossible, il ne lui restait plus qu'à reléguer ces questions dans un recoin de son cerveau, en attendant que des indices éventuels l'aident à y voir plus clair.

Elle s'obligea donc à reporter son attention sur la question autrement moins inquiétante – mais pas dénuée de piquant – des vêtements étalés sur la couchette.

Il était arrivé à Meg d'envier aux hommes la liberté de mouvements que leur donnaient leurs habits, sans toutefois jamais envisager d'en faire l'expérience elle-même.

Sa curiosité éveillée, elle passa l'une des chemises de coton, lequel était épais mais non grossier. Après avoir fermé les boutons de corne qui ornaient le devant et les poignets, elle enfila un caleçon dont elle noua le cordonnet autour de sa taille. N'ayant pas l'habitude d'avoir les jambes étroitement couvertes, elle trouva la sensation curieuse. Vinrent ensuite les bas, puis les culottes, coupées dans une étoffe à la fois douce, solide et chaude. De toute évidence, Ana appréciait les matières de qualité, voire luxueuses, ce dont Meg ne put que se réjouir.

Elle plia les genoux, pivota à plusieurs reprises, puis tenta quelques sauts. Quelle griserie de n'être plus entravée dans aucun de ses gestes ! Malheureusement, les culottes, un peu trop larges à la taille, commencèrent à glisser inexorablement sur ses hanches étroites. Il lui fallait à tout prix une ceinture.

Une main crispée sur le vêtement pour le retenir, Meg fit des yeux le tour de la cabine. C'est alors que Cosimo entra après n'avoir frappé que pour la forme.

— Ah, très bien ! murmura-t-il en la détaillant de la tête aux pieds avec un sourire appréciateur. Je pensais bien que cela t'irait à merveille.

— C'est possible, dit Meg, mais il est hors de question que je me promène comme ça ; je perdrais mes culottes en cinq minutes..

— Il te faut une ceinture, constata Cosimo lorsqu'elle lâcha le vêtement incriminé en guise de démonstration.

— Merci, j'étais moi-même parvenue à cette conclusion. Est-ce qu'Ana avait… a prévu une ceinture ? corrigea-t-elle en toute hâte.

Cosimo ne sembla pas remarquer son lapsus.

— Non, ces vêtements sont à sa taille. Nous allons adapter l'une des miennes, ajouta-t-il en fourrageant dans un tiroir. Tiens, essaie celle-ci, elle est assez fine…

Meg se tint immobile pendant qu'il passait la ceinture autour de ses reins, l'ajustait à sa taille et crantait le cuir à l'aide d'un coupe-papier.

— Tu vas la couper ? demanda-t-elle en revoyant en esprit le plateau de couteaux rutilants.

— Pour la raccourcir, oui, et je percerai un ou deux trous supplémentaires.

Elle déglutit avec peine.

— Avec… avec un couteau ?

Cosimo lui jeta un regard perplexe.

— Avec quoi d'autre ?

— Oh ! je ne sais pas ! répondit-elle en haussant les épaules. Tu pourrais avoir toutes sortes d'outils… d'outils pour la marine, je veux dire.

— Je ne crois pas que l'entretien d'un bateau exige beaucoup d'outils spécifiques, dit-il avant de plonger la main dans sa poche pour en tirer un petit couteau.

Après avoir déplié la lame, il coupa avec adresse la longueur de cuir superflue.

Voilà un couteau *ordinaire*, songea Meg. Le genre de couteau que les gens ordinaires vaquant à leurs occupations ordinaires portent sur eux pour un usage ordinaire.

Peut-être, dans une autre vie, Cosimo avait-il été lanceur de couteaux dans les foires ? Une fois de plus, son sens de l'humour venait à la rescousse ; il balaya les derniers vestiges de l'effroi ressenti devant le placard ouvert.

Cosimo tourna plusieurs fois la pointe de la lame à l'endroit marqué afin d'y percer un trou.

— Voyons si cela convient, dit-il en refermant la ceinture autour de la taille de Meg. Voilà, madame, c'est parfait.

— Parfait ! répéta Meg. Je vous remercie, monsieur.

— Tout le plaisir fut pour moi, dit Cosimo en l'embrassant au coin de la bouche avec un petit rire. As-tu maintenant assez chaud pour monter sur le pont ?

— Il pleut encore ? demanda Meg en s'enroulant dans la cape qu'il lui présentait.

— Non, mais il fait froid et humide. Le vent est tombé, cependant, et la mer est moins houleuse. J'ai donc donné l'autorisation de rallumer les fourneaux. Silas va nous préparer un repas chaud.

— Ça, c'est une bonne nouvelle! Est-ce que nous naviguerons cette nuit?

— Oui, nous devons être à Quiberon avant demain soir.

Meg se contenta de hocher la tête. C'était sans doute à Quiberon que Cosimo descendrait à terre. Elle supposa aussi que, s'il s'attendait à recevoir des nouvelles, il devait y avoir là, comme à Sercq, un relais de pigeons voyageurs.

Quand elle émergea à sa suite sur le pont, Miles et Frank, engoncés dans d'épais manteaux huilés, se trouvaient à l'arrière. Frank manœuvrait la barre tandis que son cousin, à côté de lui, surveillait les voiles en lui indiquant les redressements à opérer. À quelques pas, la pipe à la bouche, Mike, le timonier, les observait.

— Ils ne manquent pas d'instructeurs, fit remarquer Meg en resserrant sa cape autour d'elle, soudain embarrassée à l'idée d'être dans un costume masculin.

— L'équipage tout entier les materne. Miles est un navigateur-né; Frank doit faire plus d'efforts, mais il réussira.

— La *Marie-Rose* jettera-t-elle l'ancre dans le port de Quiberon?

— Non, dans une petite crique qui se trouve à deux milles de là.

Elle attendit pour voir s'il lui en dirait plus mais, très vite, Cosimo lui faussa compagnie pour rejoindre son neveu à la barre. Debout derrière lui, il posa les mains sur les siennes et, à voix basse, lui expliqua comment manœuvrer.

Meg le regardait faire, songeuse. Jamais elle ne l'avait entendu prononcer des paroles rudes ou élever la voix. Son regard était sa seule arme, la seule manifestation de son autorité, et il n'en usait que rarement. Pour autant qu'elle pouvait en juger, elle avait d'ailleurs été la seule à s'être attiré les foudres du capitaine depuis qu'elle se trouvait sur la *Marie-Rose*.

Qui était au juste Cosimo ? Il inspirait à son équipage une loyauté confinant à la dévotion. Même David Porter, un homme sensible et éduqué, un chirurgien émérite, accordait une confiance absolue à cet individu interlope… qui détenait sous clé une collection d'armes blanches.

12

Le grincement de la chaîne éveilla un écho presque surnaturel dans le silence nocturne ; la *Marie-Rose* s'immobilisa avec un frémissement de toute son armature lorsque l'ancre mordit dans le sable de la crique. La nuit était sombre, la lune à peine visible derrière les nuages, les étoiles absentes. La pluie avait cessé et la mer était plus calme qu'elle ne l'avait été de toute la journée.

Depuis son poste habituel à l'arrière, Meg distinguait à peine les côtes déchiquetées qui se profilaient à quelques encablures du navire. Le choc sourd des vagues qui se fracassaient contre des rochers invisibles n'augurait rien de bon. Pourtant, c'est là que Cosimo était censé descendre à terre.

Tournant le dos au rivage, elle balaya du regard le pont enténébré. Ce soir, aucune lumière ne brillait sur la *Marie-Rose*. Cosimo s'entretenait avec Mike et le maître d'équipage. Il glissa un coup d'œil vers elle, puis revint à sa conversation.

Meg avait eu conscience de la tension discrète, mais indubitable, qui s'était emparée de lui à mesure que le soir tombait. S'inquiétait-il des nouvelles qu'il recevrait d'Ana ? Elle en savait assez pour deviner qu'un événement grave avait empêché celle-ci d'être au rendez-vous à Folkestone. Cosimo s'attendait-il au pire ? Redoutait-il d'apprendre que sa maîtresse, sa partenaire, son amie avait trouvé la mort dans cette guerre souterraine qui se jouait entre agents ennemis ?

Un frisson la parcourut, qu'elle tenta de juguler en serrant ses bras autour de son buste. Il était au-dessus de ses forces d'accepter les terribles implications de cette réflexion.

— Un peu d'café, mam'zelle ?

— Oh ! merci... dit-elle en prenant le bol que Biggins lui présentait. C'est une excellente idée.

— Le cap'taine a dit d'y verser une goutte de cognac, ajouta Biggins en débouchant une flasque. Y dit qu'vous en aurez besoin.

Meg fut trop étonnée pour protester lorsque le matelot versa une généreuse rasade d'alcool dans le bol fumant. Avec précaution, elle but une première gorgée. Le cognac lui réchauffa instantanément la gorge et les entrailles, aussi fut-elle plus hardie au moment de boire la seconde gorgée.

À présent, les matelots mettaient une chaloupe à la mer. Miles descendit le premier le long de l'échelle, suivi par le maître d'équipage et par un jeune marin que Meg connaissait sous le nom de Tommy. Appuyé au bastingage, Cosimo surveillait la descente de ses hommes, attendant sans doute son tour.

Meg se rendit tout à coup compte qu'il ne faisait pas mine de lui dire au revoir. Ainsi, il l'abandonnait, avec pour seule compagnie son café renforcé, sans même l'aumône d'un baiser !

C'est alors qu'il se tourna vers elle.

— Alors, tu viens ? Nous n'avons pas de temps à perdre.

Meg en resta bouche bée. Le traître ! Et il riait, savourant chaque seconde de son petit jeu !

Elle but posément la dernière goutte de son café avant de poser le bol sur le plancher.

— J'aurais apprécié d'être prévenue un peu à l'avance, dit-elle en s'avançant vers lui.

— Je pensais que le cognac te mettrait la puce à l'oreille, répliqua Cosimo en feignant l'innocence. Après toi, ajouta-t-il en indiquant la mer d'encre.

— J'aimerais mieux te suivre.

— Non, je descends derrière toi. Miles te précède. Alors, si tu veux vraiment venir, c'est le moment.

Meg enjamba la coupée puis s'accrocha à l'échelle. Le fait d'être en culottes rendait la manœuvre infiniment plus aisée et elle descendit sans aucune difficulté, en s'abstenant néanmoins de regarder vers le bas.

— Vous pouvez vous lâcher, mademoiselle, dit Miles en guidant son pied d'une main rassurante.

Meg sauta dans la chaloupe avec un soupir de soulagement et, ayant bien retenu sa leçon, s'assit aussitôt à l'arrière. Cosimo la rejoignit, sans que son arrivée eût fait tanguer l'embarcation d'un pouce.

Miles et Tommy prirent les avirons tandis que le maître d'équipage s'installait à la proue.

— Eh bien, voilà une invitation intéressante, murmura Meg avec une pointe de sarcasme. Et des plus inattendues !

— Je croyais que tu étais curieuse de...

— C'est vrai. Mais j'aurais préféré être avertie. Pour avoir le temps de me préparer, de satisfaire quelque besoin naturel, par exemple... Combien de temps resterons-nous partis ?

— Au pis, il y a toujours la mer, répliqua Cosimo. Mes hommes ont l'habitude, ils savent se montrer discrets.

— Voilà qui est réconfortant !

En son for intérieur, Meg souriait, sans toutefois parvenir à déterminer si cette invitation était une mise à l'épreuve ou une marque de confiance.

Rejetant son capuchon en arrière, elle offrit son visage à la brise humide et salée. Le fracas des brisants s'amplifiait, mais elle n'éprouvait plus de crainte.

Lorsque les formes noires des rochers se dressèrent devant eux, couronnées d'une mouvante écume blanche, les quatre hommes ne montrèrent aucune appréhension. Le maître d'équipage lança d'une voix calme aux deux rameurs les indications nécessaires.

À la faveur d'une brève apparition de la lune, Meg aperçut la passe étroite vers laquelle la chaloupe se dirigeait. Quelques minutes plus tard, le dangereux obstacle avait été franchi sans encombre et l'eau clapotait gentiment contre les flancs de la barque. Une plage de sable s'étendait devant eux, cernée de hautes falaises grisâtres.

— Vous m'attendrez ici, dit Cosimo à son équipage lorsque l'embarcation s'immobilisa dans quelques pouces d'eau. En cas de problème, partez immédiatement et revenez me chercher demain à la même heure.

Puis, se tournant vers Meg :

— Tu restes avec eux. L'aventure est suffisante pour une première fois, ajouta-t-il avec un sourire fugace.

Après lui avoir envoyé un baiser, il sauta par-dessus bord.

Suffisante, cette aventure ? Meg n'en était pas si sûre...

Elle suivit Cosimo des yeux alors qu'il remontait la plage en direction d'un étroit sentier creusé au flanc de la falaise. Saisie d'une impulsion, elle sauta dans l'eau à son tour.

— Mad... mademoiselle Barratt... où allez-vous ? chuchota Miles d'une voix angoissée.

— Rev'nez, mam'zelle ! ordonna le maître d'équipage d'un ton moins respectueux et beaucoup plus autoritaire.

— Bientôt, murmura Meg par-dessus son épaule. Je vais juste voir où mène ce sentier.

Comme elle l'avait prévu, ils ne firent pas mine de quitter la chaloupe pour la rattraper. Elle ne relevait pas de leur responsabilité et, surtout, ils avaient obligation d'attendre Cosimo sans risquer quoi que ce soit susceptible de compromettre leur retour sur la *Marie-Rose*.

Assurée que le sable étoufferait le bruit de ses pas, Meg traversa rapidement la plage. Cosimo était déjà à mi-chemin de la falaise lorsqu'elle en atteignit le pied.

Il grimpait vite, tout en prenant soin de se dissimuler autant qu'il le pouvait derrière la végétation.

Elle ne chercha pas à combler son retard, de crainte qu'il ne la repère. Quand il s'arrêta pour jeter un coup d'œil en arrière, elle s'accroupit derrière un buisson et retint son souffle. Étroitement enveloppé dans son manteau noir, il se détachait à peine sur la nuit d'un gris sombre. De loin, personne ne pouvait deviner sa présence… à moins de le chercher des yeux.

Peut-être était-ce le cas ? Le cœur de Meg manqua un battement, puis reprit son rythme habituel. Cosimo savait ce qu'il faisait. S'il s'attendait à être surveillé, il devait être sur ses gardes.

Quand il repartit, elle le suivit, s'appliquant le plus possible à marcher sur l'herbe en bordure du sentier afin de n'être pas entendue.

Soudain, Cosimo disparut. Avait-il déjà atteint le sommet de la falaise ? Cela semblant être la seule explication plausible, Meg reprit son ascension en allongeant le pas. Elle marqua tout à coup une pause en croyant surprendre un bruit. Mais non… rien ne troublait le silence pesant de la nuit. Comme elle n'apercevait toujours pas Cosimo, un indéfinissable sentiment de malaise commença à lui serrer l'estomac.

Ce fut si brutal qu'elle ne vit rien venir. On la saisit soudain par-derrière, un bras de fer se referma autour de son buste, emprisonnant ses bras, et elle serait tombée si on ne l'avait durement maintenue. Une pointe aiguë appliquée contre sa nuque lui arracha un petit cri de douleur, aussitôt étouffé par une large main plaquée sur sa bouche et son nez. Quand elle tenta de se libérer, à demi asphyxiée, la pointe s'enfonça davantage dans sa chair. Haletante, le cœur battant à tout rompre contre ses côtes, elle renonça alors à se débattre

Bien qu'il n'eût soufflé mot, elle venait de reconnaître son agresseur.

Quand il relâcha légèrement sa prise sur son visage, Meg aspira une profonde goulée d'air frais, puis tâcha de respirer avec régularité pour juguler la nausée provoquée par la panique. Une fois les battements erratiques de son cœur un peu calmés, elle perçut, au-dessus de sa tête, un murmure de voix. Puis elle surprit le bref éclat d'une lanterne dans la végétation.

Cosimo la poussa sans ménagement derrière les buissons bordant le chemin et elle tomba sur le tapis d'herbe souple. Toujours muet, les lèvres serrées, le regard glacé, il lui intima de la main l'ordre de ne pas bouger. Meg opina ; elle était de toute façon hors d'état d'esquisser le moindre geste.

Après lui avoir jeté un dernier regard peu amène, Cosimo retourna sur le chemin et disparut à sa vue. Encore sous le coup de la surprise et de la peur, Meg porta une main tremblante à sa nuque et contempla ensuite ses doigts sanglants avec stupeur. Cosimo l'avait blessée…

Il n'en avait pas eu l'intention, du moins voulait-elle le croire, mais comment en être certaine ? L'homme qu'elle venait d'entrevoir paraissait capable de tout.

Peu à peu, elle cessa de trembler. La peur ne la quittait pas mais elle se teintait maintenant de rage. Comment osait-il la traiter ainsi ?

Un hibou hulula non loin et, derrière les buissons, une course furtive trahit le passage d'un animal. Résistant à l'envie de bondir sur ses pieds, Meg se redressa avec précaution en s'efforçant de ne pas faire le moindre bruit. Elle percevait toujours un vague murmure de voix, venant du haut de la falaise.

Resserrant étroitement sa cape autour d'elle afin de se fondre dans l'obscurité, elle reprit son ascension. Il ne s'agissait plus de suivre Cosimo. Ce qui la poussait, à présent, c'était l'irrépressible besoin de savoir ce qu'il allait faire, de découvrir *qui*, exactement, était cet homme.

Arrivée à une dizaine de pas du sommet, elle se mit à plat ventre puis rampa sur les coudes jusqu'au moment où elle aperçut une chaumière en ruine – sans doute un ancien abri de berger – à quelque distance du bord de la falaise. Vaguement éclairés par le halo jaune d'une lanterne posée sur le sol, deux hommes discutaient.

De Cosimo, aucune trace.

Et puis elle le vit ; quelque chose de luisant à la main, il émergeait de l'obscurité du bâtiment. Comment avait-il réussi à contourner ces hommes sans se faire voir ? À peine eut-elle le temps de se poser la question que Cosimo, en quelques pas silencieux, se glissait furtivement juste derrière eux.

Ce fut terminé en quelques secondes. Seul un son étouffé franchit les lèvres de l'un des hommes avant qu'ils ne s'écroulent tous deux sur le sol. Cosimo les abandonna sans un regard et entra dans la chaumière.

Meg en avait assez vu. À demi folle de terreur, elle se laissa dégringoler jusqu'au chemin. Il les avait tués ! Il les avait tués de sang-froid, alors qu'il n'y avait eu de leur part ni provocation ni bagarre. Qu'allait-elle faire ? D'un œil hagard, elle fouilla l'ombre, à la recherche de l'endroit exact où Cosimo l'avait laissée et où il s'attendait à la retrouver. Elle n'éprouvait plus la moindre envie, à cet instant, d'encourir la fureur du corsaire.

À peine se fut-elle recroquevillée derrière les buissons qu'elle l'entendit descendre le sentier. Il ne se souciait plus d'étouffer le bruit de ses pas. Sans doute les précautions étaient-elles inutiles, maintenant que les guetteurs étaient morts.

— Viens, dit-il depuis le chemin en lui tendant la main.

L'espace d'une seconde, Meg hésita, saisie d'une brusque répulsion à l'idée de le toucher. Toutefois, si elle voulait que Cosimo ignore qu'elle avait tout vu, elle ne devait pas éveiller sa suspicion.

Elle accepta donc son aide pour se remettre sur ses pieds.

— Pourquoi n'est-il plus nécessaire de rester silencieux ? demanda-t-elle d'une voix étranglée.

— Parce que, répondit-il en la poussant sur le sentier.

— Tu as trouvé ce que tu cherchais ?

— Non, pas ce que je cherchais. Dépêche-toi, Meg, nous sommes en territoire ennemi et chaque minute accroît le danger.

Meg accéléra le pas en silence. D'innombrables questions tournoyaient dans son esprit et elle cherchait la meilleure façon de les formuler pour soutirer à Cosimo la vérité sur ce qui s'était passé.

— Je suis désolé, monsieur, dit Miles d'un ton piteux lorsqu'ils atteignirent le rivage. Mlle Barratt a insisté pour…

— Oui, je sais, l'interrompit Cosimo.

Il souleva Meg et la déposa sans ménagement dans la chaloupe, puis il poussa celle-ci à l'eau avant de monter à bord. Apparemment insoucieux de ses bottes et de ses vêtements mouillés, il s'assit et surveilla avec son calme habituel leur progression vers la silhouette sombre de la *Marie-Rose*.

Avec précaution, Meg effleura sa nuque douloureuse. Même si la coupure était toujours poisseuse, le sang semblait ne plus couler. Un frisson involontaire la secoua. Cosimo lui jeta un regard aigu mais ne dit rien.

Lorsque la chaloupe se rangea le long du flanc du navire, il lui fit signe de passer la première.

— Descends dans la cabine, lui ordonna-t-il dès qu'ils furent sur le pont. Je te rejoins dans quelques minutes.

Meg obtempéra. Elle était à la fois gelée, abattue, effrayée et furieuse, et n'avait plus qu'une envie : se fourrer sous les couvertures pour s'abandonner à l'oubli du sommeil.

Une lanterne était allumée dans la cabine. Après s'être laissée tomber sur une chaise, elle retira ses bottes, puis ses bas dégoulinants d'eau. Elle s'abîmait dans la contemplation de ses pieds glacés lorsque Cosimo entra, tenant une flasque et deux

174

verres. Sans mot dire, il versa une mesure de cognac dans chacun d'eux, lui en tendit un et disparut dans le cabinet de toilette. Il en ressortit avec un linge mouillé.

— Penche la tête.

Meg but une gorgée d'alcool avant de s'exécuter. Cosimo tamponna sa blessure avec le linge tiède.

— Tu avais l'intention de me blesser ? demanda-t-elle.

— Non, bien sûr que non. Je savais que quelqu'un me suivait, mais j'ignorais que c'était toi. Il ne m'était pas venu à l'idée que tu ferais une chose aussi stupide, précisa-t-il, le visage plus sévère que jamais. Peut-être que tu te souviendras, à l'avenir, que je réagis vite en cas de danger.

L'explication était plausible, et Meg aurait été prête à l'accepter s'il n'y avait eu que cela.

— C'est superficiel, continua-t-il en versant quelques gouttes de cognac sur son tampon improvisé.

Quand il le maintint quelques instants sur sa blessure, Meg tressaillit.

— Ça pique peut-être, mais c'est un bon désinfectant, affirma-t-il avant de lancer le linge dans le cabinet de toilette. À présent, mademoiselle Barratt, j'aimerais avoir quelques explications...

Selon son habitude, il se percha sur le coin de la table, une jambe dans le vide.

— Pourquoi m'as-tu suivi ?

Meg ne répondit pas immédiatement. Elle ne pouvait détacher son regard de l'étui accroché à la ceinture de Cosimo, et de la poignée d'argent qui en sortait. Elle avait reconnu le stylet.

— Alors ? insista-t-il.

Elle haussa les épaules et se força à détourner les yeux.

— Pure curiosité de ma part. Je n'avais pas l'intention de te causer d'ennuis.

Cosimo la considéra, pensif. Sens de l'initiative et curiosité étaient deux qualités appréciables, à condition d'être tempérées par un solide bon sens. Que Meg n'ait pas jugé bon de respecter ses instructions augurait mal de leur éventuelle collaboration. Car, sans exagération aucune, leur vie à tous deux dépendrait de la stricte conformation aux décisions prises.

Évidemment, elle ignorait encore qu'il comptait l'enrôler pour une mission d'une importance capitale...

— Est-ce qu'il ne t'est pas venu à l'esprit que j'avais mes raisons pour exiger que tu restes dans la chaloupe ? lui demanda-t-il.

Hélas ! Meg ne les comprenait que trop bien, à présent ! Il ne voulait pas de témoin gênant... Malgré tout, elle ne parvenait pas encore à admettre qu'il ait pu tuer de sang-froid. Peut-être avait-il été surpris par la présence de ces deux hommes ?

— N'en parlons plus, murmura-t-elle. Et ne t'inquiète pas, je ne recommencerai pas, ajouta-t-elle en effleurant sa nuque. Je n'ai pas apprécié la surprise que tu m'as réservée.

— Je t'en demande pardon, dit-il d'une voix posée, mais le regard toujours glacial. Je le répète, je ne t'aurais pas blessée intentionnellement.

Meg prit une profonde inspiration.

— Qu'as-tu découvert, après m'avoir quittée ? Tu as eu des nouvelles d'Ana ?

— Pas vraiment. Couche-toi, maintenant, ajouta-t-il en se levant. Tu es épuisée.

Là-dessus, il prit la flasque de cognac et sortit.

Après avoir passé sa chemise de nuit, Meg souffla la lampe et se glissa sous les couvertures.

Elle ne croyait pas être en mesure de supporter la proximité de Cosimo cette nuit. Tout son être se rétractait à la simple pensée de toucher sa peau. Comme il était encore furieux contre elle, il y avait toutefois peu de chances qu'il vienne la rejoindre. Sa décision était prise : dans les jours à venir, elle s'arrangerait pour le tenir à distance et, sitôt à Bordeaux, se mettrait en quête d'un moyen de rentrer en Angleterre.

*
* *

Le cognac que Cosimo buvait directement au goulot ne parvenait pas à chasser les terribles images qui le hantaient. Le poste de Quiberon n'existait plus. Il avait découvert les pigeons gisant sur le sol, morts, tout comme les hommes qui s'en occupaient, ses amis, tués dans leur sommeil. Ce qui signifiait que les Français avaient arraché à Ana des détails sur leurs relais, ou qu'on les avait trahis.

Dans un cas comme dans l'autre, il ne connaissait pas le visage de son ennemi. Qui sait si le poste de La Rochelle n'avait pas été détruit, lui aussi ?

Sur ce point, il serait fixé dans deux jours. En attendant, il devait décider s'il allait accorder ou non sa confiance à Meg.

— Un sou pour vos pensées, Cosimo…

— Elles ne le valent pas, répondit-il en offrant la flasque à David Porter, qui venait de le rejoindre.

— Votre sortie a-t-elle été fructueuse ? demanda celui-ci après avoir bu une gorgée.

— Non.

Déconcerté par sa sécheresse de ton, David garda le silence un instant.

— Si cela vous soulage d'en parler… finit-il par dire.

— Les Français sont arrivés avant moi. Ils ont tué les pigeons et massacré mes hommes. Si jamais il y avait un message au sujet d'Ana, il est entre leurs mains, maintenant. Comme vous le voyez, ma sortie est loin d'avoir été fructueuse.

— Je suis désolé, murmura David en s'accoudant au bastingage.

En temps ordinaire, Cosimo paraissait rarement affecté par les inévitables échecs ou contretemps. Il se contentait de changer de tactique, comme David l'avait observé à plusieurs reprises. En l'occurrence, le fait de n'avoir pas de nouvelles d'Ana, et donc d'être incapable de lui venir en aide, devait le ronger.

— Pourquoi ne pas retourner en Angleterre pour essayer d'en savoir plus ? suggéra-t-il après un temps.

— C'est impossible, croyez-moi. J'ai une tâche à accomplir impérativement dans les six semaines à venir. Ensuite, il sera trop tard.

David jugea inutile de demander des précisions.

— Et votre passagère ? On m'a dit que vous l'aviez emmenée avec vous ce soir ?

— Ce fut une erreur, dit Cosimo d'un ton morne.

Se rappelant une précédente conversation, David demanda :

— L'outil est-il réfractaire ou ne peut-il être aiguisé ?

— Je n'ai pas encore pris de décision. J'imagine que l'acier demande à être trempé.

— Vous m'effrayez parfois, Cosimo. Est-ce que coucher avec Meg fait partie de l'opération de « trempe », comme vous dites ?

Quelques jours plus tôt, Cosimo n'aurait pas nié. Son choix le portait naturellement vers les femmes qui recherchaient des aventures sans lendemain. Avec sa sensualité allègre, Meg promettait d'être une compagne aussi agréable qu'Ana et – il voulait l'espérer – tout aussi utile. En ce sens, oui, il avait eu l'intention d'utiliser leur liaison pour l'attacher à ses intérêts. Pourtant, quelque chose en lui se refusait maintenant à le reconnaître.

— Je n'ai pas de raison de croire qu'elle y trouve moins de plaisir que moi, répliqua-t-il, conscient d'être sur la défensive. Si vous voulez bien m'excuser, David, je dois distribuer les tours de garde. Je vous laisse le cognac...

*
* *

178

Cosimo sentit peser sur lui le regard songeur du chirurgien, mais il lui tourna délibérément le dos pour donner ses ordres à Frank et à Miles. Cela fait, il arpenta le pont durant un long moment, puis se dirigea brusquement vers l'escalier.

Quand il ouvrit avec précaution la porte de la cabine, il la trouva plongée dans la pénombre. Il aperçut néanmoins sous les couvertures la forme indistincte de Meg. Contrairement aux autres soirs, elle s'était endormie au beau milieu de l'étroite couchette. Était-ce délibéré, ou avait-elle été trop épuisée pour penser à lui réserver une place ?

Jugeant préférable de ne pas approfondir la question, Cosimo sortit son hamac d'un placard et l'accrocha au plafond. Puis il ôta ses bottes, ses bas et ses culottes mouillés, et s'installa dans le hamac.

En temps normal, son balancement suffisait à le plonger rapidement dans le sommeil. Ce soir, cependant, son esprit ne cessait de revenir au massacre inexplicable du poste de garde. Pourquoi avait-on tué ses hommes ? Lui-même ne tuait que par nécessité, et il abhorrait l'usage de la violence lorsque celle-ci n'était pas justifiée.

*
* *

Consciente que Cosimo ne dormait pas, Meg s'efforçait d'imprimer à sa respiration l'amplitude régulière et profonde du sommeil. Le soulagement ressenti à voir qu'il ne partagerait pas sa couche avait été de courte durée. Il était si près qu'au moindre changement de rythme de son souffle, il devinerait immanquablement qu'elle ne dormait pas.

Ce soir, elle ne se sentait pas la force de lui parler ni, pour une fois, de répondre à ses avances.

13

Meg s'éveilla avec la tête lourde et la langue pâteuse. Jamais elle n'avait passé une aussi mauvaise nuit, peuplée de gorges tranchées, de corps démembrés et de poignards effilés dont Cosimo essuyait la lame ensanglantée sur son mouchoir.

Appuyée sur un coude, elle constata que le hamac avait disparu, que la cage de Gus était vide et, plus extraordinaire encore, que le soleil entrait à flots par les hublots. Mais même cela ne suffit pas à la rasséréner : se laissant retomber sur l'oreiller, elle tira la couverture par-dessus sa tête. Si seulement elle pouvait rester recroquevillée là jusqu'à l'arrivée à Bordeaux !

Lorsque Biggins frappa à la porte peu après, elle hésita à répondre. L'attrait d'une bonne tasse de café fut cependant le plus fort.

— Bien le bonjour, mam'zelle, lança-t-il avec jovialité. La journée s'annonce splendide ! Voilà l'café, et l'cap'taine a dit qu'le p'tit déjeuner sera servi sur l'pont. J'reviens avec d'l'eau chaude.

Il disparut sans attendre de réponse. L'odeur du café étant irrésistible, Meg se leva et alla s'asseoir sur l'une des banquettes, une tasse pleine à la main. Le soleil lui chauffait la nuque ; elle effleura avec précaution la croûte qui se formait. Cosimo avait raison : ce n'était qu'une blessure superficielle. Il n'empêche qu'elle lui avait été infligée avec la pointe de *son* stylet !

Saisie d'un frisson, elle s'interrogea : comment justifier son brusque éloignement sans lui révéler ce qu'elle avait vu ?

Peut-être pourrait-elle tout simplement prétendre que, après les événements de la nuit, elle avait compris qu'elle n'était pas taillée pour l'aventure ; qu'elle avait présumé de ses forces, de son courage et... de son intérêt pour lui ; qu'elle souhaitait donc mettre un terme à leur liaison sans attendre la prochaine escale.

Cosimo ne pourrait décemment pas s'opposer à une telle décision, mais Meg craignait de n'être pas très convaincante en disant être devenue subitement indifférente à ses charmes. De plus, il lui répugnait de passer pour timorée alors qu'elle se sentait prête à se lancer dans n'importe quelle aventure... à condition qu'elle ne fût pas entachée de sang.

Tant pis ! S'il lui fallait jouer les faibles femmes pour échapper à ce cauchemar, elle n'économiserait pas sa peine.

Un peu plus tard, baignée, coiffée et vêtue d'une délicate robe de mousseline fleurie, elle se sentit un peu rassurée. Au moment de quitter la cabine, elle prit une profonde inspiration puis franchit la porte d'un pas décidé.

Quand elle émergea sur le pont baigné de lumière, Cosimo était assis à la table dressée sur la plage arrière. Il leva la main en signe de bienvenue tandis que Gus, perché sur le bastingage, croassait un « Bonjour ! » tout en battant l'air de ses ailes écarlates.

— Bonjour, Gus, lui répondit-elle en se dirigeant vers la table.

Le soleil allumait des reflets mordorés dans la chevelure de Cosimo ; souriant, il plissait ses yeux clairs pour se protéger de la lumière. Devant cet homme qui, avant les événements de la nuit, incarnait tout ce qu'elle aimait, Meg éprouva la morsure familière du désir. L'espace d'un instant, elle fut tentée de tout oublier.

— Qu'est-il arrivé au temps ? demanda-t-elle, la main en visière au-dessus des yeux.

Elle se félicita de cette entrée en matière des plus anodines, proférée avec un grand calme .

— Il a tourné, répondit Cosimo d'un ton affable. Je te sers du café ?

— Merci, dit-elle en s'asseyant. Je crois que j'ai faim…

— Rien d'étonnant, après la nuit dernière.

Meg garda les yeux fixés sur sa tasse. Puisqu'il lançait la balle, elle devait saisir cette opportunité de la lui renvoyer.

— Oui, murmura-t-elle d'une voix dolente en affectant de réprimer un frisson. Je préfère ne pas en parler. En te suivant, je t'ai mis en colère et à juste titre. J'en suis désolée.

Elle mima un nouveau frisson, puis porta la main à sa nuque pour souligner son propos.

Cosimo leva un sourcil étonné. Ce fut cependant d'une voix posée qu'il dit :

— Sache que je ne me mets pas en colère, parce que j'estime que c'est une émotion inutile. J'avoue néanmoins que j'étais contrarié. Mais n'y pense plus. Considérons que c'est oublié, Meg, conclut-il en effleurant sa main de la sienne.

Meg esquissa un geste de retrait avant de se figer, le regard fixé dans le vide. Cosimo retira sa main et s'adossa à sa chaise pour la considérer attentivement.

Évitant son regard, Meg commença à manger. Afin de mettre un terme au silence de plus en plus embarrassant, elle chercha un sujet de conversation banal. En vain.

— Que se passe-t-il ? finit par demander Cosimo, l'air perplexe.

— Rien. Je suis fatiguée, c'est tout. J'ai mal dormi, précisa-t-elle avec un sourire forcé.

Cosimo haussa vaguement les épaules avant d'attaquer son repas à son tour. Le silence était devenu effroyablement pesant lorsqu'il finit par repousser son assiette et se lever.

182

— Excuse-moi, dit-il en se dirigeant vers l'avant du bateau.

Les yeux fixés sur le large, Cosimo s'abîma dans ses pensées. Quelle mouche piquait donc Meg? Pourquoi ne répondait-elle pas à ses avances? Après tout, si quelqu'un avait des raisons d'être fâché, c'était lui! Son imprudence aurait pu leur coûter la vie. Et s'il l'avait blessée, c'était par accident, elle le savait.

Que signifiaient alors ce regard atone, cette main aussi inanimée sous ses doigts qu'un oiseau mort? Une simple coupure, dont elle était autant responsable que lui, ne pouvait expliquer une attitude aussi étrange...

Restée en tête à tête avec Gus, Meg l'autorisa à se percher sur la table pour y picorer des miettes.

— Bonjour! dit-il en la lorgnant de son petit œil noir et brillant.

— Nous avons déjà procédé à ces formalités, Gus, lui rappela Meg en le caressant. Si seulement j'avais un endroit où aller, sur ce bateau, murmura-t-elle en soupirant. Ou quelque chose à faire...

Elle ne s'était encore jamais ennuyée à bord de la *Marie-Rose*; la présence de Cosimo suffisait à la maintenir dans un état d'euphorie permanent. À présent, il lui fallait l'éviter dans la mesure du possible, ce qui n'était pas aisé dans un espace aussi restreint.

Ce fut dans la cabine qu'elle finit par se réfugier. Elle avait remarqué qu'un bouton pendait sur l'une des robes d'Ana, et comptait sur ce petit travail de couture pour l'occuper quelques minutes. Malheureusement, quand elle retira la robe du placard, elle constata que Biggins l'avait devancée.

Et si elle écrivait à Bella? Elle ignorait quand sa lettre pourrait partir, mais le simple fait de coucher par écrit les événements de la nuit, de décrire la confusion de ses sentiments, de formuler ses craintes vis-à-vis de Cosimo lui permettrait peut-être d'y voir plus clair.

Munie de papier, de plume et d'encre, Meg s'assit devant la table. Une fois qu'elle eut commencé à rédiger sa lettre, il lui fut difficile de s'arrêter. Elle avait déjà couvert trois feuillets lorsque, sans avoir frappé, Cosimo entra dans la cabine.

Meg était si absorbée qu'à la soudaine apparition de l'objet même de sa correspondance elle sursauta, comme prise en faute. En lui échappant, la plume projeta de l'encre sur sa missive, ce qui lui fournit un prétexte pour couvrir celle-ci d'un chiffon absorbant.

— Qu'ai-je fait pour susciter une telle réaction ? demanda Cosimo avec un sourire qui n'adoucissait pas la sévérité de son regard.

— Je... je ne m'attendais pas à te voir, répondit Meg sans conviction.

— À qui écris-tu ?

— À mon amie Bella. Je suppose qu'il y aura un moyen de lui envoyer cette lettre. Sinon, je l'emporterai quand je retournerai chez moi... Je veux quitter la *Marie-Rose* à Bordeaux, continua-t-elle après avoir pris une profonde inspiration. Et rentrer en Angleterre sur un autre bateau.

— Voilà qui est plutôt soudain, constata Cosimo en s'adossant au chambranle, les bras croisés, le regard dur. Pourquoi es-tu si pressée de me quitter ?

— Je... je crois que... c'est fini, dit Meg lentement. Prétendre que j'étais une aventurière m'a amusée quelque temps mais je me suis rendu compte que je n'avais pas l'étoffe nécessaire.

— De quoi diable parles-tu ? s'exclama-t-il d'une voix dépourvue d'aménité.

Meg serra ses mains l'une contre l'autre sur ses genoux.

— Je croyais que j'étais plus forte... que j'avais plus de courage que cela. Il m'est pénible de l'avouer, Cosimo, mais j'ai été terrifiée, la nuit dernière, et j'ai fait les plus horribles cauchemars de ma vie ! Cette existence... ajouta-t-elle avec un geste vague autour d'elle, le danger... l'incertitude... c'en est trop pour moi. J'ai peur et je veux rentrer à la maison.

— Vraiment? se contenta de dire Cosimo, l'air peu convaincu.

— Je t'en prie... Quand pourrai-je retrouver l'univers auquel je suis habituée? Je n'ai pas été élevée pour ce genre de vie et je suis trop âgée pour m'y adapter.

Quelque chose changea dans le regard de Cosimo. Comme perdu dans ses pensées, il se frotta le menton pendant un moment.

— Trop âgée, dis-tu? Eh bien, madame Mathusalem, vous ne pourrez malheureusement quitter ce bateau que si nous rencontrons un navire susceptible de vous prendre à bord. Tu aurais peut-être pu y penser avant que nous ne quittions Sercq...

— Je ne pouvais pas savoir comment je réagirais, répliqua Meg en s'efforçant, malgré son agacement, de conserver un ton soumis. Sois honnête, Cosimo, tu ne m'as pas avertie de ce qui m'attendait.

— Ma chère Meg, c'est toi qui as insisté pour m'accompagner, si tu veux bien t'en souvenir. Et qui as failli provoquer un désastre, dois-je ajouter.

— J'en suis désolée. Je n'avais pas mesuré les risques et c'est ce qui, plus que toute autre chose, m'a fait prendre conscience que je n'étais pas faite pour ce genre d'existence. Je répugne à l'admettre, mais c'est la vérité, acheva-t-elle avec un sourire qu'elle espérait navré mais résolu.

— De toute façon, cela ne fait guère de différence puisque, comme je viens de te le dire, tu vas devoir rester sur la *Marie-Rose*. Mais tu ne seras pas obligée de participer à la prochaine sortie.

— Parce qu'il y en aura une?

— Oui. Et tu resteras tranquillement à bord.

Meg déglutit avant d'aborder l'ultime sujet, le plus difficile.

— Si cela ne t'ennuie pas, Cosimo, j'aimerais que... que nous gardions nos distances, à partir de maintenant.

— Que dois-je comprendre? demanda-t-il en scrutant son visage.

— N'est-ce pas évident ? J'ai fait une erreur, que je veux corriger dès à présent. Je mets donc fin à une liaison qui ne me semble plus souhaitable.

— Je vois, dit-il d'un ton sec.

Il tourna les talons et franchit la porte, qu'il referma avec une douceur ostentatoire derrière lui.

*
* *

Bien qu'accoudé au bastingage, Cosimo ne prêtait aucune attention au spectacle sans cesse renouvelé des vagues. De multiples pensées se bousculaient en lui, qui pouvaient se résumer à une seule : que cachait l'incompréhensible et soudaine désaffection de Meg à son égard ?

Pas une seconde il n'avait cru à son histoire de faible femme terrassée par un trop-plein d'émotions. Elle savait exactement ce qu'elle faisait, et ce, depuis le début de leur aventure. Alors, qu'est-ce qui, la nuit dernière, avait pu provoquer chez elle un tel revirement ?

Incapable d'en décider, Cosimo finit par redescendre dans l'entrepont. De nouveau, il s'abstint de frapper à la porte de la cabine avant d'entrer.

D'abord il crut qu'il n'y avait personne puis il vit Meg endormie sur la couchette, la tête reposant sur sa main, une couverture entortillée autour des genoux. Après avoir doucement remonté celle-ci jusqu'à ses épaules, il détourna son regard vers la table. Quelques feuilles s'y trouvaient empilées. Ayant soulevé la première, vierge, il aperçut son nom sur la suivante et laissa aussitôt retomber la feuille protectrice.

La clé de l'étrange comportement de Meg se trouvait peut-être dans cette lettre, mais il sembla soudain à Cosimo que rien au monde n'aurait pu le contraindre à la lire. Un comble pour quelqu'un qui passait beau-

coup de temps à décoder des correspondances privées !
songea-t-il, surpris.

Son regard pensif revint se poser sur Meg endormie.
Apparemment, il éprouvait une répugnance nouvelle
à fouiller dans les secrets des autres… ou, du moins,
dans ceux de Meg. D'une main hésitante, il souleva de
nouveau la feuille vierge, déterminé à lire la lettre. Puis
il la laissa retomber.

Meg aurait à le lui dire de vive voix.

*
* *

L'après-midi touchait à sa fin quand une frégate
arborant les couleurs de Sa Majesté se profila à l'horizon. Cosimo chargea Frank de l'interroger à l'aide de
drapeaux.

— Ils disent qu'ils se rendent à La Rochelle, monsieur !

Si la Royal Navy se rendait à La Rochelle, cela signifiait qu'une escadre de la marine française s'apprêtait
à quitter le port. En cas de combat naval, Cosimo était
censé apporter son soutien à la marine britannique ;
or, il ne pouvait se le permettre s'il voulait arriver à
Toulon avant le départ de Bonaparte.

— C'est un navire anglais ?

La voix de Meg, qu'il n'avait pas entendue venir, le fit
tressaillir.

— Apparemment.

— Pourront-ils me prendre à bord ?

— Peut-être, répondit Cosimo avec un haussement
d'épaules. Mais je crains qu'ils ne rejoignent la flotte
qui se rend en Égypte. Souhaiteriez-vous aller en
Égypte, miss Meg ?

Meg ne daignant pas répondre à cette pique, il s'enquit avec une sollicitude apparente :

— Avez-vous bien dormi ? Pas de cauchemars ?

— Non. Allez-vous faire signe à ce bateau ?

— Si vous le souhaitez. Mais comment comptez-vous expliquer au commandant votre présence sur la *Marie-Rose* ?

Une fois de plus, le ton était plaisamment courtois, mais Meg ne fut pas dupe.

À Sercq, elle avait évité de rencontrer les commandants des bâtiments militaires en raison du risque de scandale. Maintenant, il lui fallait trouver une raison plausible pour justifier sa présence sur un bateau corsaire au beau milieu du golfe de Gascogne.

— Je m'appelle Gertrude Myers, improvisa-t-elle, et je visitais les îles de la Manche avec des amis lorsque notre bateau a coulé au large de Sercq. Un pêcheur m'a recueillie, ramenée sur la terre ferme, et vous, en parfait gentleman anglais, m'avez prise sous votre protection et promis de me reconduire chez moi.

Cosimo siffla avec admiration.

— Quelle imagination fertile ! Mais je doute que beaucoup de gens naviguent pour leur plaisir en ce moment entre la France et l'Angleterre.

— Peu importe, cela fera l'affaire. J'aimerais que vous leur fassiez signe, s'il vous plaît.

— Très bien. Frank, demandez-leur de mettre en panne.

— Bien, monsieur… Ils veulent savoir pourquoi, dit le jeune homme après quelques instants. Ils sont pressés.

Cosimo se tourna vers Meg, un sourcil levé.

— Êtes-vous certaine de vouloir détourner de sa mission un bâtiment militaire en temps de guerre ?

Pour toute réponse, Meg tourna les talons et alla chercher refuge dans la cabine. Impossible d'agir de façon aussi légère alors qu'elle était seule responsable de la situation fâcheuse dans laquelle elle se trouvait.

Assise sur la banquette, les genoux sous le menton, elle regarda disparaître le vaisseau, toutes voiles dehors. Puis elle poussa un profond soupir. Il lui fallait se résigner à aller jusqu'à Bordeaux, où elle trouverait peut-être un navire de commerce qui consentirait à la prendre à son bord. Peut-être? Non, sûrement! Car elle voulait croire que, même en temps de guerre, un port de commerce aussi important que Bordeaux continuait ses activités.

Si seulement elle ne se sentait pas aussi abattue! À vrai dire, cela lui serrait le cœur de devoir quitter la *Marie-Rose*, de renoncer à une liaison passionnée qui la comblait, de mettre une croix sur une parenthèse aventureuse dont elle avait à peine goûté la griserie.

Toutefois, la scène à laquelle elle avait assisté jetait une ombre trop douloureuse sur son âme pour qu'elle puisse prolonger cette idylle comme si de rien n'était.

Jamais elle n'oublierait l'image de ces deux corps recroquevillés sur le sol. Le sort en était donc jeté: elle saisirait la première opportunité qui se présenterait pour partir.

14

Le soir venu, Biggins lui apporta un plateau. Tout en mangeant sans appétit, Meg se demanda où Cosimo prenait son repas. Certainement pas sur le pont, car le temps s'était mis à la pluie ; peut-être s'était-il réfugié dans la cabine de David.

Elle finit par repousser son assiette encore à moitié pleine. La solitude lui pesait et elle avait l'impression d'étouffer dans cet espace confiné. S'apercevant qu'elle n'avait pris aucun exercice de la journée, elle s'enveloppa dans son épaisse cape et sortit dans le couloir.

Immédiatement, elle fut frappée par l'obscurité qui y régnait, aggravée par un silence si inhabituel qu'il prenait un caractère irréel. Aucune voix, aucun bruit de pas ne trahissait la moindre présence humaine sur le pont ; elle ne percevait rien d'autre que les grincements sinistres de la mâture et le choc sourd de l'eau contre la coque. La *Marie-Rose* semblait s'être transformée en bateau fantôme.

Vaguement inquiète, Meg gagna l'escalier à tâtons. Elle comprit alors pourquoi il faisait si sombre dans la coursive : l'écoutille était fermée. Une panique irraisonnée fit bondir son cœur dans sa poitrine. Pourquoi l'avait-on ainsi enfermée, seule, sans la moindre explication ?

Elle avait déjà vu les écoutilles fermées lors des tempêtes, afin d'empêcher les paquets d'eau de mer de déferler dans l'entrepont. Mais le crachin qui tombait ce soir ne justifiait certes pas une telle précaution.

Arc-boutée sur les marches, elle tenta de repousser le panneau. Sans succès. Elle se mit alors à frapper contre le bois, d'abord doucement puis, lorsqu'elle constata qu'il ne se passait rien, de plus en plus fort. Enfin, un piétinement léger l'avertit qu'on l'avait entendue. Le panneau se releva légèrement, laissant voir le visage pâle de Frank Fisher.

— Chuuut! murmura-t-il d'un ton si pressant que Meg resta figée sur place.

Dès qu'elle fut revenue de sa surprise, elle acheva de grimper l'escalier tandis que Frank ouvrait un passage suffisant pour qu'elle monte sur le pont.

Là, elle se trouva environnée dans les volutes grises d'un épais brouillard. C'est à peine si elle distinguait, au-dessus de sa tête, l'unique voile tendue de la *Marie-Rose*. Puis elle parvint à discerner un groupe de matelots, immobiles et silencieux près du bastingage et, enfin, la silhouette de Cosimo à la barre.

Comme Frank pressait un doigt contre ses lèvres, Meg acquiesça de la tête. Sur la pointe des pieds, veillant à ne faire aucun bruit, elle gagna l'arrière.

À peine arrivait-elle près de Cosimo que des voix se firent entendre dans le brouillard. Stupéfaite, Meg se tourna vers lui. Si ses épaules s'étaient raidies, il arborait ce petit sourire qu'elle lui avait déjà vu : le sourire de jubilation démoniaque de Méphistophélès.

En tendant l'oreille, Meg s'aperçut que les hommes invisibles s'exprimaient en français. Peu après, elle parvint à discerner les silhouettes fantomatiques de bateaux tout proches. Soudain, une voix forte, comme amplifiée par un porte-voix, héla la *Marie-Rose*. Sans trahir d'hostilité particulière, elle lui demandait de s'identifier.

Pas un muscle du visage de Cosimo ne tressaillit lorsqu'il répondit en français, sans une once d'accent :

— Bonsoir! Nous sommes l'*Artémis*, en route pour Belle-Isle.

Comme elle levait les yeux, Meg vit que la *Marie-Rose* battait pavillon français. Apparemment, durant sa réclusion dans la cabine, elle avait manqué quelques événements palpitants. Le plaisir de l'aventure jaillit de nouveau en elle, d'autant plus vif que celle-ci n'était entachée d'aucun secret sanglant.

L'idée qu'ils se trouvaient mêlés à l'ennemi, en train de lui jouer un tour magistral, la transportait de ravissement. Quand elle entendit la réponse des Français, un « Bon voyage ! » désinvolte, elle tourna involontairement les yeux vers Cosimo pour partager son exultation avec lui.

Tout n'était pas perdu, songea-t-il en remarquant l'étincelle qui illuminait le regard vert de Meg. Son intuition ne l'avait pas trompé : la faible femme qu'elle prétendait être n'existait pas. Il sentait l'énergie pulser en elle aussi puissamment que s'ils étaient en train de faire l'amour. Cosimo avait toujours pensé que l'excitation du danger ressemblait beaucoup à celle de la passion amoureuse.

Une fois qu'ils seraient plus en sécurité, il se faisait fort de découvrir ce qui avait motivé sa volte-face.

La prenant par le bras, il l'attira devant lui, face à la barre, et lui fit placer les mains dessus. Meg lui jeta un regard interloqué par-dessus son épaule, puis elle referma ses doigts sur le bois poli. Les deux premières fois que la voile commença à faseyer, Cosimo posa ses mains sur les siennes pour corriger la trajectoire. La troisième fois, Meg les repoussa et la corrigea elle-même. C'était une sensation enivrante que de sentir la *Marie-Rose* répondre ainsi à ses sollicitations et, n'eussent été les circonstances, elle aurait éclaté d'un rire triomphal. Mais elle n'avait que trop conscience du danger que représentaient les silhouettes sombres se profilant dans le brouillard.

Soudain, la barre fila entre ses mains, l'obligeant à s'arc-bouter pour redresser. Cosimo vint aussitôt à la rescousse et, après s'être glissée sous son bras, Meg reprit sa place à son côté. Le brouillard sembla peu à peu se dissiper à mesure que le vent se levait. Sans que Cosimo n'eût à donner d'ordres, les matelots se jetèrent dans les vergues pour hisser les voiles.

La brume disparut enfin pour laisser place à un ciel clair et étoilé au-dessus d'une mer dégagée de tout navire.

— Que s'est-il passé ? demanda Meg.

En se retournant, elle comprit lorsque son regard se heurta à un mur gris. Le brouillard ne s'était pas levé ; ils étaient tout simplement sortis de la nappe.

— Cet endroit est connu pour être brumeux, lui expliqua Cosimo. La malchance a voulu que nous y pénétrions au même moment que cette escadre française.

Meg secoua la tête sans dissimuler son amusement.

— Allons, Cosimo, tu en as savouré chaque minute !

— Je suppose… admit-il avec un petit rire. L'idée de glisser au milieu de ces vaisseaux de guerre sans qu'ils aient la moindre conscience de notre présence ne manquait pas de piquant.

L'espace d'un instant, ce fut comme si rien ne s'était passé entre eux.

— Prends la barre, Mike, ordonna Cosimo. Tu gardes le cap. Avec un peu de chance, les ennuis sont derrière nous. Descendons, ajouta-t-il ensuite à l'intention de Meg en lui prenant le bras.

Ne sachant comment le problème se résoudrait, mais déterminée à trouver une solution, Meg opina. Peut-être y aurait-il moyen de ne pas mettre un terme abrupt à son aventure sans pour autant transiger avec ses principes. Il serait tellement plus simple qu'elle retourne en Angleterre sur la *Marie-Rose*, comme prévu !

Cosimo l'accompagna jusqu'à la porte de la cabine.

— Je boirais bien quelque chose, dit-il en se dirigeant vers la cuisine.

Meg entra dans la cabine, se débarrassa de sa cape et s'assit près d'un hublot.

— Où est Gus ? s'enquit-elle quand Cosimo revint avec une carafe et deux verres.

— À l'infirmerie, avec David. Il n'a jamais compris la nécessité de se taire dans certaines circonstances, et il ne parle pas français.

Meg se mit à rire tout en acceptant le verre qu'il lui offrait.

— Pourquoi ne m'as-tu pas prévenue qu'on allait fermer les écoutilles ?

— J'avais cru comprendre que ma présence ne t'agréait pas. Et maintenant, ajouta-t-il en se perchant sur la table, j'aimerais que tu m'expliques pourquoi.

Meg ne répondit pas immédiatement. Devait-elle lui dire la vérité ? Elle avait peu à perdre, finalement, et peut-être même Cosimo lui fournirait-il une explication à son acte barbare.

— Pourquoi as-tu tué ces hommes ? demanda-t-elle alors, les yeux baissés sur son verre.

La voix de Cosimo trahit une certaine surprise.

— Quels hommes ?

— Les Français qui étaient devant l'espèce de bergerie en ruine. Ils ne faisaient rien d'autre que discuter, et pourtant tu les as tués.

— Je vois... Ainsi, tu m'as suivi une seconde fois ?

— Oui.

Cosimo secoua la tête, prit une profonde inspiration, puis exhala bruyamment.

— J'aimerais que tu viennes ici.

Meg hésita puis, comme il n'y avait rien de menaçant dans son ton, elle obtempéra.

— Tourne-toi, s'il te plaît.

Elle sentit la main de Cosimo effleurer sa nuque, puis ses doigts appuyèrent légèrement sur un point qui se trouvait juste devant son oreille.

— Si je presse ici, tu vas perdre conscience, expliqua-t-il d'une voix posée. Le sens-tu ? demanda-t-il en appuyant un peu plus fort.

Meg déglutit. Un voile tremblait devant ses yeux.

— Arrête !

Aussitôt, la pression se relâcha.

— C'est une méthode très commode pour mettre un ennemi hors de combat. Silencieuse et sans traces. Quand la personne revient à elle, elle n'a aucune idée de ce qui lui est arrivé.

— Mais tu avais un couteau !

— Bien sûr. Je ne veux pas prendre de risques.

— Alors... tu ne les as pas tués ? murmura Meg.

— Non. Par contre, eux ont tué deux hommes, mes amis, pendant leur sommeil, et ont massacré dix pigeons. Dis-moi donc, Meg, s'ils méritaient ma clémence ?

— Mais tu ne les as pas tués, répéta-t-elle.

— Je ne tue pas pour le plaisir.

Meg dut faire un effort sur elle-même pour ne pas tourner les yeux vers le placard renfermant les couteaux. Mieux valait que Cosimo ne découvre jamais son indiscrétion.

— C'est donc ce que cachait toute cette histoire... reprit-il, songeur. Eh bien, il faut que je te dise, Meg, que ta comédie ne prend pas. Je t'ai vue à la barre, tout à l'heure, tu ne montrais pas une once d'appréhension. À l'avenir, ne tente plus de me faire croire que tu es une faible femme, je t'en prie. Si quelque chose venait à te contrarier ou à t'inquiéter, fais-moi le plaisir de m'en parler.

— D'accord.

— Bien. J'aimerais aussi que, lorsque j'insiste pour que tu fasses ou ne fasses pas quelque chose, tu accordes à ma demande la plus grande considération...

La remarque avait beau être formulée avec une certaine légèreté, Meg ne fut pas dupe.

— N'aie aucune crainte, Cosimo. Je me garderai de me mêler de quoi que ce soit, à l'avenir, assura-t-elle avec force. Je ne suis ici que dans l'attente de retourner chez moi. Une autre requête, monsieur ? ajouta-t-elle en accrochant ses mains à ses épaules.

Après un instant de réflexion, Cosimo jugea préférable de ne pas gâcher leur réconciliation par des révélations prématurées.

— Je crois qu'il y en a encore une, oui... murmurat-il tout contre ses lèvres.

15

— J'vous d'mande bien pardon, cap'taine, mais j'crois pas qu'c'est une bonne idée, déclara sans détour le maître d'équipage. Pas avec cette mer mauvaise... et sans personne pour vous donner un coup de main.

— C'est gentil de t'inquiéter pour moi, Bosun, mais je te répète que j'irai seul, répondit Cosimo.

Même si le ton était uni, Meg perçut une détermination inflexible dans la voix qui lui parvenait par la porte entrouverte. Le maître d'équipage dut y être sensible lui aussi, car il dit :

— Très bien, cap'taine. J'vais faire affaler l'canot.

— Nous amènerons la *Marie-Rose* aussi près du rivage que possible. Si je ne suis pas revenu dans les vingt-quatre heures, vous retournez à Folkestone avec Mlle Barratt.

— Seul'ment vingt-quatre heures ? s'exclama Bosun.

— Vingt-quatre précises. Puis vous ramenez Mlle Barratt chez elle.

— À vos ordres, cap'taine.

Meg fit retraite dans la cabine. Quelques secondes plus tard, Cosimo entrait, l'air préoccupé, et se dirigeait droit vers la table des cartes.

— Ainsi, tu vas à terre ? demanda Meg.

— Mmm...

— Ce soir ?

— Oui.

— Mais la mer est très mauvaise...

— On n'y peut rien.

— Le maître d'équipage ne semble pas penser qu'il s'agisse d'une bonne idée.

Cosimo se redressa et lui fit face.

— Et comment le sais-tu ?

— J'ai écouté votre conversation, avoua Meg. Et je pense que tu devrais tenir compte de l'avis de Bosun.

— Vraiment ? Tu penses cela ? dit Cosimo en levant les sourcils, l'air vaguement amusé.

— Il n'y a rien de drôle là-dedans ! Où vas-tu ? Et pourquoi est-ce que ça doit se passer cette nuit ?

— Je vais à terre pour y récupérer d'éventuels messages, répondit-il après s'être gratté le front. Et c'est ce soir parce que nous sommes juste à côté de La Rochelle, là où ces messages arrivent. Toi, tu resteras bien au chaud pendant mon absence.

— Et si tu ne reviens pas ? s'enquit Meg d'une voix volontairement unie.

— J'ai donné l'ordre de te ramener à Folkestone.

— J'ai entendu. Cela signifierait t'abandonner sans savoir ce qui t'est arrivé. Je ne veux pas être responsable d'une chose pareille.

— Ma chère Meg, c'est moi et moi seul qui suis responsable des décisions que je prends, répliqua Cosimo tout en enfilant son épais manteau de toile huilée. Mes hommes suivront mes instructions sans se poser de questions.

— J'en suis certaine, mais ça ne veut pas dire que je ferai comme eux ! rétorqua Meg. Je ne veux pas rentrer chez moi sans rien savoir de ton sort.

L'expression de Cosimo se durcit.

— Il n'empêche, Meg, que c'est ce que tu feras !

Malgré la promesse qu'elle s'était faite de ne plus se mêler de ses sordides affaires, Meg ne put s'empêcher de dire soudainement :

— Et si je venais avec toi ? Je suis sûre que je pourrais t'être utile. Ne serait-ce qu'en rapportant un message à la *Marie-Rose* si jamais un problème surgissait !

Elle scruta le visage de Cosimo pour essayer de déchiffrer ses pensées. Comme il ne répondait pas, elle ajouta en toute hâte :

— Ana t'aurait accompagné, non ? Tu lui aurais fait confiance.

— Ana était entraînée. Je pouvais lui faire confiance parce qu'elle savait ce qu'elle faisait.

— Alors, entraîne-moi. Tu n'auras qu'à me dire ce que je dois faire, et je le ferai. Je n'ai pas peur, Cosimo ! insista-t-elle en posant une main sur son bras. Et je préfère affronter d'éventuels dangers avec toi plutôt que d'attendre ici à me ronger les sangs.

Comme il était étrange que Meg propose elle-même d'endosser le rôle qu'il envisageait pour elle, songea Cosimo. Et sans aucune sollicitation de sa part ! Peut-être tenait-il là une bonne occasion de mettre à l'épreuve sa résolution et son courage.

— Je te préviens, la mer est houleuse et le voyage va être très agité...

— J'en ai bien conscience, répondit-elle en enfilant à son tour un manteau huilé. Je ne suis pas en sucre, l'eau ne me fera pas fondre. Y allons-nous ?

Cosimo l'aida à fermer les boutons, puis il rabattit la capuche sur sa tête et en resserra le cordon.

— Allons-y.

Une pluie battante martelait le navire lorsqu'ils émergèrent sur le pont. La *Marie-Rose* plongeait au gré des creux qui s'ouvraient sous son étrave, rendant l'équilibre précaire.

— Je ne sais pas si je peux approcher plus près ! cria Mike, arc-bouté sur la barre, dès que Cosimo l'eut rejoint.

— Passe-moi la barre, dit celui-ci.

D'un geste décidé, il appuya à bâbord de manière que les vagues frappent les flancs du bateau. Meg eut l'impression qu'ils se dirigeaient droit vers la falaise dont la masse sombre se profilait dans l'obscurité. Quelque part sur la droite résonna le tintement lugubre d'une cloche.

Des récifs! Soudain, la belle assurance de Meg s'évanouit et des images de naufrage fulgurèrent dans son esprit. Quand elle osa jeter un coup d'œil sur les tourbillons sombres qui se fracassaient contre la coque, la perspective de les affronter sur un léger canot creusa un vide dans son ventre.

Elle pouvait encore se raviser. Sa fierté s'en relèverait.

La *Marie-Rose* n'était plus qu'à quelques encablures de la falaise lorsque Cosimo, la positionnant nez au vent, donna l'ordre d'amener les voiles et de jeter l'ancre.

— C'est le moment de changer d'avis, dit-il ensuite en se tournant vers Meg. Je le comprendrais parfaitement.

— Mais toi, tu y vas?

— Bien sûr.

— Alors, moi aussi.

Cosimo scruta son visage, les sourcils froncés. Meg soutint son regard sans broncher. Il finit par hocher la tête.

— Très bien. Je vais descendre le premier; tu me suivras quand je te donnerai le signal.

Meg déglutit avec peine en songeant à la mince échelle que le vent rabattait contre la coque. Déjà, Cosimo descendait avec une sûreté de pied qu'elle lui envia. Sitôt dans le canot, il attrapa l'extrémité de l'échelle pour la stabiliser.

— Vas-y, Meg!

Les jambes un peu tremblantes, elle accepta l'aide de Mike pour franchir la coupée. Finalement, la descente fut moins laborieuse qu'elle ne l'avait craint et, aguerrie par l'expérience, elle s'assit promptement dans le petit canot qui dansait furieusement sur les vagues.

Cosimo prit les avirons. Luttant contre le vent et la mer, il se dirigea vers la falaise au prix d'un effort qui contractait son visage dégoulinant de pluie. Si seulement elle avait pu l'aider !

— Pourquoi n'as-tu pas demandé à un des hommes de t'accompagner ? cria-t-elle.

Il ne répondit pas, soit parce qu'il était trop essoufflé, soit parce qu'il ne l'avait pas entendue, le fracas des vagues contre les rochers noyant tout autre son. Le cœur palpitant de terreur, elle s'accrocha de toutes ses forces au banc de nage.

— Meg... trape l'amarre ! entendit-elle alors. Quand... vers la plage, il faut que tu... dans l'eau pour tirer... bateau.

Heureuse d'avoir quelque chose à faire, Meg obéit. Près du rivage, la mer semblait un peu plus calme, Dieu merci.

— Vas-y ! cria Cosimo quand le bateau racla le fond.

Meg sauta et suffoqua au contact de l'eau glacée. Dès qu'elle eut halé le bateau sur quelques pieds, Cosimo sauta à son tour et accrocha solidement l'amarre à un rocher.

— L'avantage d'une nuit comme celle-ci, c'est qu'il n'y aura personne dehors. Ils ne s'attendent pas à des visiteurs, dit-il avec une satisfaction visible. Veux-tu rester auprès du canot ?

— Certainement pas ! Là où vous allez, cap'taine Cosimo, je vais !

— C'est une rude grimpette, prévint-il en désignant la falaise. Le sentier est rocailleux et sûrement glissant.

— Je n'attendrai pas ici.

— Très bien. Allons-y, dit-il en lui donnant une tape encourageante sur les fesses. Je reste derrière toi. Si tu glisses, j'essaierai de te rattraper.

— Voilà qui est rassurant ! marmonna-t-elle, ironique.

Cosimo sourit. Meg se débrouillait bien. Il avait perçu sa peur initiale et devinait ce qu'il lui avait coûté de la surmonter. Une fois qu'il aurait l'assurance de pouvoir compter sur son courage, il lui resterait à vaincre ses scrupules. Une tâche peu aisée en perspective, s'il en jugeait par sa réaction lorsqu'elle croyait l'avoir vu tuer ces deux hommes...

La montée fut moins pénible que Meg ne l'appréhendait. Elle glissa bien à plusieurs reprises, mais reprit sans peine son équilibre. Savoir Cosimo derrière elle la rassurait, et elle apprécia lorsque, à un endroit particulièrement escarpé, il l'aida à trouver ses appuis en guidant son pied.

Enfin, ils atteignirent le sommet de la falaise. Haletante, Meg se laissa tomber sur le tapis d'herbes mouillées.

— Reprends ton souffle, chuchota Cosimo en s'accroupissant à côté d'elle. Nous ne sommes pas pressés.

Elle roula sur le ventre pour contempler, abasourdie, le chemin qu'ils venaient de gravir. Et le pire était qu'il faudrait le redescendre !

Lorsque sa respiration fut redevenue à peu près normale, elle se releva.

— Et maintenant ?

— Il y a une chaumière, à une demi-lieue d'ici. Reste dans mon ombre et fais exactement comme moi. Compris ?

— Compris, murmura Meg en réprimant un frisson.

Ils marchèrent en silence, cinglés par le vent et la pluie. Jamais Meg n'avait éprouvé un tel inconfort physique mais, puisqu'elle était seule responsable de cette situation, il n'aurait servi à rien de se lamenter.

Enfin, derrière une haie, apparurent les contours d'une petite maison. Un filet de fumée s'échappait de la cheminée, mais aucune lumière ne brillait aux fenêtres.

— Reste ici, dit Cosimo. Ne bouge pas un cil jusqu'à mon retour. Tu m'as compris ?

— Et si tu... tu ne reviens pas ?

— Redescends sur la plage. Il y a un sifflet dans le canot, sers-t'en et quelqu'un viendra de la *Marie-Rose*. À partir de maintenant, continua-t-il d'une voix sévère, je ne penserai plus à toi car j'ai besoin de me concentrer sur la tâche à accomplir. Tu ne peux donc compter que sur toi. Est-ce clair ?

— Je suis parfaitement capable de me prendre en charge ! riposta Meg, offusquée par son ton.

Il suffit de quelques secondes pour que la silhouette de Cosimo se fonde dans l'ombre de la haie. Meg se sentait tellement transie qu'elle finit par en oublier ses craintes, si bien qu'au bout d'un moment, lasse de grelotter, elle décida de le suivre malgré son interdiction. D'une certaine façon, qu'il se désintéresse de son sort la laissait libre de se fier à son instinct.

Lorsqu'elle eut longé la haie pour se rapprocher de l'arrière de la maison, elle fut un peu rassurée en entendant de doux roucoulements. Cosimo étant venu chercher des messages, il était logique qu'il y eût des pigeons et ceux-ci n'avaient de toute évidence pas subi le sort de ceux de Quiberon, ce qui écartait le risque d'une mauvaise surprise.

Elle perçut un bruit de voix. L'une était celle de Cosimo, l'autre appartenait à un Français. Elles s'éloignèrent puis s'éteignirent lorsque les deux hommes entrèrent dans la resserre abritant les pigeons.

Meg contourna alors la petite maison. Le vent semblait faiblir, la pluie tombait moins dru. Soudain, elle s'immobilisa : un martèlement de sabots retentissait sur la route menant à la falaise. Quand elle comprit que les chevaux se rapprochaient à vive allure, Meg revint sur ses pas en courant et se rua dans l'appentis, dont elle claqua la porte derrière elle.

— Cosimo ! Des cavaliers arrivent !

À la faible lueur d'une lanterne, elle vit que Cosimo serrait une mince feuille entre ses doigts. Son compagnon, petit et trapu, caressait la gorge du pigeon qu'il tenait. Les deux hommes échangèrent un regard, puis le Français souffla la lampe et ouvrit la cage contenant plusieurs pigeons, qu'il chassa à voix basse vers le jardin. Saisissant Meg par le bras, Cosimo l'entraîna à l'extérieur.

— Dans les cabinets ! chuchota-t-il avant de la pousser sans ménagement dans une étroite cabane sombre et malodorante.

Des voix résonnèrent, impérieuses. Quelqu'un frappa violemment du poing et du pied contre la porte de la maison. À travers les planches disjointes, Meg vit ensuite le tremblotement des torches avec lesquelles les visiteurs s'éclairaient en se dirigeant vers l'appentis.

Cosimo la tenait étroitement serrée contre lui, la main sur sa bouche comme pour lui rappeler qu'elle devait garder le silence. Même avec son assortiment de couteaux, il n'était pas de taille à lutter contre de tels agresseurs.

Un cri furibond monta de la maison. Meg reconnut la voix du Français qui protestait avec une véhémence ponctuée de quelques vigoureux jurons. Un sourire fugitif éclaira le visage de Cosimo, sourire que Meg considéra assez inapproprié compte tenu des circonstances. Si jamais il prenait à ces hommes l'envie de faire irruption dans les cabinets, qu'adviendrait-il d'eux ?

C'est alors que Cosimo désigna du pouce l'ouverture ronde qui, au-dessus de la planche trouée, tenait lieu d'aération.

— Grimpe ! chuchota-t-il.

Meg hésita. Comment *lui* comptait-il se faufiler par un espace aussi étroit ? Mais il la poussa par les épaules d'un geste pressant. Dès qu'elle se fut hissée sur la planche, il la souleva pour qu'elle puisse engager la tête et le buste dans l'ouverture.

Dans cette inconfortable position, Meg prêta l'oreille. On entendait toujours vociférer du côté de la maison, mais rien d'autre ne s'offrait à son regard qu'un grand carré de choux. Après quelques contorsions et une poussée charitable par-derrière, elle bascula dans l'herbe souple.

À peine eut-elle le temps de se demander une nouvelle fois comment Cosimo allait pouvoir sortir qu'il se matérialisa à son côté. Sans rien dire, il la prit par la main et la tira vers la haie. Meg frémit d'appréhension en sentant l'odeur du fumier. Allaient-ils s'enfouir dans le tas en attendant que le danger soit passé ? Dieu merci, ils le contournèrent et Cosimo sauta dans un fossé profond en l'entraînant à sa suite.

Après l'avoir fait s'étendre sur lui, il arracha des poignées de longues herbes pour la recouvrir. Puis ils demeurèrent parfaitement immobiles et silencieux.

Meg percevait les battements du cœur de Cosimo contre sa poitrine, sentait sur son front la peau mouillée, hérissée de barbe naissante, de son menton. Lentement, il tourna la tête pour effleurer son oreille d'un baiser ; en même temps, il referma une main possessive sur ses reins. Étonnée, Meg perçut contre son bas-ventre le durcissement de son sexe et enfouit son visage dans son épaule pour étouffer un petit rire.

Ils gisaient au fond d'un fossé boueux, couverts d'herbe, menacés de toutes parts, et Cosimo la désirait !

C'était réciproque. Tout mouillé et glacé qu'il était, le corps de Meg se tendait de désir. Elle bougea légèrement et releva la tête pour essayer de distinguer le visage de Cosimo, mais il faisait trop sombre.

Soudain, il accentua la pression de sa main, sans aucune intention amoureuse cette fois. Immobile comme la pierre, il parut même cesser de respirer. Meg retint son souffle à son tour.

Des voix résonnèrent au-dessus d'eux, accompagnées de piétinements le long du fossé. La lumière d'une torche fit scintiller les gouttes de pluie.

— Partons ! finit par dire quelqu'un en français.

Longtemps après que les pas se furent éloignés, Cosimo maintint Meg étroitement serrée contre lui, lui enjoignant ainsi de conserver silence et immobilité. Enfin, il écarta le tapis d'herbes.

— Redresse-toi très doucement, lui chuchota-t-il à l'oreille. On ne sait jamais...

Meg risqua un coup d'œil par-dessus le bord du fossé. Rien ne bougeait alentour et le bruit des sabots décroissait dans le lointain. La pluie tombait à présent en crachin fin mais pénétrant.

— Je… Je pense qu'ils sont partis, balbutia-t-elle en se hissant hors du fossé.

Un tremblement incoercible l'agitait des pieds à la tête. Était-ce le froid ou une peur rétrospective ? Meg l'ignorait. Une chose était sûre, cependant : toute excitation amoureuse envolée, elle se sentait glacée et misérable.

Debout à côté d'elle, Cosimo écouta à son tour avant de partir vers la haie. Meg le suivit. Ce fut presque comme un automate qu'elle redescendit vers la falaise, la tête basse, les yeux rivés sur l'herbe détrempée que ses bottes écrasaient avec un chuintement mouillé.

— Cette fois, je passerai le premier, dit Cosimo quand ils parvinrent au débouché du sentier abrupt.

S'il avait conscience de son épuisement, il ne montra aucune espèce de compassion. Il l'avait avertie qu'il en serait ainsi ; à elle donc de supporter les conséquences de ses actes !

S'accrochant aux buissons, le regard fixé sur les roches traîtresses, Meg commença la laborieuse descente. Lorsque le fracas des vagues se fit plus sonore, elle s'arrêta un instant pour regarder en direction du large, sans toutefois discerner la *Marie-Rose*.

Certes, si près des côtes ennemies, le navire ne pouvait que rester tous feux éteints. Il n'empêche qu'elle aurait éprouvé un léger réconfort à apercevoir ne serait-ce qu'une minuscule lueur…

Enfin, ils atteignirent la plage. À bout de souffle, Meg se retourna pour évaluer la hauteur de la falaise.

— Ce n'était pas une descente facile, constata Cosimo. Tu peux être fière de toi.

— Je le suis. Est-ce que la *Marie-Rose* est toujours là ?

— Bien sûr, répondit-il avec un petit rire. Grimpe dans le canot et je le pousserai à l'eau. Sous le banc de nage, continua-t-il lorsqu'il fut monté à son tour, il y a un sachet imperméable contenant un sifflet. Siffle trois coups prolongés suivis d'un coup bref, puis recommence.

— J'ai l'impression d'être une vraie espionne, fit remarquer Meg en tâtonnant à l'endroit indiqué. Tapie dans des cabinets ou des fossés, alertant un navire invisible...

Dès qu'elle eut donné les coups de sifflet prescrits, la lueur d'un fanal troua l'obscurité.

Se guidant sur celle-ci, Cosimo commença à ramer. Lorsqu'ils parvinrent au flanc de la *Marie-Rose*, Miles se tenait au bas de l'échelle. Il attrapa l'amarre que lui tendait Meg puis, une fois le canot attaché, il sauta dedans et l'aida à s'accrocher à l'échelle. Elle la gravit avec la conscience aiguë de puiser dans ses dernières forces. Quand elle bascula sur le pont, David Porter dut l'aider à se remettre sur ses pieds.

— Seigneur tout-puissant ! C'est de la folie de sortir par une nuit pareille ! À quoi pensiez-vous, Cosimo ? Cette pauvre femme est trempée jusqu'aux os !

— Meg n'a rien d'une pauvre femme, rétorqua calmement Cosimo. Elle est aussi forte qu'un cheval. Meg, descends dans la cabine, ajouta-t-il. Biggins, il nous faut de l'eau chaude. Et dis à Silas de préparer un grog. David, si jamais vous avez un remède préventif contre le rhume, ne vous gênez pas pour nous l'apporter.

Quand Meg entra dans la cabine, une lampe y brûlait bas.

— Ne bouge pas, je vais t'aider, dit Cosimo avec une sollicitude soudaine en déboutonnant son lourd manteau huilé. Sapristi, tu es trempée ! Tu auras de la chance si tu n'attrapes pas mal.

— Tu... es... aussi... mouillé que moi, bredouilla-t-elle entre deux claquements de dents.

Cosimo secoua la tête avec un léger rire.

— Oui, mais moi j'ai l'habitude, ma chère Meg, répondit-il en continuant de la déshabiller.

Il ne s'interrompit pas lorsque Biggins entra, chargé de deux brocs d'eau chaude.

— Remplis la cuve, Biggins.

— Oui, cap'taine.

Meg avait trop froid pour se soucier de sa tenue. Sa peau tout entière était hérissée de chair de poule et ses seins si ratatinés qu'ils ne paraissaient pas plus gros que des noix. Cosimo lui tendit un châle en cachemire dont elle s'enveloppa pendant que Biggins finissait de remplir la baignoire.

— Enlève tes vêtements, murmura Meg en voyant que Cosimo ne bougeait pas.

— Dès que tu seras dans l'eau.

Meg renonça à discuter. Biggins sorti, elle se plongea dans la baignoire. Peu à peu, ses frissons convulsifs s'espacèrent. Cosimo se déshabilla à son tour, versa sur elle deux brocs d'eau chaude supplémentaires puis lui demanda de se pousser afin de pouvoir se glisser lui aussi dans la baignoire.

— Ça va mieux, déclara-t-il après avoir plongé la tête sous l'eau. Et toi ?

— Je commence à revivre. As-tu eu le message que tu espérais ?

— Oui, répondit-il en plissant légèrement les yeux.

— Alors, ça valait la peine d'y aller ?

— Oui. Maintenant, il faut que tu sortes de l'eau et que tu te sèches, dit-il en voyant qu'elle recommençait à frissonner.

— Est-ce que c'était un message d'Ana, si je peux me permettre de te demander cela ?

Cosimo plongea de nouveau la tête sous l'eau. Il aurait préféré ne pas en parler ; pas tout de suite, en tout cas. Il craignait cependant que Meg ne laisse pas facilement tomber le sujet s'il rechignait à lui répondre.

— Oui, finit-il par reconnaître à contrecœur.

— Est-ce que je me suis comportée aussi bien qu'elle ?

— Tu ne devrais pas t'inquiéter d'Ana, conseilla Cosimo en tendant la main vers une serviette.

— Je ne m'inquiète pas d'Ana, je m'intéresse à elle. C'est différent.

Après s'être séché, Cosimo la rejoignit dans la cabine. Biggins avait déposé sur la table un bol de grog fumant ainsi que deux timbales, que Cosimo remplit.

— As-tu faim ? demanda-t-il à Meg.

— Non, je ne crois pas, répondit-elle après avoir bu une gorgée du réconfortant breuvage. Alors, que disait ce message ?

Cosimo renonça à tergiverser. Tout en boutonnant sa chemise, il dit :

— Comme tu le sais, j'essayais de savoir ce qui était arrivé à Ana… Après le carnage de Quiberon, La Rochelle était mon dernier espoir avant Bordeaux. Un message m'a appris qu'elle était saine et sauve. Voilà, tu sais tout.

— Et elle t'a dit pourquoi elle n'était pas à Folkestone ?

En vérité, le message ne venait pas d'Ana, mais de l'un des agents de Cosimo. Ils avaient localisé et libéré la jeune femme qui, toutefois, était loin d'être indemne. Le message était bref, bien sûr, mais pour qui savait lire entre les lignes, les Français ne s'étaient pas montrés tendres avec elle.

Sans doute l'avaient-ils forcée à révéler la situation du relais de Quiberon ; quant au coup de main de cette nuit, Cosimo n'excluait pas qu'il fût aussi le résultat de son interrogatoire. Dieu merci, Ana ne connaissait pas l'ultime but de la mission de Cosimo. Il pouvait donc encore mener celle-ci à bien, à condition de changer ses plans.

Meg l'observait, déconcertée. Non seulement Cosimo ne répondait pas à sa question, mais il paraissait plongé dans des pensées qui n'avaient rien de plaisant, à en juger par la ligne dure de sa bouche.

— Tu es donc rassuré, maintenant ? hasarda-t-elle.

— Oui, affirma-t-il alors que son expression disait le contraire.

— Alors, que lui est-il arrivé ? insista Meg malgré la réticence évidente de Cosimo à poursuivre la discussion. Qu'est-ce qui l'a retenue ?

— Je l'ignore. Les messages envoyés par pigeon sont succincts. Je sais seulement qu'elle est vivante.

— Bien, c'est déjà ça.

Meg sentait qu'il ne lui disait pas la vérité ou, du moins, pas toute la vérité. Il avait beau mentir avec aisance, l'ombre qui ternissait son regard indiquait une colère d'autant plus effrayante qu'il avait dit ne jamais s'abandonner à cette émotion.

Elle réprima un léger frisson. C'était ridicule, puisque cette fureur rentrée n'était pas dirigée contre elle. Cependant, Cosimo paraissait si implacable que Meg pria avec ferveur pour ne jamais en être la cause.

Tout à coup, il sourit et ce lent sourire, empreint de sensualité, chassa toute trace de colère de son visage.

— Alors, mon amour, le danger t'excite ? murmura-t-il en l'attirant entre ses genoux. Sale, trempée, couverte d'herbe, tu aurais fait l'amour dans ce fossé alors que les ennemis s'apprêtaient à plonger leur baïonnette dans tout ce qui bouge ?

— C'est toi qui as commencé ! répondit Meg en tirant gentiment sur une de ses boucles auburn.

— Je n'ai jamais nié que, pour moi, danger et désir étaient étroitement liés. Mais j'ignorais que ce serait pareil pour toi, ajouta-t-il en relevant lentement sa chemise de nuit.

Si telle était sa manière de mettre un terme à une conversation, elle ne manquait pas d'efficacité !

Malheureusement, on frappa alors à la porte. Cosimo jura entre ses dents.

— Qui est là ? demanda-t-il en laissant retomber sa main.

— David.

Quand Cosimo ouvrit la porte d'un geste impatient, Gus quitta l'épaule du chirurgien pour aller se jucher sur son perchoir.

— Bonjour! Bonjour!

— Le moment est mal choisi, peut-être? s'enquit David, une étincelle narquoise dans le regard. Pardonnez-moi cette intrusion, mais Gus réclamait sa cage et je voulais donner ceci à Meg.

Il tendit une petite fiole à Cosimo.

— De la teinture d'échinacée, précisa-t-il. Cela permet de prévenir les refroidissements. Six gouttes dans un verre d'eau avant de se coucher. Sur ce, bonne nuit!

Cosimo referma la porte derrière le médecin, ôta Gus de son perchoir, le fourra dans sa cage et recouvrit celle-ci de son éteignoir rouge.

Le perroquet croassa un «Bonne nuit» peu convaincu, puis ce fut le silence.

— Bien! Où en étions-nous? dit Cosimo.

— Dans le fossé. Entourés des baïonnettes ennemies... lui rappela Meg en enroulant ses bras autour de son cou.

16

— Que se passera-t-il quand nous arriverons à Bordeaux ? s'enquit Meg d'une voix paresseuse lorsqu'une ombre l'avertit de l'arrivée de Cosimo.

— Tu es enfin réveillée ! J'ai cru que tu allais dormir toute la journée.

— Vu la manière dont tu me fais passer les nuits, je n'ai que la journée pour rattraper le sommeil en retard, répondit Meg en plissant les yeux. Si tu voulais bien t'ôter de mon soleil…

— Je n'imaginais pas être le seul responsable…

— Peut-être que non, effectivement, reconnut-elle en s'étirant voluptueusement.

À cet instant, elle ressemblait à une chatte repue. Cosimo se laissa tomber près d'elle, le dos contre le bastingage.

— Quelle était ta question, déjà ?

— Que se passera-t-il une fois que nous serons à Bordeaux ? répéta Meg en calant sa tête sur les cuisses de Cosimo. Tu dois remettre des dépêches à quelqu'un, si je ne m'abuse. Est-ce que ça se passera sur un autre bateau ou à terre ? Dans la ville elle-même ou à l'extérieur ?

— En voilà des questions ! s'exclama Cosimo en jouant avec sa chevelure toute chaude de soleil.

— Eh bien, je suis curieuse… Tu as dit ce matin que Bordeaux n'était plus qu'à quelques heures. Ce sera la fin de ta mission et nous retournerons ensuite en Angleterre. J'aimerais savoir comment cela va se passer, voilà tout.

— Je ne peux prendre le risque d'entrer dans le port avec la *Marie-Rose*, répondit Cosimo qui n'avait pas encore décidé du moment opportun pour révéler la vérité à Meg. En fait, je me rendrai de nuit dans un petit village de pêcheurs qui se trouve juste avant Bordeaux. C'est là que je remettrai mes dépêches.

Dépêches dont Meg n'avait toujours pas trouvé la moindre trace, malgré une fouille systématique de la cabine... Elle avait fini par déduire que les dictionnaires variés servaient à chiffrer ou à déchiffrer des messages ; quant à l'usage des couteaux, elle préférait ne pas y penser. Toutefois, ces mystérieuses dépêches restaient introuvables. Qui sait si Cosimo ne les cachait pas ailleurs ? Dans la cabine de David, par exemple ?

— À ton avis, il nous faudra combien de temps pour retourner à Folkestone ? s'enquit-elle.

— Il se peut que nous ne retournions pas à Folkestone.

— Ah bon ? Après tout, peu importe où nous arriverons. Je pourrai toujours prendre une chaise de poste pour rentrer chez moi. Seulement, je crains fort d'être obligée de t'emprunter de l'argent.

S'il avait espéré amener subrepticement la conversation sur la possibilité de prolonger leur voyage, il s'était montré bien naïf ! songea Cosimo. Meg ne manquait pas de finesse, bien au contraire, mais elle possédait un esprit si franc, si direct, qu'elle n'imaginait pas un instant que l'on puisse aborder un sujet de manière détournée. Cosimo n'avait d'autre choix que d'attendre le moment opportun pour lui avouer la vérité sans détour.

— Qu'y a-t-il ? demanda-t-elle en lissant du bout des doigts son front barré d'un pli.

Pour toute réponse, Cosimo attrapa sa main et referma ses lèvres sur son petit doigt. Il sentit le frisson qui parcourut Meg, et eut conscience de la brusque tension de tout son corps. Faire l'amour avec elle était bel et bien devenu une drogue ; une passion toujours renouvelée les liait l'un à l'autre, le désir jaillissait entre eux au moindre frôlement de peau ou au plus subtil échange de regards.

En temps ordinaire, il se serait réjoui d'une situation qui favorisait ses projets. Pour une raison qu'il s'expliquait mal, il répugnait cependant à considérer l'attachement de Meg comme le moyen lui permettant de parvenir à ses fins.

Jusqu'alors, il estimait vivre dans un monde trop incertain et trop dangereux pour s'autoriser à accorder la moindre place aux émotions. Or – et il en prenait conscience un peu plus chaque jour – il ne supportait pas la pensée de blesser cette femme qui se donnait à lui avec une allégresse pleine de liberté, un plaisir qui éveillait le sien au-delà de tout ce qu'il avait connu.

Malgré cela, il la trompait en lui mentant, et il continuerait aussi longtemps que les circonstances l'exigeraient. Alors, à quoi bon remâcher ces scrupules ?

— Tu réfléchis trop, fit remarquer Meg avec un rire léger. Je ne trouve pas très flatteur de passer en second, d'autant que tes pensées ne semblent pas très gaies.

— Excuse-moi, dit Cosimo en déposant un baiser sur chacune de ses paumes.

— Si nous descendions ? suggéra-t-elle avec un sourire de tentatrice. Nous pourrions faire vite.

Cosimo jeta un regard autour de lui. La *Marie-Rose* voguait sereinement sur une mer calme, aucun navire n'était en vue et Bordeaux, où il lui faudrait prendre de douloureuses décisions, ne se trouvait plus qu'à une demi-journée de navigation. Un homme raisonnable saisirait les opportunités qui s'offraient à lui…

— Pourquoi pas ? répondit-il en se levant avant de tendre la main à Meg pour l'aider à se mettre debout.

*
* *

— Pour quelle raison ne me laisses-tu pas t'accompagner, cette fois ? demanda Meg en le regardant enfiler son manteau. C'est une nuit parfaite pour sortir, à la différence de l'autre jour.

— La personne que je dois rencontrer s'attend à me voir seul, répondit Cosimo qui se pencha pour l'embrasser. Attends-moi, je serai de retour avant minuit.

Meg le suivit des yeux tandis qu'il descendait dans le canot, s'emparait des avirons puis se dirigeait vers une crique sableuse, à quelques encablures de la *Marie-Rose*.

Bien qu'elle ne l'eût pas quitté d'une semelle au cours de la journée, elle ne l'avait pas vu retirer les dépêches de l'endroit où il les dissimulait. Elle n'avait pas non plus, lors de leur dernier baiser, remarqué d'épaisseur particulière dans ses poches ou sous sa chemise.

Elle devait se résigner à ne pas connaître le fin mot de l'histoire... Lorsqu'il reviendrait à bord, Cosimo aurait accompli sa mission. Ils retourneraient alors en Angleterre et l'aventure serait terminée pour elle.

Il le fallait, tenta-t-elle de se persuader en s'accoudant au bastingage, les yeux fixés sur le rivage. Le monde auquel elle appartenait l'attendait. Comment allait-elle expliquer son absence prolongée à sa mère et, plus épineux encore, à son père ? Arabella l'aiderait certainement à forger une histoire mais, malgré tout, cette perspective l'effrayait.

De plus, son retour signerait la fin de toute aventure. Elle ne serait plus qu'une demoiselle célibataire de trente ans, ne disposant que de moyens financiers limités et sans attrait particulier aux yeux du monde, même avec le patronage de la duchesse de Saint-Jules. Une vieille fille menant une existence simple et digne à la campagne...

Sauf qu'elle n'était *pas* cette personne ! Comment pourrait-elle se contenter de ne vivre qu'à moitié, elle qui était la maîtresse d'un corsaire, qui vivait une passion d'une ardeur inconcevable pour la plupart des femmes de son monde – Arabella exceptée, bien sûr ! Jamais elle ne s'était sentie aussi vivante... et tout ce qui s'offrait à elle, c'était une retraite dans le Kent.

Soudain trop abattue pour jouir de la douceur de l'air nocturne, elle gagna l'escalier à pas lents.

*
* *

Depuis la plage, Cosimo emprunta le petit chemin qui menait au village de Saint-Aubin. Il connaissait bien les lieux car, avant la guerre, il passait des vins en contrebande de Bordeaux en Angleterre. Bien qu'ayant dû renoncer à ce trafic lucratif, il était toujours accueilli en ami à l'auberge du Lion d'Or.

— Bien le bonsoir, capitaine ! dit l'aubergiste, qui remplit aussitôt un verre à son intention. Comment ça va ?

— Bien, merci, Henri. Et vous ?

Le vieil homme haussa les épaules, l'air mi-figue mi-raisin, puis il cracha dans la sciure. Cosimo hocha la tête d'un air compatissant. Quelques minutes plus tard, la porte s'ouvrait à la volée sur deux gendarmes, auxquels son vieil ami dut verser de son meilleur vin sans espoir d'être payé un jour.

Cosimo ne se retira pas pour autant. Il répondit aussi succinctement que possible aux questions des nouveaux venus avant de leur offrir une tournée. Comme il l'espérait, l'alcool leur délia la langue et il apprit que des patrouilles étaient cantonnées dans les collines, que Napoléon Bonaparte allait conquérir le monde entier... et que le port de Bordeaux était fermé à tout navire étranger.

Au bout d'une heure, Cosimo posa de l'argent sur le comptoir et prit congé. Minuit sonnait lorsqu'il monta à bord de la *Marie-Rose*.

Assise sur la banquette, les genoux repliés, Meg était plongée dans le roman de Mrs Radcliffe. Jamais elle n'avait mis autant de temps à terminer un livre ; ce n'était pas sans une pointe de remords qu'elle songeait aux lectrices qui attendaient impatiemment le retour de *L'Italien* à la bibliothèque de prêt de Mme Carson.

Elle sauta sur ses pieds au bruit de la porte qui s'ouvrait, tandis que Gus claironnait un joyeux « Bonjour ! » et voletait jusqu'à l'épaule de Cosimo.

— Tu es revenu ! Tout s'est bien passé ? s'enquit-elle en scrutant son visage.

Cosimo se débarrassa de son manteau en secouant la tête.

— Non.

— Qu'y a-t-il ? Tu es blessé ? s'exclama Meg, soudain inquiète.

— Non, non, pas une égratignure. Moi, ça va.

— Alors, qui...

— Mon correspondant ne s'est pas présenté. Je suis obligé d'en déduire que quelqu'un, ou quelque chose, l'a empêché de venir.

— Tu y retourneras demain ?

— Non, je ne prendrai pas ce risque. C'est une règle absolue pour nous : si un rendez-vous échoue, il n'y a pas de seconde tentative.

— Dans ce cas, que vas-tu faire ?

— Ce sont des dépêches d'une importance vitale...

— Mais où sont-elles, ces dépêches ? ne put s'empêcher de demander Meg. Je peux les voir ?

En guise de réponse, Cosimo déboutonna sa veste. Une fine liasse de papiers étroitement serrés était attachée sous son aisselle

— Pourquoi voulais-tu les voir ?

Les doutes que Meg nourrissait depuis plusieurs jours lui semblèrent soudain stupides.

— Comme ça... murmura-t-elle. Que vas-tu en faire, maintenant ? Quelqu'un d'autre peut s'en charger ?

— Non, dit Cosimo en dénouant le lacet de cuir qui retenait les missives qu'il déposa sur la table des cartes.

Notre groupe est très restreint car c'est le seul moyen d'éviter les fuites. Et il n'existe plus.

— Mais… si ces dépêches sont d'une importance capitale ? insista Meg, bien qu'elle sût d'ores et déjà à quoi s'en tenir.

— Tu devines ma réponse, n'est-ce pas ?

— Oui. Quelle est leur destination finale ?

— Toulon.

Meg écarquilla les yeux.

— Toulon ? Mais c'est sur la Méditerranée ! Pour s'y rendre, il faut contourner l'Espagne et emprunter le détroit de Gibraltar !

— Tes connaissances en géographie sont irréprochables, ma douce, fit remarquer Cosimo en lui adressant un curieux sourire, à la fois attristé et interrogateur. Pour tout t'avouer, cependant, je n'ai pas l'intention d'y aller par bateau.

— Mon Dieu…

Ce fut tout ce que Meg parvint à murmurer lorsqu'elle songea au danger que représentaient non seulement la traversée d'un pays ennemi, mais aussi le transport de dépêches compromettantes.

— Viens avec moi, ajouta soudain Cosimo.

L'espace d'un instant, Meg en eut le souffle coupé. Abasourdie, elle le considéra en silence tandis que la perspective d'une aventure aussi formidable prenait forme dans son esprit. Puis elle prit une profonde inspiration.

— Comment rentrerai-je en Angleterre ? demanda-t-elle simplement.

— La *Marie-Rose* nous rejoindra à Toulon. Il lui faudra à peu près deux semaines de plus qu'à nous.

— Retournerai-je un jour chez moi ? murmura Meg plus pour elle-même que pour Cosimo.

L'attrait vertigineux d'une telle aventure ne lui faisait pas oublier la possibilité – très réelle – que celle-ci se termine tragiquement. Qu'adviendrait-il d'elle s'il arrivait quelque chose à Cosimo au cours du trajet ?

Que se passerait-il si la *Marie-Rose* sombrait au large de Toulon, coulée par un vaisseau français ? Malgré la calme assurance dont il faisait preuve, Cosimo ne pouvait lui apporter aucune garantie.

Mais était-ce si important que cela ? Elle venait de passer un long moment à ressasser la morne existence qui l'attendait à son retour. Était-elle si pressée de s'y jeter ? Prendre des risques ne lui avait jamais fait peur, bien au contraire. Certes, un risque de cette ampleur méritait quelques minutes d'une réflexion... à laquelle Meg estima avoir consacré assez de temps.

— Quand partons-nous ? s'enquit-elle.

Cosimo parvint à dissimuler son soulagement sous un large sourire. Il comprit alors à quel point il avait appréhendé d'entendre la réponse de Meg.

Non qu'il doutât de son courage, mais il ne la connaissait pas encore suffisamment pour être certain qu'elle accepterait de tourner ainsi le dos au monde qu'elle connaissait.

Elle en avait certainement pris la pleine mesure durant ces quelques minutes de réflexion ; il n'empêche qu'un dernier sursaut de conscience poussa Cosimo à s'en assurer.

— Es-tu certaine de bien comprendre ce que cela signifie ? demanda-t-il en l'attirant près de lui. Nous retournerons en Angleterre, mais je ne peux te dire quand.

— Je le sais. De toute façon, rien ne m'attend là-bas pour le moment. Je voudrais simplement écrire une dernière lettre, afin de préparer ma famille à n'avoir pas de nouvelles pendant un long moment. Qu'ils ne me croient pas morte avant que ce ne soit le cas !

— Cela peut s'arranger, assura Cosimo en l'embrassant. Vous êtes une femme merveilleusement originale, Meg Barratt.

— Aussi originale qu'Ana ? demanda-t-elle en arquant un sourcil moqueur pour montrer que sa question n'était pas sérieuse.

— D'une façon différente, répondit Cosimo, le front légèrement plissé. Dis-moi, Meg, pourquoi ne cesses-tu de faire allusion à Ana ? Est-ce que quelque chose te gêne à son sujet ?

— Comme je te l'ai déjà dit, je m'intéresse à elle. Je suppose que vous étiez amants tout autant qu'associés ?

Cosimo hocha la tête.

— Cela t'ennuie ?

Devant l'air ébahi de Meg, Cosimo se mordit la langue. Quelle question stupide ! Et non exempte de suffisance, en plus ! Un caractère comme celui de Meg ne s'encombrait pas d'un sentiment aussi mesquin que la jalousie.

— Pas le moins du monde, répondit-elle. Comment cela se pourrait-il ?

— Pardonne-moi, je dis n'importe quoi, reconnut-il. Mais tu n'as pas répondu à ma question.

Meg resta songeuse quelques instants, comme si elle cherchait les mots adéquats.

— En fait, c'est un peu étrange de... de vivre la vie de quelqu'un d'autre, finit-elle par dire lentement. Je ressemble suffisamment à Ana pour qu'on me confonde avec elle, je porte ses vêtements, je couche avec son amant, j'endosse ses aventures... D'une certaine façon, elle est présente partout, tout le temps, et j'éprouve un besoin irrésistible de la connaître mieux... pour me comparer à elle, peut-être.

Cosimo resta pensif. Il ne lui était jamais venu à l'esprit que Meg puisse éprouver des sentiments aussi complexes face à une situation qui, pour lui, découlait simplement d'un heureux hasard.

D'abord étonné, il finit par convenir que les femmes ne voyaient pas toujours les choses du même œil que les hommes. Même Ana, pourtant bien plus endurcie que Meg, l'avait quelquefois surpris par certaines réactions.

Cela dit, il ne lui appartenait pas de révéler les secrets de sa vie à Meg, d'autant qu'il lui était fort douloureux de l'évoquer, sachant ce qu'elle avait dû subir au cours des dernières semaines.

— Je ne vous compare pas, finit-il par dire d'une voix neutre, mais qui trahissait son refus d'en dire plus.

Meg comprit que le sujet d'Ana demeurait inabordable. Un coup frappé à la porte mit un terme à un silence un peu emprunté.

— On vous d'mande su'le pont, cap'taine ! cria Biggins.

— J'arrive !

Cosimo lâcha les mains de Meg et lui donna un rapide baiser.

— Tu ne peux savoir à quel point tu me rends heureux. Je ne veux pas te perdre, mon amour.

Meg sourit.

— Moi non plus, je ne suis pas prête à te quitter, Cosimo.

Quand la porte se fut refermée, Meg se dirigea vers la table aux cartes et souleva les dépêches, songeuse. En quoi ce paquet d'apparence insignifiante méritait-il qu'on risque des vies pour le transporter jusqu'à Toulon ? Après tout, réfléchit-elle, puisque Cosimo avait laissé ces papiers en évidence, en prendre connaissance ne relevait pas de l'indiscrétion…

Meg déplia donc les trois feuilles, pour s'apercevoir qu'elles ne contenaient que des suites incompréhensibles de lettres et de chiffres. Des messages chiffrés, bien sûr. Ses yeux se posèrent alors sur les dictionnaires. Et si elle essayait de les décoder, à titre d'exercice ?

Après avoir lissé les feuilles du plat de la main, elle concentra toute son attention sur les séquences de chiffres et de lettres, s'efforçant de repérer d'éventuelles répétitions. Puis, prenant le dictionnaire de Johnson, elle le feuilleta jusqu'à trouver une page annotée dans la marge. Elle reporta alors son regard sur les pages chiffrées à la recherche d'une quelconque similitude.

Meg était si absorbée qu'elle n'entendit pas la porte s'ouvrir. Elle ne s'aperçut pas non plus que Cosimo restait sur le seuil, à la regarder. Ce ne fut que lorsque Gus se posa sur le dictionnaire qu'elle se retourna avec un sursaut.

— Je ne t'ai pas entendu entrer !

— C'est ce que je vois. Que fais-tu ?

— J'essayais de découvrir le code, répondit-elle en s'efforçant de ne paraître ni coupable ni embarrassée. Comme tu les avais laissés sur la table, j'ai supposé que tu n'y verrais pas d'inconvénient.

— Mmm… murmura-t-il en tendant la main pour lui retirer les feuillets. Une supposition un peu audacieuse, Meg…

Après les avoir repliés avec soin, Cosimo glissa les documents dans sa poche tout en se félicitant d'avoir prévu ces fausses dépêches.

— C'est ma faute, je n'aurais pas dû les laisser traîner… Tu as trouvé quelque chose ? s'enquit-il pour la forme.

— Non. J'espère que tu m'apprendras. Puisque je vais remettre ces dépêches avec toi, ça ne pose sans doute pas de problème que je sache les déchiffrer ?

— Au contraire, un gros problème, si tu veux bien y réfléchir, répondit Cosimo avec une gravité inhabituelle.

Meg fronça les sourcils.

— Tu as assez confiance en moi pour me demander de t'accompagner et pour me révéler la raison de ton voyage. Et ça s'arrête là ? Je ne comprends pas…

— Alors, je vais t'expliquer. J'aurais préféré ne pas aborder le sujet, mais tu ne me laisses pas le choix. Si quelque chose arrivait durant cette mission… si jamais tu tombais entre des mains ennemies, il te serait impossible de révéler ce que tu ignores. Comprends-tu, à présent ?

Meg comprenait si bien que ses cheveux se dressèrent sur sa tête. Baissant les yeux, elle contempla ses doigts croisés sur ses genoux. Elle sentit alors la paume chaude de Cosimo se poser sur sa nuque.

— Tu as changé d'avis ? demanda-t-il doucement.

— Non, assura-t-elle en relevant la tête. Même pas durant une seconde.

Cosimo se pencha vers elle pour effleurer ses lèvres d'un baiser.

— À présent, voyons les détails pratiques.

— Oui, quand partons-nous ?

Elle ne voulait plus penser aux dangers encourus. Puisque sa décision était prise, à quoi bon chercher des raisons de se raviser ?

— D'abord une question importante : sais-tu monter à cheval ?

Meg le dévisagea avec incrédulité.

— Cosimo, je suis née et j'ai été élevée à la campagne !

— Je suppose donc que la réponse est affirmative. Puis-je aussi supposer que tu montes bien ?

— J'avais quatre ans quand j'ai suivi ma première chasse, déclara Meg avec une pointe d'ironie.

— Ma douce, tu trouveras peut-être la chose surprenante, mais la plupart des femmes de la bonne société se contentent d'un tour de Hyde Park au petit trot.

— Eh bien, sache que ce n'est pas mon cas !

Cosimo lui adressa un sourire conciliant.

— Je te crois. Au risque de me faire arracher les yeux, je passe donc à la question suivante. Parles-tu bien français ?

Meg réfléchit un instant.

— Mon accent n'est pas formidable, reconnut-elle. Il est en tout cas loin d'être aussi bon que le tien. Mais je suis capable de soutenir une conversation.

— Alors, il faut te trouver une identité qui justifiera ton accent étranger.

— Suisse, peut-être ?

— Mieux : écossaise. Les liens entre la France et l'Écosse sont encore très étroits. Tu peux donc avoir séjourné en France, dans de la famille éloignée, durant ton enfance.

— Marie Stuart, reine d'Écosse, n'était-elle pas une rouquine ? fit remarquer Meg, pince-sans-rire.

— Je crois que si. Sa cousine Élisabeth l'était, en tout cas.

— Quelle matière utile, l'histoire ! s'exclama Meg, mi-songeuse, mi-narquoise. Surtout dans le monde de l'espionnage !

— Sois sérieuse, la réprimanda Cosimo. Ce n'est pas un jeu.

— Je sais, répliqua-t-elle avec un soupçon d'agacement. Mais nous sommes encore sains et saufs sur la *Marie-Rose*. Qu'est devenu ton sens de l'humour ?

— Il a tendance à s'éclipser sans prévenir lorsque je prépare une mission, répliqua Cosimo sans s'excuser. Puis il revient.

— Je suis heureuse de l'apprendre…

Meg alla s'asseoir sur la banquette et croisa les mains sur ses genoux.

— Très bien, reprit-elle, le mien aussi a pris congé. Alors poursuivez, monsieur, je vous en prie.

Quelque chose dans son ton, dans l'inclination exagérée de sa tête, dans la fixité voulue de son regard retint l'attention de Cosimo. Meg se moquait de lui ; elle n'avait pas encore pris conscience du sérieux qu'exigeaient les circonstances. À sa place, Ana aurait été plongée dans de profondes réflexions, présenté des objections, pris en considération les plus infimes détails. Meg, elle, envisageait l'aventure avec une légèreté primesautière.

Comment le lui reprocher ? Si son esprit concevait l'existence de dangers potentiels, elle n'en avait affronté aucun dans la réalité. Cosimo ne doutait pas que, l'expérience aidant, elle ferait preuve de la plus grande circonspection lorsque cela se révélerait nécessaire.

— Le jour va se lever, et je meurs de faim, dit-il d'un ton plus désinvolte. Si tu veux, tu peux te coucher. Pour ma part, je vais tenter une incursion dans la cuisine.

Meg sauta sur ses pieds.

— Je ne pourrais pas trouver le sommeil! Et moi aussi, je suis affamée. De plus, nous devons continuer cette discussion. Maintenant qu'il est établi que je sais me tenir à cheval et que je suis d'origine écossaise, j'aimerais à mon tour te poser quelques questions.

— Alors, allons voir ce que nous pouvons trouver.

Une fois dans la coquerie, Cosimo alluma une lanterne et jeta un regard autour de lui.

— Du saucisson! dit-il en décrochant un salami.

— Du pain, ajouta Meg en ouvrant le placard dans lequel Silas gardait celui-ci. Et des couteaux... les voilà!

Cosimo la regarda, mi-ébahi, mi-amusé. Meg semblait chez elle dans le royaume de Silas, lequel recevait d'ordinaire les intrus – c'est-à-dire tout le monde hormis Biggins – sans amabilité excessive.

— Du fromage... Tu pourrais l'attraper, Cosimo? demanda-t-elle en indiquant du doigt le cheddar posé sur une étagère. Je ne suis pas assez grande.

— Avec plaisir.

— Tu trouveras du vin dans le tonneau au-dessus de la pierre à évier. Et les verres sont dans ce placard...

— Tu sembles remarquablement familiarisée avec les lieux, remarqua Cosimo en suivant ses instructions.

— Il y a près de deux semaines que je vis sur ce bateau. Je ne m'attends pas à ce qu'on s'occupe de moi... Alors, quand j'ai besoin de quelque chose, je vais le chercher.

Cosimo, qui remplissait deux verres de vin, laissa échapper un petit rire.

— Voilà qui me surprend beaucoup! J'aurais imaginé qu'une demoiselle Barratt était accoutumée à se faire servir.

— Pas par des matelots qui ont des tâches bien plus importantes, répliqua Meg en tranchant avec décision deux morceaux de pain. De plus, j'aime à les connaître. Biggins est presque un ami, maintenant. À condition que je me tienne à une distance respectueuse, bien sûr.

Tout en souriant, elle coupa le salami avec la même dextérité.

— Cela vous convient-il, cap'taine ? demanda-t-elle en esquissant une révérence.

— Tu es une femme insupportable ! répondit Cosimo en la saisissant sous les aisselles pour la soulever de terre. Tu te moques toujours de tout !

— Pas vraiment, murmura Meg en rejetant la tête en arrière pour lui offrir ses lèvres. Pas de tout...

Il la reposa doucement sur le sol puis, prenant sa tête entre ses mains, plongea son regard dans le sien.

— Es-tu absolument certaine que c'est ce que tu veux ? Réponds-moi en toute honnêteté, Meg. Réfléchis bien à ce que cela signifie. Réfléchis-y *vraiment* avant de me répondre, parce que je ne te reposerai pas la question.

Les yeux de Meg étaient aussi sérieux que ceux de Cosimo lorsqu'elle dit :

— Je pourrais commencer à me sentir blessée par ton insistance, Cosimo. Je te l'ai dit, c'est ce que je veux. Et j'y ai *soigneusement* réfléchi. Le fait que je puisse plaisanter en cet instant n'ôte rien à ma conviction ni à mon engagement. Je serai ton associée. À présent, mangeons et voyons ce qu'il reste à faire ! Figure-toi que je ne sais toujours pas ce que je suis censée être tandis que je galoperai à ton côté en parlant le franco-écossais et en secouant ma crinière rousse au bénéfice des...

Cosimo lui ferma la bouche d'un baiser, auquel elle s'abandonna sans un murmure. Le couteau à découper qu'elle avait gardé à la main tomba sur le plancher avec un bruit sourd.

Ce fut Cosimo qui le ramassa et qui, après l'avoir essuyé avec soin dans un torchon, alla le ranger avec les autres. Meg ne fut pas sans remarquer la délicatesse avec laquelle il le maniait. Il ne s'agissait pourtant que d'un simple couteau de cuisine, certes bien aiguisé. Elle-même en aurait négligemment nettoyé la lame avant de le jeter dans le tiroir sans précaution particulière.

Cosimo, lui, le traitait avec une attention presque tendre.

17

— Repassons tout encore une fois, dit Cosimo qui arpentait la cabine de long en large, les mains dans le dos.

Exaspérée, Meg leva les yeux au plafond.

— Tu crois vraiment que c'est nécessaire ?

— Oui. Il faut que tu connaisses chaque détail sur le bout des doigts. Comment t'appelles-tu ?

— Anatole Giverny, répondit Meg en soupirant. Ou Nathalie Giverny, selon la tenue que je porte.

— Avec qui voyages-tu ?

— Mon cousin, Cosimo Giverny, qui me raccompagne dans ma famille à Venise. Ma mère vit là-bas depuis cinq ans, et elle a récemment épousé un riche marchand vénitien. Malheureusement, elle est tombée malade il y a quelques mois, et on m'a demandé de venir à son chevet car il semblerait que sa vie ne tienne plus qu'à un fil.

— Bien. À présent, de quelle manière te comporteras-tu durant ce voyage ?

Encore une répétition de ce pensum et Meg allait hurler ! Cela faisait deux jours que Cosimo le lui rabâchait, au point qu'elle l'entendait même dans son sommeil.

— Cosimo, pitié ! Même profondément endormie, je donnerais les réponses correctes.

— Bien. C'est exactement ce qu'il faut. Je t'écoute...

— Je suis d'autant plus timide et réservée que je suis veuve de fraîche date, commença Meg, résignée. Je te laisse donc mener les conversations, sauf si on vient à s'adresser directement à moi. Je ne me rends nulle part non accompagnée, et je reste dans ma chambre, porte verrouillée, lorsque nous descendons dans une auberge. Si jamais quelqu'un me pose une question indiscrète, je t'en fais part...

Soudain, elle se prit la tête entre les mains.

— Seigneur! Mon rôle va consister à jouer les imbéciles et à passer mes journées enfermée dans une chambre! Ce voyage s'annonce palpitant!

L'expression de Cosimo se durcit et ses yeux prirent cette lueur glacée qu'elle détestait.

— Tu as accepté de te plier à mes règles, Meg. Mon but est que nous arrivions sains et saufs à Toulon, et je sais mieux que toi comment y parvenir. Peux-tu admettre cela?

Meg soupira de nouveau.

— Bien sûr... Il n'empêche que j'avais espéré retirer un peu d'amusement de ce voyage. Sinon, à quoi bon t'accompagner?

— Je comprends que ça te paraisse fastidieux, mais il faut en passer par là...

Le visage de Cosimo s'adoucit et il lui souleva le menton du bout de l'index.

— Cela dit, j'ai bien l'intention de saisir toutes les opportunités d'amusement qui se présenteront. Tu me crois, mon amour?

Son regard avait retrouvé sa chaleur, sa bouche esquissait ce sourire sensuel qui ne manquait jamais d'éveiller le désir de Meg. Pour cela, elle pouvait lui faire confiance, songea-t-elle lorsqu'il effleura ses lèvres d'un baiser. Et elle ne doutait pas non plus de sa capacité à la protéger. Alors, que demander de plus?

Elle s'était résignée à ne connaître de Cosimo que ce qu'il voulait bien lui montrer. Lâchement, elle préférait même qu'il en soit ainsi, car cela lui évitait de s'inquiéter. Tout ce qu'elle désirait, c'était une dernière aventure, pleine d'excitation et de passion, avant que la vie ne referme inexorablement son filet sur elle.

Et cela, Cosimo allait le lui offrir, elle n'en doutait pas.

Sous l'insistante pression de sa bouche, les lèvres de Meg s'entrouvrirent tandis qu'une vague de désir déferlait dans ses veines.

Existait-il une meilleure raison de se lancer dans une équipée insensée à travers la France en guerre, en compagnie d'un espion britannique ?

*
* *

Deux jours plus tard, par une nuit sans lune, Meg regardait les matelots descendre une malle dans un petit bateau qu'elle n'avait encore jamais vu. Plus large qu'une chaloupe, il était équipé d'une petite cabine.

Cosimo donnait ses derniers ordres à l'équipage. La *Marie-Rose* allait se rendre en Méditerranée et jeter l'ancre au large de Toulon, dans une des îles d'Hyères. C'est là qu'elle les attendrait.

Tous deux remonteraient la Garonne à bord du petit bateau en espérant aller jusqu'à Toulouse. De là, ils gagneraient Toulon par voie de terre en traversant le Languedoc et la Provence. C'était en tout cas l'itinéraire annoncé par Cosimo qui avait sans aucun doute prévu de le modifier si nécessaire.

— Prête ?

Meg sursauta en l'entendant derrière elle.

— Euh… oui, bien sûr.

Elle réussit à dominer le tremblement de sa voix, mais pas à desserrer le nœud d'appréhension qui lui contractait l'estomac.

En cet instant décisif, Meg allait-elle finalement choisir de rester sur la *Marie-Rose* s'il lui en donnait le choix ? s'interrogea Cosimo. Toutefois, il avait juré de ne plus lui poser la question et n'y reviendrait donc pas, sauf si Meg elle-même le lui demandait. Ce qu'elle ne ferait pas, il en aurait mis sa main à couper.

— Tout a été transféré à bord, lui dit-il. Nous nous approcherons de Bordeaux le plus possible cette nuit, et nous passerons la journée dans un endroit discret. Il nous faudra traverser le port la nuit prochaine, en espérant qu'il n'y aura pas de lune.

Ces explications données, Cosimo recula de deux pas.

— Laisse-moi te regarder...

Meg enfonça sa casquette sur ses yeux et prit la pose, les mains sur les hanches, le menton relevé d'un air crâneur.

— Tu fais un fort charmant jeune homme, si je puis me permettre, dit-il avec un sourire appréciateur.

Elle ne put réprimer une petite grimace. L'entraînement intensif auquel Cosimo l'avait soumise avait consisté également à lui apprendre à se comporter d'une façon masculine. Jamais elle n'aurait imaginé une telle différence entre les deux sexes, jusque dans la manière de s'asseoir ou de couper sa viande !

Bien qu'elle eût souffert de l'intransigeance de Cosimo, elle lui était reconnaissante, finalement, car cela lui permettait de se sentir plus sûre d'elle dans son déguisement.

À son tour, elle le détailla : il portait une chemise ample, pas très propre, des culottes rapiécées, un foulard négligemment noué autour du cou et des sabots qui le transformaient en un pêcheur convaincant... sans lui ôter un iota de son pouvoir de séduction.

— Je descends, reprit-il alors. Suis-moi dès que je serai sur le bateau.

L'espace d'une fraction de seconde, il scruta son visage. Comme Meg ne réagit pas, il esquissa un signe de tête presque imperceptible avant d'enjamber la coupée.

Venait-il de lui offrir une dernière opportunité de changer d'avis ? se demanda Meg. Tant qu'elle avait les deux pieds sur le pont de la *Marie-Rose*, c'était toujours possible…

Sans plus réfléchir, elle s'accrocha à son tour à l'échelle.

— Bonne chance, mademoiselle Barratt! lui crièrent les deux cousins.

— À vous aussi. Prenez bien soin de Gus!

Quand elle sauta dans le bateau, Cosimo hissait la grand-voile tout en sifflotant doucement. Puis il s'assit pour prendre la barre et, tout comme Meg, agita la main en signe d'adieu à la *Marie-Rose*. Aligné le long du bastingage, l'équipage les salua en silence.

Meg s'assit avec précaution non loin de lui, sur un banc qui courait le long de la paroi du bateau. Ce genre d'embarcation n'avait rien à voir avec la *Marie-Rose*, et les sensations y étaient totalement différentes. L'air ravi, Cosimo rejetait de temps à autre la tête en arrière pour surveiller la voile. Apparemment, une simple action sur la barre suffisait à maintenir le cap.

— Je ne connais rien à la navigation… constata Meg à voix basse.

— Ce n'est pas grave, du moment que tu sais rendre agréable la vie du capitaine de la *Rosa*, répondit Cosimo en souriant.

— Je pense que c'est à ma portée, répliqua-t-elle en souriant à son tour. Ainsi, il s'appelle la *Rosa*?

— Ça paraît tout à fait approprié pour un rejeton de la *Marie-Rose*, non? Si tu veux, tu peux descendre dans la cabine et voir ce qu'il y a en matière de provisions. Je crains fort que tu n'aies à t'occuper de la nourriture et de ce genre de choses. En tout cas, tant que je serai à la barre.

Meg suivit son conseil. Après avoir descendu deux marches, elle se retrouva dans un espace si étroit qu'elle pouvait à peine se tenir debout. Comme elle ne distinguait par grand-chose dans l'obscurité, elle repassa la tête à l'extérieur.

— Est-ce que je peux allumer une lampe ? chuchota-t-elle.

— Il y a une lanterne sur la table. Tu trouveras un briquet dans le tiroir au-dessous. Mais règle la mèche au plus bas.

La table, Meg la trouva en heurtant douloureusement de la hanche un coin aigu. À tâtons, elle ouvrit le tiroir, dénicha le briquet et réussit à allumer la lanterne. Elle découvrit alors une cabine miniature comportant une couchette si étroite qu'ils ne pourraient y dormir qu'à tour de rôle.

De paquets étaient soigneusement rangés à la proue. Elle fit l'inventaire de leurs richesses : du café, du thé, du fromage, la moitié d'un jambon et une miche de pain. Pas de quoi survivre jusqu'à Toulouse ! Sans doute s'arrêteraient-ils en chemin pour se procurer des vivres. Un examen plus approfondi lui fit également découvrir un baril d'eau douce, une bouilloire, ainsi qu'une casserole et une poêle.

— Comment chauffe-t-on l'eau ? demanda-t-elle en passant de nouveau la tête au-dehors.

— Il doit y avoir un brasero et un sac de charbon. Mais nous ne ferons pas de cuisine cette nuit. Dans un des placards sous la couchette, il y a quelques bouteilles. Apporte-moi un verre de vin, du pain et du fromage.

— À vos ordres, cap'taine ! dit Meg avec un petit salut. Puis-je en apporter pour moi aussi, ou bien le mousse doit-il dîner après son commandant ?

— Je suis désolé, mais je ne peux quitter la barre si nous voulons atteindre Bordeaux avant le matin.

Meg rassembla du pain, du fromage et du jambon sur une assiette. Puis, munie d'une bouteille de vin, elle rejoignit Cosimo.

— Ce n'est pas très élégant, j'en ai peur, dit-elle en lui présentant le résultat de ses efforts.

— C'est parfait. Tu peux aller dormir, à présent.

— Je n'ai pas du tout sommeil, et j'aimerais bien partager ton pique-nique. Je ne dors pas sur commande, tu sais, fit-elle remarquer.

— Tu apprendras, répliqua-t-il avec désinvolture. Mais tu seras ton propre professeur...

Saisissant la bouteille de vin, il la porta à ses lèvres.

Un peu perplexe, Meg l'observa subrepticement. Il n'était plus vraiment le même, mais en quoi ? Elle ne parvenait pas à se l'expliquer : il y avait quelque chose de différent dans son attitude, de plus réservé dans ses manières. Mais peut-être un espion entrant en territoire ennemi se comportait-il ainsi par obligation, auquel cas elle serait sotte d'en prendre ombrage.

Après avoir bu une gorgée de vin au flacon qu'il lui tendait, elle étala du fromage et du jambon sur une tranche de pain qu'elle lui donna. Il la remercia d'un signe de tête.

Ils mangèrent en silence tandis que le bateau, poussé par une brise légère, glissait sur l'eau sans effort. À cet endroit, l'estuaire de la Gironde était trop large pour que Meg puisse distinguer les rives, mais les eaux étaient déjà nettement plus calmes qu'en haute mer.

Gagnée par la paix hypnotique de la nuit, Meg sentit bientôt ses paupières s'alourdir.

— Je vais peut-être essayer de dormir, murmura-t-elle.

Cosimo rit doucement.

— Sage décision, dit-il, moqueur.

À son tour, Meg laissa échapper un gloussement.

— Très bien, capitaine Cosimo ! Vous avez raison, comme toujours.

Une fois debout, elle s'étira.

— Es-tu sûr de n'avoir pas besoin de moi ? Ne serait-ce que pour te tenir compagnie ?

— J'ai besoin de toi, ma douce, mais pas pour le moment. Embrasse-moi et descends.

— Je ne dormirai pas longtemps, promit-elle en effleurant ses lèvres.

— Non, j'en suis sûr…

Meg ne remarqua pas le sourire fugitif qu'il esquissa.

*
* *

L'aube teintait le ciel d'un rose orangé lorsque la *Rosa* atteignit le confluent de la Dordogne et de la Garonne. Après en avoir débattu intérieurement, Cosimo décida de remonter cette dernière même s'il s'agissait d'un itinéraire plus risqué. Si nécessaire, ils abandonneraient le bateau plus tôt que prévu et continueraient par voie terrestre sous un autre déguisement.

Il se mit alors en quête d'un endroit abrité où passer la journée en toute sécurité. Dès le crépuscule, une fois que le trafic local sur le fleuve aurait cessé, il remettrait à la voile pour passer sous les murs de Bordeaux dans l'obscurité.

Après avoir bifurqué vers un mince affluent que la légèreté de la *Rosa* lui permettait d'emprunter sans risque, Cosimo affala la voile et mouilla l'ancre. Puis il s'étira, douloureusement conscient de la raideur de ses épaules après toutes ces heures passées immobile, à la barre.

Meg remua quand il entra dans la cabine. Puis elle roula sur le dos, ouvrit les yeux et lui adressa un sourire tout ensommeillé.

— Tu avais raison, encore une fois, murmura-t-elle. J'ai passé une des meilleures nuits de ma vie !

Après avoir ôté ses sabots, Cosimo contourna la table avec précaution.

— Accorde-moi deux heures de sommeil, et nous aurons ensuite toute la journée pour nous divertir.

Meg se redressa sur la couchette et s'assit. La vue des traits tirés de Cosimo la tira définitivement des limbes du sommeil.

— Y a-t-il quelque chose que je puisse faire pendant que tu dors ? demanda-t-elle en se levant.

— Non, fais ce qu'il te plaît, répondit-il en se laissant tomber sur la couchette. Je pense qu'il n'y a pas de danger à allumer le brasero pour faire du café. Le bateau est amarré. Réveille-moi tout de suite s'il se passait quelque chose.

Là-dessus, il ferma les yeux et s'endormit instantanément.

Meg monta sur le pont. Autour du bateau, elle ne vit que des roseaux. En revanche, une légère odeur de fumée flottait dans l'air. Sans doute y avait-il une maison ou un hameau non loin… Elle hésita. Était-ce si sûr que cela d'allumer le brasero ? La perspective d'une tasse de café devenait de plus en plus alléchante, mais Cosimo savait-il qu'il y avait un foyer non loin ?

Indécise, elle redescendit. Cosimo semblait dormir d'un sommeil de plomb, au point qu'elle douta de parvenir à le réveiller.

Non, je me trompe, corrigea-t-elle *in petto*. À la moindre alerte, il sauterait sur ses pieds.

Elle finit par boire un verre d'eau avant de retourner sur le pont. Un filet de fumée s'élevait à présent derrière les roseaux ; un bruit de voix lui parvint puis une barque apparut, se frayant un passage entre les hautes herbes. Deux enfants la manœuvraient.

— Bonjour, m'sieur, dirent-ils en la regardant avec curiosité.

— Bonjour, les enfants.

— Vous allez à Bordeaux ?

Meg réfléchit à toute allure. Pourquoi ces enfants pensaient-ils qu'une modeste embarcation comme la leur se dirigeait vers le gigantesque port de Bordeaux ? Peut-être était-ce la seule destination possible pour un bateau venu de nulle part mais, même à des enfants, elle ne pouvait rien révéler.

— Non, répondit-elle avec un haussement d'épaules désinvolte. Mon cousin et moi sommes en vacances.

Meg se mordit aussitôt la langue. Qui, au nom du Ciel, s'aviserait de naviguer pour le plaisir dans un pays en guerre ? Elle se serait giflée ! Les enfants, toutefois, ne parurent rien trouver d'étrange à son explication.

— Vous pêchez ?

— Oui, c'est ça, dit-elle, soulagée.

— Bonjour ! lança soudain Cosimo derrière elle. Il fait beau, hein ?

— Oui, m'sieur. Bonne journée !

Ils disparurent dans les roseaux avec une hâte un peu suspecte.

— Tu leur as fait peur, dit Meg en se tournant vers Cosimo. Ils ont des soupçons, tu crois ?

— J'en doute. Deux simples pêcheurs...

— J'ai dit que nous étions en vacances, confessa-t-elle. Deux pêcheurs en vacances...

Comme Cosimo éclatait de rire, elle ajouta :

— Ils ne vont pas nous croire. Il suffit de nous regarder...

— Ma douce, là n'est pas le problème, au contraire. Les villageois qui vivent le long de ces petits cours d'eau ont tendance à se réserver le droit d'y pêcher. Ils vont donc nous considérer comme des braconniers et, si je ne m'abuse, ne vont pas tarder à nous chasser d'ici. Mieux vaut prendre les devants et filer.

Déjà, Cosimo s'affairait sur le bateau.

— Je ne peux pas t'aider ? demanda Meg, frustrée de ne pouvoir se rendre utile, tandis qu'il hissait la voile puis le foc.

— Assieds-toi là et prends cette poignée, lui indiqua Cosimo. Tu la repousseras quand je te le dirai. Baisse-toi !

Tout en parlant, il s'était saisi de la barre de gouvernail ; Meg se plia en deux pour laisser la bôme passer au-dessus de sa tête. Le vent gonfla la voile et la *Rosa* pivota lentement. Meg attendit, la main sur la poignée de bois qui dépassait des planches entre ses pieds. Elle n'avait aucune idée de son utilité mais, quand Cosimo lui en donna l'ordre, elle la repoussa. Le petit bateau s'élança sur l'eau.

— Tu feras bientôt un vrai marin, dit Cosimo. À présent, tu peux allumer le brasero et nous faire du café pendant que je cherche un endroit moins fréquenté où mouiller.

*
* *

Meg conservait une immobilité de statue tandis que, au plus profond de la nuit sans lune, la *Rosa* glissait telle une ombre sous les canons de Bordeaux. Seul le foc était hissé, en toile noire afin de se fondre dans l'obscurité.

Pour ne pas risquer d'être aperçu des sentinelles en surplomb, Cosimo longeait la rive au plus près. Des bruits de voix leur parvenaient des quais, et Meg surprit même les halètements et les cris d'extase feints d'une prostituée et de son client.

De gigantesques vaisseaux encombraient le port, et Cosimo guidait avec précaution la *Rosa* entre leurs flancs majestueux, s'appliquant à rester dans leur ombre de crainte d'être repéré par les hommes de quart.

Enfin, ils laissèrent la ville derrière eux. Meg relâcha doucement son souffle. Au sourire éclatant que lui adressa Cosimo, elle comprit qu'il avait savouré chacune des minutes écoulées. Cet homme s'épanouissait au contact du danger et, à l'allégresse qui pulsait dans ses propres veines, Meg comprit qu'il en allait de même pour elle.

— Et maintenant? chuchota-t-elle.

— Nous allons essayer d'aller le plus loin possible avant l'aube. Je suis fatigué, Meg, ajouta-t-il en lui faisant signe de venir vers lui. Tu peux me remplacer?

Prise de court, elle cligna des yeux. Cosimo ne lui avait quasiment rien appris sur la manière de diriger un bateau, et il suggérait qu'elle prenne sa place alors qu'il dormirait?

Cosimo attendit patiemment sa réponse. Si Meg acceptait, ce serait de bon augure pour la suite de cette mission ; dans le cas contraire, il aurait aussi appris quelque chose de primordial.

— Cela ne semble pas très compliqué, dit-elle au bout d'une minute. Tant que nous ne devons pas naviguer au sein d'une escadre ennemie, du moins.

— Non, il n'y a aucun danger. Nous avons le vent dans le dos ; tout ce que tu as à faire, c'est veiller à ce que la voile reste gonflée. Tu as eu un aperçu de la façon dont cela se passe sur la *Marie-Rose*. Là, c'est bien plus facile…

— D'accord. Va dormir, répondit-elle en lui prenant la barre des mains.

— Crie si tu as besoin de moi, lui recommanda Cosimo en affectant de bâiller.

En vérité, il n'avait nullement l'intention de dormir pendant que Meg dirigerait la *Rosa*, mais elle n'avait pas besoin de le savoir.

— Je n'y manquerai pas, assura-t-elle.

Les yeux fixés sur la toile, elle s'installa aussi confortablement qu'elle le put, envahie d'une extraordinaire sensation de liberté et de compétence.

Pendant ce temps, allongé les yeux grands ouverts sur la couchette, Cosimo écoutait les grincements de la voile et le clapotement de l'eau contre la coque en souriant de satisfaction. Bientôt viendrait le moment où il dirait à Meg ce qu'il attendait exactement d'elle.

*
* *

Plissant les yeux, Meg scruta l'obscurité. Non, elle ne se trompait pas : un bateau venait bien au-devant de la *Rosa*. Elle ignorait depuis combien de temps elle tenait le gouvernail, mais la barre semblait soudée à sa paume. À défaut de l'endormir – elle était bien trop tendue pour cela – le mouvement hypnotique du bateau l'avait mise dans un état second, à cause duquel elle avait tout d'abord cru à un produit de son imagination.

Non seulement ce n'était pas le cas, mais l'embarcation semblait se diriger droit sur eux.

— Laisse-moi la barre...

Cosimo venait de se matérialiser à côté d'elle comme par enchantement. Meg glissa sur le banc pour lui céder la place.

— Descends et ne te montre pas, ajouta-t-il dans un chuchotement. Je ne veux pas qu'ils sachent que nous sommes deux.

Après s'être faufilée par l'écoutille, Meg grimpa sur la couchette et se recroquevilla tout au fond, contre la paroi. Elle entendit Cosimo saluer l'autre bateau dans un patois grossier qu'elle comprenait à peine. Ce qu'elle comprit très bien, en revanche, c'est qu'on lui signifiait d'abaisser la voile puis d'attendre qu'on monte à bord.

Elle devina qu'il obtempérait lorsque la *Rosa* dansa brusquement et que le grincement de la voile qu'on abaisse résonna dans la minuscule cabine. Un choc sourd l'avertit que quelqu'un venait de sauter sur le pont, juste au-dessus de sa tête. Il fut suivi d'un autre. Deux personnes... investies d'une autorité quelconque, certainement. Sinon pourquoi Cosimo aurait-il obéi à leurs injonctions ? Elle eut beau tendre l'oreille, elle ne comprit pas les propos qui s'échangeaient car les hommes parlaient trop vite et avec un accent trop appuyé.

Sans faire le moindre bruit, Meg ôta sa chemise qu'elle fourra sous l'oreiller puis, nue jusqu'à la ceinture, s'enfonça sous la couverture en retenant son souffle. Il n'existait aucun endroit où se cacher sur le bateau ; si toutefois ces hommes le fouillaient, elle se dissimulerait derrière une façade.

Lorsqu'elle entendit un pied se poser lourdement sur la première marche, elle laissa échapper un petit cri de frayeur. La tête barbue d'un homme s'encadra dans l'étroite ouverture, puis il descendit dans la cabine.

— Viens donc voir ici, Luc! cria-t-il alors avec un épouvantable accent.

Un second homme apparut, grand et lourd, comme bouffi de mauvaise graisse. Il attacha un regard concupiscent sur Meg qui, la couverture relevée jusqu'au menton, écarquillait de grands yeux effrayés.

— J'croyais qu'y disait qu'il était tout seul…

Meg vit alors Cosimo. Débarrassé de ses sabots, il descendit l'escalier pieds nus, sans faire le moindre bruit. Elle vit la lame qui étincelait dans son poing serré; elle vit son visage – un visage qu'elle ne lui connaissait pas, empreint d'une intense concentration associée à une impassibilité totale.

Se redressant brusquement sur la couchette, ce qui eut pour effet de faire tomber la couverture, Meg hurla. Les deux hommes fixèrent alors les yeux sur son buste nu, et le barbu éclata d'un rire moqueur.

— Tu parles d'une putain! Le pauvre gars, il en a pas pour son argent!

Son compagnon partit d'un gros rire.

— T'as vu ces noisettes? s'exclama-t-il en figurant, de ses pouces et de ses index arrondis, de minuscules seins sur son torse gras. Pas étonnant qu'y prétendait être tout seul!

Les yeux agrandis par une frayeur qui n'était pas totalement feinte, Meg regarda les deux hommes. Prestement, elle remonta la couverture jusqu'à son cou avant de se rencogner au fond de la couchette en affectant un air de chien battu.

Cela ne l'empêcha pas de remarquer que Cosimo, debout derrière eux, ne tenait plus son couteau. Où l'avait-il dissimulé? Elle n'aurait su le dire. Dans ses yeux, l'impassibilité avait totalement disparu; ils brillaient à présent d'une fureur qui, si elle fit courir un frisson le long de la colonne vertébrale de Meg, lui sembla infiniment préférable au détachement glacé dont il avait fait preuve quelques instants plus tôt.

Sans un mot, il tourna les talons et remonta sur le pont. S'esclaffant toujours bruyamment, les deux hommes lui emboîtèrent le pas.

Meg écouta les échanges paillards qui s'ensuivirent, auxquels Cosimo fit chorus en se moquant de la pitoyable prostituée qu'il avait achetée sur les quais de Bordeaux pour lui tenir compagnie jusqu'à Cadillac, où il comptait la revendre au plus offrant.

C'est moi qui ai choisi ce rôle, songea Meg avec une grimace, je peux difficilement me lamenter sur ses retombées !

Il n'empêche qu'entendre ainsi brocarder son manque d'attributs féminins lui restait sur le cœur. Dire que ces deux imbéciles ne sauraient jamais qu'elle leur avait sauvé la vie ! Ils buvaient à présent de la bière qu'ils étaient allés chercher sur leur bateau, d'après ce qu'elle devina.

Blottie sous la couverture, Meg ne parvenait pas à oublier l'expression de Cosimo tandis qu'il se glissait à pas de loup, couteau à la main, derrière les deux hommes. Il prétendait ne pas avoir tué les gardes, à Quiberon, mais qui sait s'il ne mentait pas ?

Un frisson la parcourut malgré la douceur de la nuit. Cet homme qui lui faisait l'amour avec tant de tendresse, tant de passion, était un assassin, inutile de se leurrer davantage. Peu importe, finalement, qu'il ait supprimé ou non les gardes de Quiberon. Cette nuit, sur ce bateau, il était prêt à tuer. Qu'aurait-il fait des corps ? Les aurait-il jetés par-dessus bord ?

Cosimo avait tout planifié avant de tirer son couteau, Meg en était persuadée. La perspective d'une paisible retraite dans un village perdu du Kent se teinta tout à coup de couleurs plus riantes…

Lorsqu'elle entendit les deux hommes quitter la *Rosa* avec force adieux, elle se redressa. Baissant la tête pour ne pas heurter le plafond, Cosimo revint dans la cabine.

— Eh bien, ce fut une prestation intéressante, dit-il en s'asseyant au bout de la couchette.

Dans ses yeux, la fureur avait cédé la place à une perplexité évidente.

— Je pourrais en dire autant à ton sujet, répliqua Meg. Qui étaient ces hommes ?

— Des gardes quelconques, répondit-il avec un imperceptible haussement d'épaules. Maintenant que nous avons attiré l'attention, j'ai bien peur qu'il ne nous faille quitter la rivière...

Il s'était penché en avant. Doucement, il tira sur la couverture que Meg tenait entre ses mains crispées, dévoilant ainsi sa poitrine.

— J'adore tes seins... murmura-t-il en refermant ses mains chaudes dessus, le regard plongé dans celui de Meg.

Les plaisanteries grossières des deux hommes l'avaient touché au vif sans qu'il sût pourquoi. Face au danger, Meg avait réagi avec rapidité et sang-froid, ce qui aurait dû le satisfaire. Au lieu de cela, une colère irrépressible l'avait submergé, et ce n'est qu'au prix d'un effort surhumain qu'il s'était retenu d'envoyer son poing à la figure des deux hommes. Jamais il ne s'autorisait à laisser ses émotions prendre le dessus, surtout dans ce genre de situation. Ce soir, pourtant, il s'en était fallu d'un rien...

Meg posa ses mains sur les siennes.

— Je n'ai pas été offensée, dit-elle en s'efforçant de sourire.

Elle mentait, mais Cosimo paraissait si affecté qu'elle éprouvait le besoin de le rassurer.

— C'étaient des rustres, grommela-t-il.

— Oui, acquiesça-t-elle avec un petit rire qu'elle espérait convaincant. Mon amour-propre n'est pas le moins du monde froissé, Cosimo.

Il scruta longuement son visage, comme s'il ne la croyait pas, puis se pencha pour l'embrasser tout en la repoussant doucement sur la couchette.

— Il n'a aucune raison de l'être, dit-il avant de s'allonger sur elle.

Ses lèvres se refermèrent sur l'un de ses seins tandis que sa main s'insinuait entre ses cuisses.

— Tu t'apprêtais à les tuer ! s'exclama Meg en s'écartant pour échapper à sa caresse. J'ai vu ton couteau.

Cosimo laissa retomber sa main et reprit sa position au bout de la couchette. De nouveau, il la dévisagea avec intensité.

— Meg, as-tu la moindre idée de ce qui aurait pu se passer ? Nous avons été abordés par les représentants d'une autorité quelconque, et elles sont nombreuses le long de ces rivières, les unes officielles, les autres non, sans que cela fasse de différence. Je leur avais dit que j'étais seul. Une fois qu'ils t'ont vue...

— Ils se sont bien amusés à nos dépens, l'interrompit Meg, et sont repartis vaquer à leurs affaires de fort bonne humeur.

— Dans le cas contraire, ils nous auraient jetés en prison, reprit Cosimo d'une voix plus dure. Ces rustres ont peu de divertissements, je te laisse imaginer ce que cela aurait signifié.

— Tu prétendais que tu ne tuais pas pour le plaisir...

Elle gardait les yeux fixés sur les siens, dans l'attente d'y voir réapparaître cette impassibilité glaciale qui l'avait bouleversée. Or, l'expression de Cosimo ne changea pas lorsqu'il répondit :

— C'est la vérité.

— Mais il t'arrive de tuer ?

— Quand je ne peux l'éviter, quand ma vie est en danger... ou la vie de ceux auxquels je tiens.

Il jugea préférable de ne pas dire à Meg, pour le moment, qu'il tuait aussi pour défendre une cause, et qu'une provocation personnelle n'était pas indispensable pour qu'il passe à l'acte. Cela, elle n'était pas encore prête à l'entendre.

— C'est une sale besogne, mon amour, ajouta-t-il d'une voix adoucie. Quand tu joues dans la boue, tu ne peux t'attendre à garder les mains propres.

— Non, j'imagine, murmura Meg, les yeux fixés dans le vague.

Le monde dans lequel évoluait Cosimo ne lui laissait d'autre choix que d'être prêt à toute éventualité. Elle imaginait fort bien ce que ces hommes auraient pu lui faire, ou faire à Cosimo, s'ils en avaient eu l'envie ou l'opportunité.

Pourquoi se torturait-elle ainsi ? En acceptant de le suivre, elle s'était engagée dans une aventure palpitante en compagnie d'un amant merveilleux. Rien de plus. Explorer les tréfonds de son âme n'avait jamais été l'un de ses buts.

— Et maintenant ? demanda-t-elle pour changer de sujet. Ne sommes-nous pas à la dérive au beau milieu de la Garonne ?

— Pas vraiment, répondit Cosimo en lui tendant les bras. La *Rosa* est à l'ancre, et si tu es prête pour une brève rencontre, je suis à ta disposition.

Meg ne se sentait pas d'humeur.

— Je suis désolée, dit-elle avec un sourire contraint, mais je crois qu'en matière de rencontres, j'ai eu mon content pour ce soir. Je n'ai pas très envie de…

Cosimo se leva aussitôt.

— Bien sûr. Quelle brute je fais ! Tu as passé un horrible moment… Nous allons naviguer jusqu'à l'aube, puis nous trouverons une petite ville où je pourrai vendre le bateau. Ensuite, nous continuerons par voie terrestre. Dors, Meg, ajouta-t-il en l'embrassant doucement. Demain, ça ira mieux.

Les yeux ouverts, le corps tendu comme un arc, Meg demeura immobile sur la couchette.

Non, cela n'irait pas mieux demain. Elle devait cesser de prétendre qu'il ne s'agissait que d'un jeu. Son aventure amoureuse se déroulait sur le sol ennemi, son amant était un espion et, à l'occasion, un assassin sans états d'âme. Comment avait-elle pu être assez insensée pour croire qu'elle parviendrait à occulter cette réalité pour ne retenir que l'histoire romantique ? Comment avait-elle pu être aveugle au point d'imaginer que le genre d'homme qu'il était lui importait peu ?

En fait, cela lui importait. Énormément, même...

18

Depuis l'arrière de la *Rosa*, Meg écoutait Cosimo marchander avec un pêcheur de Cadillac. En l'entendant négocier la vente du bateau, son cœur se serra légèrement. Ces deux derniers jours, elle s'était habituée au doux balancement de la petite embarcation, au murmure de la rivière, et même à l'étroitesse de la couchette.

Cosimo avait pris le risque de rester un jour de plus sur la Garonne, de manière à atteindre Cadillac. Bien que modeste, la ville était de loin plus importante que les hameaux qu'ils avaient longés, et il escomptait y obtenir un meilleur prix pour le bateau. En outre, il espérait y trouver de bons chevaux pour la suite de leur expédition.

Finalement, les deux hommes crachèrent dans leur paume et se serrèrent la main pour conclure le marché.

— Voilà qui est fait ! annonça Cosimo en revenant vers Meg. Pour le meilleur et pour le pire. Il y a une petite auberge en ville. Ce n'est pas le grand luxe, mais nous n'y passerons qu'une nuit, le temps que je prépare notre départ. Une charrette va venir prendre la malle.

Meg hocha la tête.

— La *Rosa* va me manquer, murmura-t-elle.

Cosimo scruta son visage. Le regret de quitter le bateau justifiait-il seul son abattement ? Depuis la pénible rencontre de la nuit précédente, Meg n'avait

247

pas recouvré son exubérance coutumière. Il s'était abstenu de la solliciter – en partie, il devait bien se l'avouer, parce qu'il craignait un nouveau rejet de sa part.

Peut-être commençait-elle tout simplement à prendre conscience des dangers de ce voyage. Dans ce cas, le plus sage était de la laisser assimiler la réalité à sa manière.

— Une chose qui ne te manquera pas, j'en suis sûr, ce sont nos repas sur le pouce! dit-il d'un ton guilleret. Je te promets un bon dîner, ce soir. Le logement offert par le Cheval blanc est un peu sommaire, mais la cuisine y est soignée.

Meg répondit à ces mots par un sourire qui ne lui coûta presque plus d'efforts. Elle avait fini par se convaincre qu'il lui revenait de lutter pour ajuster ses rêves à la réalité. Même si, d'ordinaire, elle ne versait pas dans la sentimentalité, elle s'était laissée aller à des songeries fantasques auxquelles l'épisode de la nuit dernière avait mis un terme brutal. Tout bien considéré, ce n'était pas tant Cosimo qui était à blâmer qu'elle-même.

Elle avait idéalisé une aventure dont elle ne voulait voir que le côté passionné ; restait à reprendre pied dans le réel, et ce n'était pas le plus facile...

— À partir d'ici, nous voyagerons donc à cheval? demanda-t-elle en s'efforçant de paraître intéressée.

— Pour commencer, oui.

— Mais... que ferons-nous de la malle?

— Nous la laisserons ici et transférerons son contenu dans des sacoches de selle. Une fois que nous aurons quitté la ville, tu pourras reprendre une tenue féminine et voyager à l'occasion en chaise de poste.

Meg secoua la tête avec vigueur.

— Je ne supporte pas de voyager en voiture. Ça me rend malade.

— Comme c'est curieux! dit Cosimo en lui pinçant légèrement l'oreille. Tu en es sûre? Tu n'as jamais eu le mal de mer...

— Sûre et certaine, répondit-elle d'un ton catégorique. Je ne peux pas rester plus d'une heure dans une voiture sans vomir.

— Eh bien, nous verrons.

Cosimo mourait d'envie de la prendre dans ses bras et de l'embrasser pour effacer les petites rides qui lui barraient le front. Malheureusement, le pont d'un bateau amarré au cœur d'une petite ville bruissante d'activité n'était pas le lieu idéal pour des démonstrations d'affection entre deux marins.

— Qu'est-ce qui t'amuse ? ne put s'empêcher de demander Meg lorsqu'elle vit briller une lueur malicieuse dans son regard.

Cosimo le lui dit et en fut récompensé par un éclat de rire qui lui réchauffa le cœur.

— Je préfère cela. Pourquoi étais-tu si sombre ces dernières heures ? s'aventura-t-il à demander.

Meg haussa les épaules.

— J'étais un peu abattue, je suppose.

— Et maintenant ?

La décision de Meg fut soudain prise. À quoi servait de ruminer les événements passés ? À rien, sinon à lui gâcher la vie. Il était temps pour elle d'aller de l'avant.

— Je me sens mieux, assura-t-elle.

— Peut-être ai-je attendu de toi que tu coures avant de savoir marcher, dit pensivement Cosimo. Mais tu réagis de façon si rapide en cas de problème que j'ai tendance à oublier que tu n'as aucune expérience.

Meg ne s'attendait pas à éprouver un tel plaisir en recevant ce compliment. Elle avait remarqué, sur la *Marie-Rose*, que Cosimo n'en prodiguait guère à son équipage. Pas plus que des critiques, d'ailleurs. Il plaçait haut la barre de ses exigences et ne paraissait pas concevoir qu'on pût ne pas l'atteindre, voire la dépasser. Jusqu'à présent, les appréciations flatteuses que Meg avait reçues ne concernaient que les charmes de son corps ou les délices des joutes amoureuses partagées.

— Oh! je vous remercie, gentil seigneur! répondit-elle avec une révérence moqueuse.

Cosimo effleura la fossette qui creusait son menton puis, recouvrant son sérieux :

— Tu resteras à l'auberge le temps que je vide le bateau et que je réserve des chevaux. Nous avons suffisamment attiré l'attention sur nous ; moins tu te montreras, mieux cela vaudra.

Meg ne fit aucune objection. Ce qui ne l'empêcha pas, une fois à l'auberge, de froncer les sourcils en découvrant la chambre crasseuse et le matelas plein de puces.

— Il n'y a aucun autre endroit en ville? murmura-t-elle dès que l'aubergiste les eut laissés.

— Hélas! non. Mais ce ne sera que pour cette nuit. Nous partirons dès l'aube.

— Si les puces ne nous ont pas entièrement dévorés, répliqua Meg en enfonçant un index dégoûté dans le matelas de paille. Il n'y aurait pas un morceau de toile propre sur le bateau? Quelque chose d'assez épais pour nous protéger des morsures?

— Je te rapporterai ce que je trouverai, promit Cosimo. À présent, reste ici sans te montrer. Je serai de retour dans une heure.

À son regard, il pressentit que Meg allait protester. D'un geste rapide, il referma ses bras autour d'elle et l'embrassa avec une fermeté censée lui signifier leur inéluctable séparation. C'est alors que, pour la première fois depuis deux jours, il la sentit répondre à son étreinte. Il lui caressa le dos puis, relevant la tête, plongea son regard dans le sien. La flamme de la passion dansait de nouveau dans les prunelles vertes de Meg.

— Te sens-tu d'attaque? chuchota-t-il contre son oreille tout en déboutonnant les culottes qu'elle portait pour les faire glisser sur ses hanches.

— Je ne m'approcherai pas de ce lit!

Cependant, déjà, elle se débarrassait à la hâte de ses culottes et de ses sandales. D'une main fébrile, elle ouvrit ensuite la chemise de Cosimo et essaya de la lui arracher.

— Attends... une minute, mon amour, murmura-t-il tout contre sa bouche.

Sans lâcher la taille de Meg, il l'entraîna vers la fenêtre. Là, il étendit sa chemise sur la pierre grossière du rebord.

— Oh! ingénieux! s'exclama-t-elle, les yeux élargis par l'amusement et l'excitation.

Elle sauta quand il la souleva pour l'asseoir sur l'appui de fenêtre, sa chair nue protégée par l'épais coton de la chemise.

— Allons-nous offrir un spectacle à quiconque s'aviserait de passer?

— Notre public se limite à deux vaches, répondit-il en jetant un coup d'œil dans le champ en contrebas tandis qu'il finissait de se déshabiller. Sois sérieuse, maintenant. Ne t'a-t-on jamais avertie des risques de déconfiture liés à une légèreté inopportune?

— Je ne constate aucun effet de ce genre, répliqua-t-elle, la main refermée sur la preuve du désir de Cosimo.

Penchée en avant, elle se mit à lui mordiller la lèvre inférieure tandis qu'elle insinuait son autre main le long de ses reins, puis sur ses fesses.

Cosimo laissa échapper un son étouffé avant de glisser à son tour ses mains sous les cuisses de Meg. Les bras accrochés autour de son cou, elle lui ceintura les hanches de ses jambes. Ils étaient à présent ventre contre ventre et, d'une douce poussée, Cosimo vint en elle.

La tristesse et l'appréhension des deux derniers jours se dissipèrent au fur et à mesure que le plaisir la gagnait. Comment pourrait-elle avoir peur d'un homme qui lui donnait une telle joie? Seul quelqu'un en qui elle avait toute confiance, quelqu'un à qui elle pouvait se donner sans aucune retenue, était capable de lui apporter une telle félicité.

Incapable de retenir la vague qui la submergeait, elle enfouit sa tête contre l'épaule de Cosimo au moment même où il répandait sa semence en elle.

Quand ils eurent repris leur souffle, elle desserra l'étreinte de ses jambes et glissa doucement le long de son corps, jusqu'à ce que ses pieds touchent le sol.

— Par tous les diables… murmura-t-il en passant la main dans les boucles emmêlées de Meg. Peut-être qu'une brève abstinence, de temps à autre, a quelque chose de bon…

Meg sourit faiblement.

— Sauf que nous avons oublié de prendre des précautions, cette fois.

Cosimo avait oublié, effectivement. Dans l'ivresse de cet instant d'extase – et pour la première fois – il n'y avait plus pensé.

— Je devrais avoir mes règles dans deux jours, ajouta Meg en voyant son expression.

Cosimo hocha la tête. Il ne servait à rien de se lamenter tant qu'il n'y avait pas de raison pour cela.

— Je dois retourner sur la *Rosa*, ma douce. Ensuite, j'irai dans une écurie de louage et…

— Et je n'ai pas l'intention de rester dans ce trou à rats à me tourner les pouces pendant des heures, l'interrompit Meg en renfilant ses culottes.

L'intensité sauvage de ces quelques instants avait réveillé son énergie. Elle ne resterait pas cachée dans cette chambre répugnante.

— J'ai l'œil sûr pour les chevaux, continua-t-elle, car mon père en élève pour la chasse. Je vais trouver ce qu'il nous faut. Il faut simplement que tu me donnes de quoi les payer.

Cosimo n'hésita qu'un instant. Plus Meg s'investirait dans les détails de cette mission, moins il aurait de difficultés à la convaincre au moment décisif.

— Comme tu veux, acquiesça-t-il en se rhabillant à son tour. Mais il serait bon d'arranger un peu ton apparence avant de sortir.

— Ah bon ?

Intriguée, Meg le regarda fouiller dans un sac qu'il avait apporté avec lui.

— Voilà ma boîte magique. Viens ici, beau Ganymède, lui dit-il en ouvrant un petit récipient métallique.

Meg s'approcha avec circonspection. Cosimo tenait à la main un mince crayon ainsi qu'un petit pot rond.

— Qu'est-ce que c'est ?

— Un crayon et du charbon. Je vais accentuer un peu la ligne de tes sourcils et te dessiner une ombre de moustache. Ta silhouette est convaincante, ma douce, mais ton visage est beaucoup trop pur pour ne pas te trahir au premier coup d'œil.

— Tu es sûr que ce ne sera pas ridicule ? demanda-t-elle alors que Cosimo appliquait le charbon à petits traits précis.

— Ne bouge pas ! Comment veux-tu que j'y arrive si tu remues les lèvres ?

— Pardon, murmura Meg en s'astreignant à une immobilité complète, malgré les légères chatouilles qui lui donnaient envie d'éternuer.

Cosimo recula d'un pas pour examiner son œuvre d'un œil critique.

— Cela fera l'affaire, je pense… Attends, une légère ombre le long de la mâchoire… Voilà, c'est parfait. As-tu pensé au problème de l'accent ? La couverture que nous avons trouvée ne peut convenir pour le moment.

Il attendit avec intérêt de voir si Meg avait songé à cet obstacle.

— Quelques-uns des accents que j'ai entendus ici sont si incompréhensibles que je pense que le mien passerait inaperçu. Cela dit, je me contenterai de marmonnements et de monosyllabes. Il n'y a pas besoin de soutenir une longue conversation pour choisir des chevaux, les payer et demander qu'on les tienne prêts à l'aube.

— Garde ta casquette bas sur le visage, exprime-toi par gestes le plus possible et n'oublie pas de réserver un cheval de bât, lui recommanda Cosimo. Ne paie pas plus de vingt livres par cheval de monte et pas plus de dix pour celui de bât, continua-t-il en comptant les pièces dans sa main. Sois de retour dans deux heures au plus tard. Quand tu sortiras de l'auberge, tourne à droite et tu trouveras les écuries dans une ruelle adjacente, à environ un quart de mille d'ici.

— Ça ne semble pas très compliqué, affirma Meg avec une assurance qu'elle n'éprouvait pas vraiment.

Elle avait levé son visage vers lui. Cosimo effleura tout d'abord la commissure de ses lèvres avant de s'attarder quelques instants sur sa bouche. Enfin, il tourna les talons.

— À tout à l'heure! Deux heures, Meg, lui rappelat-il par-dessus son épaule. Pas une seconde de plus.

Meg resta immobile un instant, à fixer la porte restée entrouverte. Elle ne disposait d'aucun miroir pour se familiariser avec sa nouvelle apparence, et éprouvait une sensation un peu étrange à l'idée de sortir dans la rue sans savoir à quoi elle ressemblait, mais cela faisait partie de l'aventure.

Enfonçant les pièces dans sa poche, elle quitta l'auberge et se hasarda dans les petites rues de Cadillac. Elle trouva les écuries sans difficulté et eut la surprise d'y être accueillie par une femme souriante, qui ne tarda pas à lui démontrer qu'elle en savait autant que n'importe quel homme sur le commerce des chevaux.

Il y avait là un solide hongre que Meg trouva parfait pour Cosimo. Après avoir palpé le garrot et les jambes de l'animal, puis vérifié sa denture et l'état de sa bouche, elle signifia son accord à la femme d'un signe de tête. Elle remonta ensuite l'alignement des boxes, à la recherche d'une monture pour elle. Dans le dernier piaffait une jument pie de toute beauté pour laquelle Meg éprouva un véritable coup de cœur.

— Celle-ci! marmonna-t-elle entre ses dents, en la désignant du doigt pour plus de sûreté.

Quand la femme lui indiqua le prix – trente livres – Meg hésita. Cependant, la jument les valait largement. Tant pis, ils se passeraient d'un cheval de bât et voyageraient léger. Après avoir compté l'argent dans la paume de la femme, Meg convint, toujours par monosyllabes, de venir chercher les chevaux à l'aube. Puis elle s'en retourna à l'auberge, ravie d'avoir mené cette opération à bien.

— Tu as payé une jument trente livres ! s'exclama Cosimo, de toute évidence moins enchanté qu'elle.

— Elle en vaut le double. C'est une beauté, Cosimo !

Il esquissa un vague sourire.

— Qu'est-ce que la beauté a à voir avec l'endurance ?

— Tout ! Je ne parle pas de son allure, mais de sa vigueur, de sa stature et de son tempérament.

— Je vais y jeter un coup d'œil, dit-il en se dirigeant vers la porte.

Torturée par une faim qu'aggravaient encore de délicieux fumets montant des cuisines, Meg commença à arpenter la petite chambre. Elle finit par s'arrêter devant la malle que Cosimo avait rapportée du bateau et sur laquelle était pliée une toile goudronnée. En d'autres circonstances, l'idée de se coucher là-dessus lui aurait semblé abominable, mais elle s'était habituée à l'odeur, qu'elle associait à présent à l'air salé et au soleil. En tout cas, elle constituerait une barrière infranchissable contre les puces.

Meg s'employa donc à en envelopper le matelas. Cela fait, elle fouilla dans la malle à la recherche de quelque chose qui tiendrait lieu de couverture.

— Je ne peux contester la sûreté de ton jugement en ce qui concerne les chevaux, déclara Cosimo en revenant dans la chambre. C'est vrai que c'est une beauté. Quant au hongre, il est parfait. J'ai acheté un cheval de bât et on nous les amènera tous les trois à quatre heures du matin. Que cherches-tu ?

— Quelque chose pour recouvrir cette toile qui est vraiment trop raide pour dormir directement dessus, répondit Meg en s'asseyant sur ses talons, le visage rougi par l'effort.

— Nous pourrons utiliser mon manteau huilé, suggéra Cosimo. En attendant, viens ici, que je te refasse ton maquillage avant d'aller dîner.

— Je meurs de faim, dit-elle en acceptant sa main pour se remettre debout. À en juger par les odeurs qui montent jusqu'ici, ça devrait être bon. Quelles sont les spécialités de l'endroit ?

— Beaucoup de poisson, ainsi que du canard, des saucisses et des lentilles.

— Arrête ! supplia Meg à qui l'eau venait à la bouche.

Ils mangèrent à la table d'hôtes. À son vif soulagement, Meg constata que la nourriture et le vin intéressaient beaucoup plus leurs compagnons que la conversation. Cependant, au fur et à mesure que les pichets d'excellent bordeaux se vidaient, les langues finirent par se délier.

Tout en faisant honneur au repas, Meg écoutait intensément les propos qui s'échangeaient, s'efforçant de saisir des mots ou des expressions malgré l'obstacle de l'accent. Elle avait appris le français avec une Parisienne dont la diction parfaite ne ressemblait que de très loin à la langue parlée dans le Midi. Toutefois, plus elle écoutait, mieux elle comprenait. Savoir si elle serait capable de l'imiter était une autre affaire.

Quand le cognac commença à circuler et que le niveau sonore s'accrut, Meg jugea l'heure venue de s'éclipser discrètement. Dans la chambre, elle trouva une chandelle posée sur l'appui de fenêtre et l'alluma. L'odeur de suif était assez désagréable, mais au moins la lueur jaunâtre avait-elle l'avantage d'adoucir la laideur de leur galetas.

Faute de trouver une bassine et un broc d'eau sur place, elle redescendit pour se rendre dans la cour, où se trouvaient un puits et des cabinets. Après avoir rempli d'eau le seau du puits, elle se lava les mains et le visage. Tant pis si, ce faisant, elle effaçait le chef-d'œuvre de Cosimo! Puis elle se rendit aux cabinets – plus abominables encore que tout ce qu'elle redoutait – et remonta à pas de loup jusqu'à leur chambre.

Cosimo la rejoignit quelques minutes plus tard avec deux timbales de cognac.

— Bois ça, lui conseilla-t-il. Ça protège des infections aussi bien qu'autre chose. Je reviens…

Il s'éclipsa, sans doute pour satisfaire les mêmes besoins que Meg quelques instants plus tôt. L'esprit préoccupé par des questions qui la tracassaient depuis des jours, elle but le cognac. Jugeant que ces interrogations ne concernaient pas sa propre aventure mais relevaient du mystère qui environnait Cosimo et contribuait à sa séduction, elle les avait repoussées volontairement.

À présent, elle voulait des réponses, sans doute parce qu'elle ne supportait plus le poids de trop de mystères.

Quand Cosimo revint, ses cheveux auburn scintillant d'eau, Meg lui lança la serviette dont elle s'était elle-même servie. Il marmonna un remerciement tout en s'essuyant avec vigueur.

— Pourquoi Ana voyageait-elle avec toi? demanda alors Meg sans préambule. Est-ce qu'il est nécessaire d'être deux pour délivrer des dépêches?

La question prit Cosimo de court; il aurait pourtant dû s'attendre à ce que Meg souligne tôt ou tard les failles de son histoire.

— Non, répondit-il en étendant la serviette devant la fenêtre ouverte pour la faire sécher. Il était prévu qu'Ana voyage avec moi jusqu'à Bordeaux, d'où elle aurait ensuite mené à bien sa propre mission.

Meg hocha la tête mais garda les sourcils froncés.

— Au début, reprit-elle, tu as dit que ta mission exigeait d'être remplie à un moment précis… que c'était pour cela que tu ne pouvais me ramener à Folkestone. Je suppose que tu parlais de la remise de ces dépêches? Ça paraît un peu bizarre que ce soit si crucial…

— Il n'y a rien de bizarre là-dedans, assura Cosimo avec un mince sourire. Tu as vu comme il m'a été difficile d'obtenir mes messages. Comme je te l'ai expliqué, nous travaillons en cercles très restreints ; quand une rencontre échoue, nous ne pouvons faire une nouvelle tentative. J'espérais bien ne manquer aucun de mes rendez-vous...

Il haussa les épaules avant de conclure :

— Si tout avait bien marché, nous ne serions pas ici, mais en route pour l'Angleterre.

Même si le mensonge coulait avec aisance, Cosimo en éprouva pour la première fois un malaise profond. Jusqu'à présent, il avait considéré le fait de devoir mentir comme inévitable et justifié. Or, tromper Meg le tourmentait. Elle possédait un caractère d'une telle franchise, une honnêteté si absolue qu'elle ne comprendrait pas ses raisons.

Il voulait la mettre dans la confidence, obtenir son soutien et son approbation... Cette dernière pensée le fit tressaillir intérieurement. Depuis quand recherchait-il l'approbation de quiconque ? Même enfant, il se désintéressait de l'opinion des autres. Il avait toujours agi comme bon lui semblait, sans se soucier d'autre chose que de son intime conviction.

— Que se passe-t-il ? demanda Meg.

L'expression de Cosimo la déconcertait. Lui d'ordinaire si assuré, si compétent, paraissait soudain aussi vulnérable que si on l'avait dépouillé d'une peau. Mais à peine eut-elle le temps de s'en alarmer que cette expression s'évanouit.

Après avoir secoué la tête comme pour chasser une pensée déplaisante, il répondit avec fermeté :

— Rien. Rien du tout. Viens, ajouta-t-il en quittant la fenêtre, allons nous coucher. Nous devons nous lever à l'aube, et une rude journée nous attend.

Meg accepta sans mot dire ce changement d'humeur, entre autres parce que c'était l'attitude la plus facile à adopter. Elle ne souhaitait pas vraiment sonder l'âme de Cosimo pour y débusquer les démons qui, durant quelques secondes, l'avaient assombrie. S'enveloppant dans son manteau, elle s'allongea avec précaution sur le matelas. Enroulé dans son propre manteau de voyage, Cosimo prit place à côté d'elle et l'attira dans ses bras. Meg nicha sa tête au creux de son épaule. Sous sa main posée sur sa poitrine, elle sentait les battements de son cœur.

— Quelle était la mission d'Ana ? marmonna-t-elle d'une voix déjà ensommeillée.

— C'est à elle qu'il faudra le demander. Maintenant, dors.

Comme d'habitude, le sujet d'Ana restait inabordable, mais Meg ne croyait pas un instant que sa mystérieuse mission n'avait rien à voir avec celle de Cosimo.

Ce fut sa dernière pensée avant que le voile noir du sommeil ne l'enveloppe.

19

En cette magnifique journée de fin de printemps, Meg, la tête rejetée en arrière, offrait son visage à la caresse du soleil. Après deux jours d'une épuisante chevauchée, elle profitait d'un repos bien mérité dans l'une des auberges les plus ravissantes qu'elle eût jamais vues.

Assise sur un banc de bois en bordure d'une petite rivière, elle suivait d'un regard fasciné la danse des libellules irisées au-dessus de l'eau. Dieu merci, la partie la plus ardue de leur périple, avec le franchissement laborieux de régions montagneuses, était maintenant derrière eux.

Il ne leur restait qu'à suivre le Rhône durant deux jours, puis ils emprunteraient la route côtière jusqu'à Marseille et, enfin, Toulon. À ce point, l'aventure serait terminée. Ou presque, car il leur faudrait encore retrouver la *Marie-Rose* et effectuer le trajet qui les ramènerait en Angleterre.

Les deux semaines qui venaient de s'écouler donnaient à Meg l'impression d'un rêve, d'un espace hors du temps. Ils avaient fait étape dans des auberges sordides, mangé de la nourriture infâme, essuyé des tempêtes et affronté un soleil de plomb ; mais il y avait eu aussi les paysages d'une beauté à couper le souffle, les charmantes hostelleries et le plaisir toujours renouvelé de l'amour avec Cosimo.

L'épisode impromptu de Cadillac n'avait pas eu de conséquences et ils n'avaient plus jamais omis de prendre des précautions.

La seule véritable difficulté rencontrée jusqu'alors était sa propre fatigue. Les routes montagneuses s'étaient révélées harassantes, tant pour la monture que pour la cavalière ; aussi, à la fin de la première semaine, Cosimo avait-il insisté pour que Meg voyage en voiture.

Elle s'y était tout d'abord refusée, mais Cosimo avait tant et si bien argumenté que, de guerre lasse, elle avait fini par céder tout en sachant pertinemment ce qui allait advenir. Après tout, c'était un moyen comme un autre de lui prouver qu'elle ne mentait pas.

Il n'avait pas été déçu. Après quatre arrêts précipités de la voiture, au cours desquels Meg, misérable mais résignée, avait vomi tripes et boyaux sur le bas-côté, il s'était répandu en excuses. Elle l'avait supplié de cesser de battre sa coulpe, tout en éprouvant une pointe de satisfaction perverse à le voir aussi navré.

Après cette mésaventure, Cosimo avait accepté qu'ils prennent un jour de repos tous les trois jours. Même s'il n'en disait rien, Meg savait que l'inaction lui pesait. Toutefois, elle ne voyait pas comment remédier au fait qu'elle avait une résistance moindre.

Évidemment, Ana, *elle*, aurait avalé les lieues à un rythme d'enfer, n'avait pu s'empêcher de penser Meg avec ressentiment. Cependant, elle avait gardé cette réflexion pour elle.

— Bon après-midi, madame…

La voix douce la fit sursauter et elle tourna brusquement la tête. Un homme élégant, qu'elle avait vu discuter un peu plus tôt avec l'aubergiste, foulait la rive herbue dans sa direction. Machinalement, Meg chercha Cosimo du regard. En vain : il avait mené les chevaux chez le maréchal-ferrant et ne serait de retour qu'en fin de journée.

Meg n'était pas accoutumée à s'entretenir avec des étrangers, que ce fût sous le déguisement d'Anatole Giverny ou, comme aujourd'hui, sous celui de Nathalie. Se sentant toutefois plus à l'aise avec cette dernière identité, elle réussit à esquisser un sourire, poli mais distant.

— Bonjour, monsieur.

— Daniel Devereux, à votre service, madame, dit le nouveau venu en s'inclinant devant elle.

Meg se contenta d'un léger signe de tête en s'abstenant volontairement de se présenter.

— Votre cousin ne vous tient pas compagnie…

Il jeta un regard autour de lui, comme s'il s'attendait à voir Cosimo surgir de derrière l'un des saules pleureurs qui bordaient la rivière.

Sans doute s'était-il renseigné auprès de l'aubergiste. Meg en conçut une certaine inquiétude, encore que rien, dans l'apparence ni dans l'attitude de M. Devereux, ne le justifiât.

L'expression de son visage mince, de même que celle de ses yeux bruns, était amicale. Comment lui reprocher une curiosité somme toute naturelle vis-à-vis des hôtes qui dîneraient avec lui ?

— Mon cousin avait à faire en ville, dit Meg d'une voix froide dans l'espoir de le dissuader d'insister.

Il s'assit néanmoins à côté d'elle sur le banc.

— Veuillez excuser mon intrusion, madame Giverny, dit-il avec un sourire qui n'avait rien de contrit. Vous parlez un français parfait… mais j'ai l'impression que ce n'est pas votre langue maternelle. Je me trompe ?

Ainsi, il connaissait aussi son nom. Jugeant difficile d'éluder sa question, Meg choisit d'y répondre aussi succinctement que possible.

— Mon père avait de la famille en France, au sein de laquelle j'ai passé quelques années lorsque j'étais enfant. Feu mon mari était suisse.

— Toutes mes condoléances, madame. Si jeune et une perte aussi douloureuse, murmura-t-il en hochant la tête avec gravité. Vous vous rendez à Venise, je crois ? Oh ! je vois que je vous importune… dit-il en élevant les mains. Ma curiosité est infernale et je vous prie de me pardonner.

De nouveau, Meg lui adressa un sourire glacé.

— Ma destination n'est pas un secret, monsieur.

— Nathalie !

La voix de Cosimo, d'une dureté inaccoutumée, résonna derrière eux. En se retournant, Meg le vit surgir d'un bosquet d'arbres.

— Cosimo ! Je ne vous attendais pas si tôt...

— Cela saute aux yeux, ma chère cousine, rétorqua-t-il avec froideur.

La mâchoire crispée, le regard sévère, il paraissait contrarié, presque furieux.

Surprise, Meg cligna des paupières. Quelle mouche le piquait donc ?

— M. Devereux... dit-elle avec un geste vague de la main en direction de son compagnon.

Celui-ci se leva et salua Cosimo, lequel lui rendit un salut très bref avant de se tourner vers Meg.

— Ma cousine, si vous vouliez bien m'accorder un instant ?

En privé, Meg lui aurait dit ce qu'elle pensait du ton qu'il employait, quelles que fussent ses raisons. Devant cet étranger, elle préféra s'abstenir. Après avoir lissé les volants de sa robe en cotonnade, elle accepta le bras que Cosimo lui présentait et se laissa conduire vers le chemin ombragé menant à l'auberge.

— Qu'est-ce qui te prend, que diable ? demanda-t-elle à mi-voix, une fois qu'ils se furent un peu éloignés.

— Chut ! lui intima-t-il.

Son expression ne s'était pas adoucie lorsqu'ils entrèrent dans le hall de l'auberge. Sans un mot, il détacha le bras de Meg du sien et lui fit signe de le précéder dans l'étroit escalier.

Plus que décontenancée, elle obéit. La femme de l'aubergiste sortait justement du petit salon qui reliait la chambre de Cosimo à celle de Meg.

— Je viens juste de changer vos fleurs, Madame, lui dit-elle avec un sourire et une révérence. Amélie se fera un plaisir de vous aider à vous habiller pour le dîner. Il vous suffira de sonner lorsque vous aurez besoin d'elle.

— Je vous remercie, madame Brunot, répliqua Meg, rendue nerveuse par la présence de Cosimo dans son dos.

Le regard de la femme se posa brièvement sur celui-ci, puis elle détourna les yeux. Son sourire s'était évanoui quand elle esquissa une autre révérence avant de se diriger vers l'escalier.

Sitôt dans le salon, Meg se tourna vers Cosimo qui refermait la porte.

— Que diable…

Elle s'interrompit en découvrant son expression. Les yeux pétillant d'amusement, il riait, d'un rire silencieux qui lui secouait les épaules.

— À quel jeu joues-tu ? s'exclama-t-elle, furieuse.

— Un jeu sérieux, en vérité, répondit-il en gloussant. Si tu avais vu ta tête, Meg !

Exaspérée, elle lui martela le bras de ses poings.

— Je ne supporte pas qu'on se moque de moi, Cosimo ! Comment oses-tu…

Lui saisissant les poignets, il la maintint à distance.

— Sapristi ! Je ne pensais pas te mettre dans une telle colère. Je te demande pardon, mais j'avais de bonnes raisons d'agir ainsi, je te l'assure. Non… non… je ne te lâcherai pas tant que tu ne m'auras pas dit que tu me pardonnes et que tu vas m'écouter.

Comme elle tentait malgré tout de se libérer, il resserra son étreinte.

— Paix, mon amour.

Meg, qui ne se mettait que rarement en colère – et ne le restait jamais longtemps –, cessa de se débattre. Elle continua néanmoins à le dévisager d'un air suspicieux.

— Très bien… Parle.

— Tu me pardonnes ?

— Je n'en sais rien encore. Cela dépendra de ton explication.

264

Le visage redevenu grave, Cosimo lâcha ses poignets.

— J'ai bien peur que ce Daniel Devereux ne vaille rien de bon, dit-il abruptement. Je le soupçonne d'être payé par la municipalité pour surveiller les voyageurs indésirables. Les informateurs pullulent, dans le pays, et la plupart ne sont que des canailles qui cherchent seulement à se remplir les poches. Je ne sais rien de précis au sujet de Devereux, mais il est peut-être dangereux. Alors, ma douce, il faut l'écarter de toute piste qu'il pense avoir flairée.

— Oh… murmura Meg, les sourcils froncés, en croisant les bras sur sa poitrine.

Même si elle ne doutait pas de l'instinct de Cosimo, elle restait malgré tout perplexe.

— Et… en quoi cette petite scène va-t-elle l'écarter d'une piste éventuelle ?

— Ce n'était que le début. La suite, ce sera à toi de la jouer.

— C'est-à-dire ?

Cosimo ne répondit pas immédiatement. Il ne savait pas comment Meg allait réagir alors que l'enjeu, pour lui, était capital. Non pas tant à cause de la menace représentée par ce Devereux, à laquelle il ne croyait pas vraiment, mais parce que, selon la manière dont Meg tirerait son épingle du jeu, il saurait enfin s'il pouvait compter sur elle à Toulon.

Il avait été à l'affût d'une telle opportunité tout au long de leur voyage, et voilà qu'on la lui offrait sur un plateau !

— Il faut que tu parviennes à convaincre M. Devereux que tu es celle qu'il croit, finit-il par dire. Que nous sommes bien ce que nous prétendons être.

— De quelle manière ?

— En le séduisant, répondit Cosimo sur le ton de l'évidence. Fais feu de tous tes charmes, flatte-le, amène-le à prendre ton parti. Tu m'as dit un jour que tu aimais le flirt, non ?

— Pour autant que je me souvienne, j'ai spécifié que cela dépendait de l'endroit et du moment, rétorqua Meg.

Cosimo leva un sourcil narquois.

— Je suis sûr que tu adores ça et que tu y excelles !

Meg ne le contredit pas. Elle se savait douée pour ce genre de jeu et en tirait un plaisir délectable lorsque l'homme se montrait à la hauteur. Mais là, il s'agissait d'autre chose. Ce que Cosimo lui demandait, c'était d'entreprendre un homme sans que le but à atteindre soit l'amusement réciproque.

— Je ne comprends pas à quoi cela servirait, objecta-t-elle. Et pourquoi veux-tu qu'il prenne mon parti ? Mon parti contre qui, ou quoi ?

— Contre moi, bien sûr… Ton cousin intéressé qui guigne ta fortune. Non seulement celle que tu as héritée de ton mari, mais aussi celle qui va t'échoir au décès de ta mère. Il veut absolument t'épouser et ne verra pas d'un bon œil que tu flirtes avec un autre homme.

Lorsque Meg comprit, elle écarquilla les yeux. Ainsi, c'était ce que Cosimo attendait d'elle ? Bien qu'excitée par cette idée, elle doutait d'être capable de relever le défi. Saurait-elle flirter avec quelqu'un qui ne l'attirait pas le moins du monde ?

Quand elle lui fit part de ses réticences, Cosimo ne cacha pas son désappointement.

— Eh bien, si tu penses ne pas pouvoir, tant pis. Laissons tomber.

— Je n'ai pas dit que je ne voulais pas essayer. Mais est-ce que je vais devoir faire ça sous ton nez ?

— Au début, oui, répondit Cosimo en dissimulant sa satisfaction. Ce soir même, au dîner. Je fulminerai, je tenterai de te réduire au silence ; bref, je me conduirai comme un malotru. Évidemment, cela t'attirera la sympathie de ce monsieur qui, en tant que mâle, éprouvera un sentiment de triomphe bien compréhensible.

— Tel le cerf qui combat un congénère pour les beaux yeux d'une biche? fit remarquer Meg, ironique.

— Précisément, dit-il en lui prenant les mains pour l'attirer à lui. Si tu t'y prends bien, mon amour, tu peux le réduire à l'état de toutou énamouré. Joue les coquettes, promets-lui encore davantage pour demain… alors que nous serons loin d'ici avant même son réveil.

— Cela ne risque-t-il pas d'éveiller ses soupçons?

— Non, pas si l'aubergiste lui raconte que je t'ai obligée à partir à l'aube et que tu étais furieuse.

— Mais… es-tu certain que c'est un informateur?

— Non. Comment pourrais-je en être certain? répondit Cosimo avec une pointe d'impatience. Tu ne restes pas vivant dans ce milieu si tu attends des preuves trop flagrantes, Meg.

— Je ferai de mon mieux, assura-t-elle, un peu piteuse de s'être fait rabrouer à juste titre.

Cosimo sourit. Encadrant son visage de ses mains, il embrassa le bout de son nez, la commissure de ses lèvres, puis redessina le contour de son oreille à petits coups de langue. Meg se tortilla pour échapper à ce divin supplice, puis finit par demander grâce.

— Monstre! haleta-t-elle quand Cosimo releva enfin la tête. Tu sais l'effet que ça me fait!

— Pourquoi le ferais-je, sinon? répliqua-t-il, rieur, en la soulevant sans cérémonie pour la transporter dans sa chambre, où il la jeta sur le lit.

Meg laissa échapper un cri de panique feinte et tenta de rouler sur le côté pour lui échapper, mais il la rattrapa. Elle éclata de rire quand il s'allongea sur elle, lui plaquant les mains au-dessus de la tête.

— Et maintenant? demanda-t-il.

— Qu'il en soit fait selon votre bon vouloir, seigneur. Je suis à votre merci, semble-t-il…

*
* *

Une heure plus tard, assise devant le miroir de sa coiffeuse, Meg observait Amélie qui tressait un ruban de velours noir dans ses boucles rousses. Non sans un brin de nostalgie, elle songea à M. Christophe, le coiffeur londonien qui lui avait coupé les cheveux à la dernière mode. Il pousserait certainement un cri d'horreur en voyant le fouillis de mèches inégales et désordonnées qu'était devenu son chef-d'œuvre !

Non que cela semblât gêner Cosimo le moins du monde. Au contraire. Il adorait saisir la chevelure de Meg à pleines mains ou en enrouler sur ses doigts les tortillons indisciplinés.

— Voilà, Madame. Je trouve cela très joli, dit Amélie avec satisfaction. Le noir rend si bien avec un roux éclatant comme le vôtre...

Et il est parfait pour une veuve, ajouta Meg *in petto*.

— Éclatant est le terme juste, dit-elle en croisant sur ses seins son fichu de dentelle, qu'elle ferma avec une broche. Je vous remercie, Amélie. Vous m'avez bien aidée, alors que je sais qu'on a besoin de vous en bas.

— C'était avec plaisir, Madame, dit la jeune fille avec une légère révérence.

Dès qu'elle fut sortie, la porte du petit salon s'ouvrit et Cosimo entra.

Meg n'était pas encore habituée à le voir porter une tenue habillée. Il faut dire que cela n'était arrivé qu'à une ou deux reprises, lorsque le prestige de l'établissement dans lequel ils s'arrêtaient pour la nuit l'exigeait.

— Comme tu es distingué ! dit-elle en admirant le contraste élégant entre le strict habit sombre et la chemise à jabot, ainsi que les manchettes de dentelle blanche.

Il sourit mais distraitement, son attention fixée sur la gorge de Meg.

— Ce serait mieux sans le fichu, je crois, conclut-il à l'issue de son examen. Il fait un peu trop convenable...

— Comme tu veux.

Après avoir détaché la broche, Meg rejeta le morceau de fine batiste d'un geste désinvolte.

— Ce n'est pas qu'il y ait grand-chose à cacher...

Passant derrière elle, Cosimo fit glisser ses mains sur le décolleté de sa robe vert sombre.

— Il y a plus qu'assez pour les connaisseurs, murmura-t-il à son oreille. Es-tu prête ?

— Je le crois.

Un instant, elle retint les mains puissantes de Cosimo entre les siennes. Puis elle les écarta et se leva.

— Pas de châle ?

— Je ne sais pas. Qu'en penses-tu ?

— Ça peut être un accessoire utile, déclara Meg en saisissant une mousseline noire d'une finesse arachnéenne. À défaut d'éventail, je verrai comment en jouer, ajouta-t-elle en le drapant autour de ses épaules. Le moment du lever de rideau est-il venu ?

— Laisse-moi descendre le premier. Toi, arrive cinq minutes plus tard, l'air contrarié. Tu n'es pas une jouvencelle soumise à la garde d'un tuteur sévère, mais une dame ayant besoin d'une escorte masculine irréprochable lors d'un déplacement obligé. Or, l'escorte se révèle insatisfaisante. Ignore-moi de façon ostensible et dirige-toi tout droit vers notre ami.

Meg opina.

— C'est assez simple, mais ne risque-t-il pas de s'étonner ? Je me suis montrée très froide avec lui, cet après-midi.

— Si tu sais y faire, il mettra cela sur le compte de notre différend, dit Cosimo en se dirigeant vers la porte. À dans cinq minutes...

Meg alla se poster devant la fenêtre ouverte, par laquelle entraient des senteurs de rose et de chèvrefeuille. Elle inhala profondément.

Sa relation avec Cosimo connaissait une évolution subtile, lui semblait-il. Ils n'étaient plus seulement des amants, mais aussi... Quoi ? Des associés dans une pièce dont Cosimo serait le metteur en scène et elle l'actrice ? Elle se doutait qu'en se lançant dans une aventure en compagnie d'un corsaire, d'un espion, elle s'exposait à affronter quelques péripéties. Cependant, elle ne s'était pas attendue à y jouer un rôle aussi actif…

Les cinq minutes écoulées, elle jeta un dernier regard à son miroir puis descendit l'escalier. Un murmure de voix l'avertit que d'autres hôtes assistaient au dîner. Dans quelle mesure cela affecterait-il leur petite scène ? Elle l'ignorait.

Quand elle poussa la porte de la salle à manger où les dernières lueurs du soleil couchant le disputaient à la douce clarté des bougies disposées sur la table, les quatre hommes présents tournèrent la tête. En plus de Cosimo et de M. Devereux, il y avait là deux dignes messieurs dont Meg devina, à leur toilette surannée de velours et de dentelle, qu'ils étaient de riches marchands ou propriétaires terriens.

Cosimo but une large gorgée de vin avant de dire, comme pour réparer un oubli :

— Messieurs… ma cousine, Mme Giverny.

— Bonsoir, messieurs, dit Meg en les saluant d'un raide signe de tête.

Ses lèvres pincées n'esquissèrent pas l'ombre d'un sourire. Après que les deux hommes se furent inclinés, plus personne ne bougea. Ce fut Daniel Devereux qui, finalement, s'avança, la main tendue.

— Madame, puis-je vous offrir un verre de porto ?

— Je vous remercie, monsieur.

Cette fois, Meg sourit avant de jeter un regard dédaigneux vers son « cousin » qui s'était délibérément abstenu de lui proposer un rafraîchissement. Cosimo se détourna, les narines frémissantes.

Acceptant le bras de M. Devereux, Meg se dirigea en sa compagnie vers la grande porte-fenêtre qui s'ouvrait sur le jardin.

— Quelle soirée agréable ! Ces parfums de fleurs sont divins, ne trouvez-vous pas, monsieur Devereux ?

— Certainement. La fin du printemps est très plaisante, dans cette région. Bien plus que l'été, ajouterai-je…

Tout en prononçant ces paroles anodines, il la dévisageait avec curiosité. Meg supposa que la froideur évidente entre les deux cousins retenait son attention, et elle se faisait fort de lui fournir d'autres sujets d'intérêt au cours de la soirée.

Elle lui sourit tout en laissant son châle glisser négligemment sur ses bras, dévoilant ainsi le peu de décolleté qu'elle possédait.

— Vivez-vous dans le Vaucluse, monsieur?

— Hélas! non, madame. Je me rends à Marseille. Mais j'ai vécu ici dans mon enfance. Connaissez-vous la grotte de Pétrarque?

— J'espérais m'y rendre demain, répondit Meg en coulant dans sa direction un regard qu'on pouvait interpréter comme timide. Cependant, je ne suis pas sûre que mon cousin sera disposé à m'y conduire.

À peine avait-elle esquissé une moue attristée que M. Devereux suggéra:

— Dans ce cas, permettez-moi de vous y accompagner. Je connais très bien les lieux. Les marches sont un peu raides, mais…

— Je suis certaine que je pourrai les franchir avec votre aide, monsieur, assura Meg en battant des cils. J'ai tellement envie de visiter cet endroit!

— Alors, convenons de nous y rendre dans la matinée, avant que la chaleur ne soit trop accablante.

Sa main frôla celle de Meg quand il désigna son verre vide.

— Un peu plus de porto?

— Ma cousine, il est temps de dîner. Notre hôtesse s'impatiente, intervint Cosimo en lui arrachant pratiquement le verre des doigts. Permettez-moi de vous accompagner à votre place, ajouta-t-il en lui saisissant le coude.

Le dos raidi pour bien marquer sa réticence, Meg se laissa conduire sans un mot et s'assit sur la chaise que Cosimo lui présentait. Lui-même prit place à sa gauche.

Comme Daniel Devereux lançait un regard vers la chaise libre, à sa droite, Meg l'encouragea d'un sourire discret.

— Puis-je, madame ? demanda-t-il, la main posée sur le dossier.

— Je vous en prie, monsieur Devereux, murmura-t-elle en jouant des paupières.

Elle glissa un coup d'œil vers Cosimo qui, l'air renfrogné, couvait l'homme d'un regard féroce, puis reporta son attention sur Devereux, qu'elle gratifia d'un sourire radieux.

Après avoir déplié sa serviette, celui-ci se pencha vers elle et, baissant la voix :

— Votre cousin n'a pas l'air de m'apprécier...

— Mon cousin n'apprécie guère les hommes qui me tiennent compagnie, je le crains, murmura Meg.

Devereux haussa les sourcils mais s'abstint de tout commentaire.

Amélie ayant servi le premier plat, on n'entendit plus, durant quelques minutes, que le bruit des couverts ainsi que les échanges intermittents des deux autres convives, qui paraissaient se connaître.

— Vous m'avez dit avoir passé votre enfance dans le Vaucluse, reprit Meg au bout d'un moment. Où vivez-vous à présent ?

— À Marseille, où je dirige une petite affaire d'exportation.

Cosimo laissa échapper un grognement méprisant.

— De l'exportation ? Au beau milieu de la guerre ? Je doute que vous restiez longtemps dans les affaires, monsieur, lança-t-il avant de vider son verre, puis de le remplir de nouveau sans offrir la carafe à la ronde.

Un sourire étira les lèvres plutôt minces de M. Devereux.

— Peut-être ne vous y connaissez-vous guère en matière de commerce, monsieur. Madame, désirez-vous un peu de vin ? continua-t-il en tendant le bras devant Meg pour prendre la carafe. Excusez-moi...

— Volontiers, répondit Meg avant de poser un regard méprisant sur son «cousin». Il est vrai que vous ne vous y entendez guère en affaires, de quelque sorte quelles soient.

— Un gentleman, ma chère, s'abstient de se salir les mains dans le commerce, gronda Cosimo en vidant derechef son verre.

Claquant des doigts, il interpella grossièrement Amélie.

— Hep ! Du vin !

Meg était partagée entre l'amusement et la stupéfaction en assistant à l'incroyable transformation de Cosimo, d'ordinaire si tempéré et si courtois. Elle se demanda un instant quelle quantité d'alcool il pouvait ingurgiter sans en être affecté mais avait toute confiance en lui : il saurait exactement à quel moment s'arrêter.

Leurs deux compagnons, assis de l'autre côté de la table, regardèrent Cosimo avec un étonnement réprobateur. Puis, l'ignorant délibérément, ils reprirent leur conversation.

Meg se retourna vers son voisin et leva les yeux au ciel.

— Vous devez excuser mon cousin, dit-elle à voix basse, mais assez fort tout de même pour que Cosimo puisse l'entendre. Il a subi quelques douloureuses déconvenues, ces derniers temps...

— Tenez votre langue, madame, siffla Cosimo entre ses dents. Je ne tolérerai pas qu'on discute de nos affaires familiales en public !

Comme mortifiée par cette rebuffade, Meg baissa les yeux et fit mine de remettre en place son châle qui glissait sur ses bras.

— Permettez-moi, madame, dit Devereux en l'aidant à le rajuster. Je crains que votre cousin n'ait abusé du

vin. Rien d'autre ne saurait excuser une telle discour-
toisie.

Posant une main sur sa gorge en un geste qui soulignait son embarras, Meg lui adressa un sourire un peu
tremblant.

— Vous êtes trop aimable, monsieur.

— Impossible, avec une dame aussi charmante.

— À présent, vous me flattez, dit-elle en lui donnant
une légère tape sur la main.

Raide comme la justice, Cosimo observait un silence
furieux. Rien ne trahissait l'admiration mêlée d'amusement qu'il éprouvait en suivant ce badinage. Meg
se débrouillait bien. Très bien, même. Elle mêlait avec
un art consommé la candeur à la coquetterie, même
si personne – y compris le suave M. Devereux – ne
pouvait croire un instant à l'innocence de ce petit jeu.

Quel homme résisterait à une telle combinaison ? De
manière inopportune, cette réflexion eut pour effet
de diminuer à la fois l'admiration et l'amusement de
Cosimo.

Laissant tomber avec fracas sa fourchette dans son
assiette, il jura entre ses dents puis vida de nouveau
son verre.

— Vous vous montrez un peu trop familière, ma
cousine ! éructa-t-il d'une voix traînante. Vous feriez
bien de veiller à votre réputation. *Moi*, je connais vos
petites manières, mais ce qui peut passer en famille
ne convient pas avec des étrangers. Prenez garde, je
vous aurais avertie ! conclut-il en lui jetant un regard
qui réussissait l'exploit d'être à la fois méprisant et
concupiscent.

Meg n'en revenait pas. Comment le visage de Cosimo
pouvait-il changer à ce point ? Il paraissait avili, les
traits relâchés, la bouche amollie, les paupières lourdes
comme s'il peinait à garder les yeux ouverts.

— Vous avez trop bu, se contenta-t-elle de répliquer
avec un dédain suprême, avant de lui tourner le dos
avec détermination.

274

Cosimo jura à nouveau. Devereux se leva alors et, jetant sa serviette sur la table, s'exclama :

— Monsieur, un tel langage est inadmissible en présence d'une dame !

Meg se hâta de poser une main sur son bras pour le retenir.

— Je vous en prie, monsieur… Je ne prête pas attention à mon cousin lorsqu'il est sous l'effet de la boisson et je vous supplie de faire de même. Rasseyez-vous, je vous en conjure, implora-t-elle en tirant sur sa manche. Je ne voudrais pas que vous vous querelliez avec mon cousin de cette façon.

Le visage encore pâle d'indignation, M. Devereux abaissa les yeux sur elle puis il s'inclina.

— Comme vous voudrez, madame. Pardonnez-moi si j'ai manqué de courtoisie.

— Oh non ! pas le moins du monde. Je vous suis reconnaissante de votre prévenance, protesta Meg avec chaleur. Mais c'est que mon cousin…

La phrase mourut sur ses lèvres comme elle esquissait un imperceptible haussement d'épaules.

Cosimo jugea le moment venu de laisser Meg mener seule ce petit jeu à sa conclusion. Repoussant sa chaise, il se leva, un peu titubant, marmonna qu'il avait besoin d'un peu d'air frais et gagna la porte d'un pas mal assuré. Arrivé devant celle-ci, il se retourna.

— Vous avez intérêt à être dans votre chambre à 10 heures, ma cousine. Sinon, je ne réponds de rien.

La porte claqua derrière lui. L'air indigné, Meg secoua la tête.

— Balivernes ! Il n'a aucune espèce d'autorité sur moi et il le sait pertinemment.

— Pardonnez-moi si je me montre indiscret… dit M. Devereux en remplissant leurs verres. Mais pourquoi voyagez-vous avec lui ?

— C'est le seul membre de ma famille susceptible de me servir de chaperon. Une femme convenable ne peut voyager seule, poursuivit-elle avec une petite grimace, surtout dans les circonstances actuelles. Mon cousin a ses défauts, bien sûr, mais il est tout à fait capable de me protéger.

— Et... quand vous serez à Venise ?

Meg crut percevoir une certaine tension dans sa voix, comme si cela l'intéressait plus que tout ce qu'elle avait laissé filtrer de sa vie personnelle jusque-là.

— Je lui signifierai son congé. Une fois sous la protection de ma mère et de mon beau-père, je n'aurai plus besoin de celle de mon cousin.

Apparemment fort occupé à peler une poire et à la couper en quartiers, Devereux garda le silence.

— Me permettez-vous ? dit-il en déposant ceux-ci dans l'assiette de Meg.

— Oh... merci. J'aimerais me promener un peu le long de la rivière après le dîner, dit-elle en croquant dans l'un des morceaux de poire. La soirée est si belle...

— Elle est magnifique, renchérit-il. Vous voudrez bien accepter ma compagnie ?

Meg battit des cils puis dit d'une voix suave :

— C'était ce que je suggérais, monsieur Devereux... Daniel.

L'air absolument enchanté, il porta la main de Meg à ses lèvres.

— Nathalie... si vous permettez ?

— Bien sûr.

— Un prénom ravissant... Êtes-vous prête pour notre promenade, Nathalie ?

Meg repoussa sa chaise et accepta la main qu'il lui présentait pour l'aider à se lever. Comme il la pressait plus que nécessaire, elle la lui ôta aussitôt. C'était elle qui menait le jeu, et elle ne voulait pas lui laisser le loisir de prendre l'initiative.

Le sourire de M. Devereux s'effaça l'espace d'une seconde. Puis il lui offrit son bras, qu'elle prit, et ils sortirent après avoir souhaité une bonne soirée aux autres convives.

— J'imagine que vous n'aurez aucune difficulté à remercier votre cousin une fois que vous aurez rejoint votre famille, reprit-il comme ils descendaient le chemin menant à la rivière.

— Au contraire… La situation est un peu compliquée, Daniel, répondit-elle avec un soupir éloquent.

— Je vous demande pardon, mon intention n'était pas d'être indiscret. Oubliez ma remarque. Alors, irons-nous visiter la grotte de Pétrarque, demain matin ? demanda-t-il d'une voix allègre.

— Oui, cela me plairait beaucoup. À condition que je puisse échapper à mon cousin… Cela dit, après une soirée comme celle-ci, je doute qu'il se réveille de bonne heure.

— Il est vraiment navrant que vous ayez à supporter une telle compagnie, fit-il remarquer en la guidant vers le banc sur lequel ils s'étaient assis l'après-midi même.

Meg laissa échapper un nouveau soupir.

— Tant que ce n'est pas pour ma vie entière…

— Oh ! chère madame, comment cela serait-il possible ? s'exclama-t-il, l'air horrifié.

— Il est déterminé à m'épouser. J'ai un revenu important… Mon défunt mari, vous comprenez… dit-elle d'un ton hésitant, les yeux fixés sur la rivière. Et au décès de ma mère, je serai encore plus riche, poursuivit-elle en secouant la tête. J'espère de tout cœur que ma mère et mon beau-père me soutiendront dans mon refus d'épouser mon cousin.

Reportant les yeux sur son compagnon, elle lui adressa un petit sourire attristé.

— Une femme seule est si vulnérable, Daniel…

Cette fois, Meg ne lui retira pas sa main lorsqu'il s'en saisit.

— Sachez que vous pouvez compter sur moi, chère Nathalie. Si je peux vous être utile en quoi que ce soit…

— Vous êtes trop gentil, murmura-t-elle, le visage levé vers lui en une invitation qu'elle savait irrésistible.

Il l'embrassa sur la joue puis, comme elle ne détournait pas la tête, sur les lèvres. Meg s'autorisa à s'appuyer sur lui l'espace d'un instant, avant de se raidir brusquement.

— Nous ne devons pas! Mais vous vous êtes montré si gentil envers moi…

— Ce n'est pas de gentillesse qu'il s'agit, Nathalie, dit-il, l'air déconcerté. Je ne vous demande pas de me montrer de la gratitude.

— Non, non, bien sûr. Ce n'est pas ce que je voulais dire…

Sa tâche accomplie, Meg devait trouver une issue pour mettre un terme à la soirée. Autant elle appréciait le badinage galant lorsque son partenaire avait les yeux grands ouverts, autant elle répugnait à laisser ce pauvre homme sur sa faim. Cependant, l'important était que tout soupçon – si jamais il en avait conçu un – fût écarté.

Elle posa une main sur son bras.

— Pourriez-vous me raccompagner à l'auberge, Daniel, s'il vous plaît? Cette soirée m'a fatiguée… Et je voudrais être fraîche et dispose pour notre sortie matinale.

Visiblement déçu par cette brusque défection, il réagit néanmoins en gentleman.

— À quelle heure pensez-vous être prête? demanda-t-il en lui présentant de nouveau son bras.

— Oh! dès 9 heures! répondit-elle avec enthousiasme.

— Alors, je tâcherai de maîtriser mon impatience jusque-là, dit-il galamment lorsqu'ils atteignirent la porte.

Comme il s'inclinait pour porter sa main à ses lèvres, Meg l'embrassa sur la joue.

— Merci de vous montrer aussi compréhensif, Daniel…

Il la regarda monter l'escalier, puis s'éclipsa dans le fumoir, sans doute pour noyer son désir dans un verre de cognac.

Arrivée dans le petit salon, Meg s'adossa à la porte refermée, les yeux étincelants, les joues rosies par la joie d'avoir réussi.

— Cosimo?

Il sortit de sa chambre et la contempla un instant avec une expression qui la déconcerta. Elle se trompait sûrement : pourquoi aurait-il eu l'air contrarié ?

Puis il la rejoignit à grandes enjambées.

— Tu as l'air d'une chatte qui vient de manger de la crème, remarqua-t-il. Et tu as joué ton rôle à merveille ! ajouta-t-il avant de déposer un baiser possessif sur sa bouche.

— Tu n'étais pas si mauvais non plus, dans ton rôle de buveur invétéré, répliqua Meg en riant. Quel homme déplaisant tu faisais !

En le sentant se raidir imperceptiblement, elle scruta son visage. Mais déjà il lui souriait, conquérant et joyeux à son habitude.

— Je suis heureuse de constater que l'abus d'alcool n'a pas eu d'effets secondaires, murmura-t-elle en sentant l'évidence de son désir contre son bas-ventre. Et il se trouve qu'après une telle soirée, mon appétit est plus qu'aiguisé…

Si celui de Cosimo l'avait été, c'était par l'étrange sensation d'être jaloux, après avoir vu Meg, *sa* Meg, prendre autant de plaisir à flirter avec un autre homme.

Lui-même n'en revenait pas d'être la proie d'un sentiment que, pour ne l'avoir jamais éprouvé auparavant, il ne parvenait pas à comprendre.

20

— Je pense qu'il serait sage d'éviter Marseille, dit Cosimo alors qu'ils chevauchaient sur une petite route écrasée de soleil. Je n'aimerais pas tomber sur ton ami...

— Ce n'est pas *mon* ami ! protesta Meg.

— Lui croyait l'être, en tout cas, répliqua Cosimo en s'esclaffant.

— C'était le but du jeu, non ? rétorqua-t-elle avec une pointe d'humeur.

Étonné, Cosimo lui lança un regard en biais. Malgré l'ombre que jetait sur son visage le large bord de son élégant chapeau, il remarqua son expression tendue. Lui qui croyait qu'elle s'était beaucoup divertie la nuit précédente, se serait-il trompé ?

Quoi qu'il en soit, il ne tarderait plus à savoir s'il pouvait compter sur elle, car il était bien déterminé à lui avouer, ce soir même, le but ultime de sa mission.

Contrairement à ce qu'il espérait, les liens intimes qu'ils avaient tissés ne l'assuraient en rien de la coopération de Meg. Elle demeurait aussi indépendante et imprévisible que lorsqu'il l'avait vue pour la première fois dans la cabine de la *Marie-Rose*.

Toutes les étapes de sa mission étaient planifiées dans les moindres détails. Il ne restait qu'un impondérable : la réaction de Meg lorsqu'il lui ferait part du rôle qu'il lui réservait.

— Je suis sûr que M. Devereux a passé une excellente soirée, dit-il d'un ton conciliant. Il a sûrement regretté qu'elle s'interrompe aussi vite, mais… c'est souvent le triste lot des hommes.

Le long soupir qu'il exhala lui valut la récompense qu'il recherchait : Meg laissa échapper un petit rire.

— Des femmes également, assura-t-elle. Je parierais même qu'il y a plus de femmes que d'hommes qui attendent en vain une quelconque manifestation d'intérêt.

— L'heure n'est pas venue de disserter sur les frustrations comparées des deux sexes, répliqua Cosimo en riant. Nous allons bientôt arriver près de Miramas ; je connais une petite auberge dans laquelle nous nous arrêterons pour la nuit. Demain matin, nous emprunterons la route des crêtes pour contourner Marseille. Je te rassure tout de suite, elle n'est pas difficile.

Une fois de plus, Meg fut fascinée par la connaissance qu'avait Cosimo du terrain. Au cours des trois semaines écoulées, il ne s'était pas trompé une seule fois de chemin, et il semblait connaître toutes les auberges du sud de la France. Cependant, quand elle lui avait demandé combien de fois il avait parcouru ces routes, elle n'avait obtenu qu'une réponse très vague.

Aujourd'hui, alors que leur périple touchait à sa fin, elle voulait en savoir plus. Elle réitéra donc sa question.

— Je n'ai pas toujours emprunté le même itinéraire, répondit-il.

— Mais tu sais où se trouvent toutes les auberges.

— Non, pas toutes.

— Cosimo, je sais que tu es un espion, je sais que tu es un corsaire, je sais que tu es un passeur de missives. Pourquoi ne pas me répondre franchement ? Il n'était pas prévu que tu transportes toi-même ces dépêches de Bordeaux à Toulon, et pourtant, tu sais exactement par où passer. Comment cela est-il possible ?

Cosimo convint *in petto* que le moment de vérité était venu… quelques heures plus tôt qu'il ne l'aurait souhaité.

— Je vais te le dire, mais pas à cheval. Faisons une pause. Nous en profiterons pour faire boire les bêtes et nous reposer un peu avant de continuer.

— Je serai contente de me dégourdir les jambes, admit Meg en ravalant la boule d'appréhension qui lui montait soudain dans la gorge.

Pourquoi éprouvait-elle tout à coup la certitude d'un désastre imminent ?

Ils traversèrent un champ pour gagner un minuscule hameau, dans lequel ils ne rencontrèrent que de rares habitants. Se penchant sur l'encolure de son cheval, Cosimo demanda à un vieil homme où ils pourraient donner à boire aux chevaux.

L'abreuvoir se trouvait dans une cour ouverte, sans aucun endroit pour s'asseoir et donc peu propice aux confidences.

— Je te laisse t'en occuper, Meg, dit-il en lui confiant les rênes de sa monture ainsi que celles du cheval de bât. Je serai de retour dans quelques minutes.

Lorsqu'il revint, chargé d'un panier d'osier, Meg écartait les trois chevaux de l'abreuvoir.

— Voilà, ils sont abreuvés. Qu'y a-t-il là-dedans ? demanda-t-elle.

— De quoi nous revigorer. J'ai suivi mon instinct et il m'a mené au Graal. Sortons de ce hameau, nous trouverons sûrement un endroit pour pique-niquer.

Malgré son malaise, Meg se sentait suffisamment affamée pour être intéressée par le contenu du panier. Elle suivit donc Cosimo jusqu'à une clairière ombragée que bordait un petit ruisseau.

— Est-ce notre dîner ? s'enquit-elle en affectant un ton léger malgré la sensation désagréable qui l'oppressait.

Après s'être assise sur une racine moussue, elle ôta son chapeau et le posa à côté d'elle avant de tendre la main vers le panier.

— Pas vraiment, répondit Cosimo. J'espère que nous aurons un vrai repas quand nous nous arrêterons pour la nuit. Mais comme nous n'avons pas mangé grand-chose aujourd'hui, j'ai pensé qu'un peu de jambon, de fromage, de vin et du pain tout chaud sorti du four seraient les bienvenus.

Avec ses dents, Cosimo ôta le bouchon de la bouteille de vin et la tendit à Meg, qui venait de vider le contenu appétissant du panier.

Elle but une gorgée et lui rendit la bouteille.

— Cosimo… Qu'as-tu à me dire ? Quelque chose que je n'ai peut-être pas envie d'entendre ?

— Je ne sais pas, répondit-il après l'avoir observée quelques instants en silence. Je reconnais que j'aurais préféré t'en parler dans un autre cadre, mais je n'ai plus vraiment le choix.

Meg entoura ses genoux de ses bras.

— Peut-être que tu devrais commencer…

Sortant un couteau de sa poche, Cosimo entreprit de tailler des tranches dans la miche craquante.

— Mangeons d'abord.

— Pourquoi ? Je dois prendre des forces ? demanda Meg avec un sourire peu convaincu.

— Mange, Meg.

Elle fut surprise de constater que, malgré son appréhension, elle dévorait avec le même appétit que d'ordinaire. Ils mangèrent dans un silence contraint. Lorsqu'ils eurent terminé, Cosimo remit la bouteille vide dans le panier, replia son couteau et se leva.

— Je rapporte tout ça et nous parlerons à mon retour, dit-il avant de s'éloigner à grands pas.

L'estomac tordu par une inquiétude grandissante, Meg se leva à son tour et alla s'agenouiller au bord du ruisseau pour s'asperger le visage et les mains.

Elle devina plus qu'elle n'entendit Cosimo quand il revint. Se retournant lentement, elle lui fit face. Il se tenait sous un saule, les mains dans les poches, son regard intense rivé sur elle. Cinq pieds tout au plus les séparaient. Meg referma ses mains sur les plis de sa jupe et opina imperceptiblement, comme pour lui signifier qu'elle était prête.

Alors, d'une voix basse et unie, il lui raconta tout : ce qu'il était, ce qu'il s'apprêtait à faire, la manière dont il l'avait trompée et ce qu'il attendait d'elle. Durant tout ce temps, Meg resta pétrifiée, à le regarder avec une telle intensité qu'elle avait l'impression de *voir* les mots tomber de sa bouche. Enfin, tout fut dit. Cosimo se tut.

Il allait assassiner Napoléon Bonaparte.

Meg écarquillait les yeux, stupéfiée par la grandeur d'une telle entreprise. Par sa grandeur... et son énormité. Puis, lentement, la signification des paroles de Cosimo pénétra son entendement.

Depuis le premier instant, il se servait d'elle ; il la trompait, la manipulait !

— Non, réussit-elle à articuler d'une voix blanche. Je ne t'aiderai pas à tuer un homme.

Le reste pouvait attendre – son indignation, son dégoût, sa tristesse. Avant tout, il importait que Cosimo comprenne que c'était en pure perte qu'il s'était comporté avec elle d'une manière odieuse et méprisable.

*
* *

C'était encore plus terrible que tout ce que Cosimo avait imaginé. Pourtant, Dieu sait qu'il s'était préparé au pire ! La pâleur extrême du visage de Meg, la fixité de ses yeux verts, la rigidité de ses traits l'alarmaient au plus haut point.

Il esquissa un pas vers elle.

— Meg...

— Ne t'approche pas de moi !

Cosimo eut le tort de ne pas prendre garde à cet avertissement.

— Meg... mon cœur, écoute..

Elle le gifla de toutes ses forces, sur une joue puis sur l'autre. Le claquement résonna dans l'atmosphère paisible, arrachant un hennissement inquiet à l'un des chevaux.

Les narines de Cosimo frémirent, mais il ne réagit pas.

— Tu en as le droit, murmura-t-il alors que deux taches rouges s'élargissaient sur ses pommettes.

— Je hais la violence ! lança Meg. Et je te déteste de m'avoir poussée à un tel geste.

Elle tourna les talons et s'enfonça dans le bosquet de pins qui bordait la clairière.

Cosimo porta la main à ses joues brûlantes. L'espace d'un instant, l'agression de Meg l'avait rassuré ; n'importe quelle réaction valait mieux que cette effrayante immobilité de statue. Cependant, le fait de l'avoir conduite à un acte aussi contraire à sa nature n'allait-il pas aggraver son ressentiment envers lui ?

Incertain quant à la conduite à adopter, il resta un moment figé sur place puis il se força à sortir de sa prostration. Quelle que fût la gravité de la situation, ils ne pouvaient rester là.

Meg ne ralentit pas le pas lorsqu'elle entendit Cosimo l'appeler. Elle marchait droit devant elle sans savoir où elle allait, comme insensibilisée par l'horreur de ce cauchemar. Cosimo s'était joué d'elle, il avait utilisé la passion avec laquelle elle se donnait pour mieux la manipuler !

— *Meg !*

Cette fois, la prière instante de son cri la ramena à la réalité. À quoi bon fuir ? Elle ne laisserait pas l'horreur derrière elle en s'enfonçant indéfiniment dans un bosquet de pins. Après un brusque demi-tour, elle passa devant Cosimo pour retourner à l'endroit où attendaient les chevaux. Elle ramassa son chapeau, dénoua les rênes de sa jument et se mit en selle en s'aidant d'une souche d'arbre.

Sans un mot, Cosimo remonta à son tour puis, menant le cheval de bât, il regagna la route poussiéreuse.

Celle-ci les mena jusqu'à Miramas. En fait, ils s'arrêtèrent non loin de la ville, dans une auberge confortable mais isolée. Le genre d'auberge, songea Meg avec ressentiment, que fréquentaient les gens de l'acabit de Cosimo.

On les y accueillit chaleureusement. Leurs chevaux furent aussitôt menés à l'écurie pour y être pansés et nourris, et l'hôtesse les invita à s'installer dans un agréable jardin, ombragé d'une treille, où elle leur apporta un pichet de vin du Rhône.

— Il vient des vignes de mon père, précisa-t-elle. Vous n'en boirez pas de meilleur dans toute la vallée !

Meg faillit refuser, mais ç'eût été se montrer discourtoise. Elle s'assit donc sur le banc de bois et remercia la femme d'un sourire contraint, laissant à Cosimo le soin de le faire oralement.

— Et Mme Ana, elle va bien ? demanda alors l'aubergiste avec un large sourire en déposant également des olives et du saucisson sur la table.

— Oui, madame Arlène, merci, répondit Cosimo d'une voix atone.

Après avoir jeté un regard perplexe à Meg, qui gardait un silence obstiné, la femme fit une rapide révérence et s'éclipsa.

Meg mangea une olive, dont elle cracha le noyau dans un parterre voisin. Combien de fois Cosimo et Ana s'étaient-ils arrêtés ici lors de leurs missions ? Assez souvent, en tout cas, pour que l'aubergiste parle avec familiarité de la précédente compagne de Cosimo.

— J'aimerais me retirer dans ma chambre, dit-elle en se levant. Je suppose qu'Ana et toi partagiez le même lit, mais je voudrais dormir seule. Je suppose que c'est possible ?

— Bien sûr. Je vais t'accompagner et en parler à Mme Arlène.

Se gardant de la toucher, Cosimo la précéda jusqu'à la cuisine de l'auberge. Là, il expliqua à Mme Arlène qu'il escortait Mme Giverny jusqu'à Marseille, que le voyage l'avait fatiguée et qu'elle aurait voulu se reposer dans sa chambre.

Mme Arlène le crut-elle ? Meg n'en était pas sûre, mais peu lui importait. Elle emboîta le pas à l'aubergiste lorsque celle-ci gravit l'escalier jusqu'à une chambre, petite mais très propre, qui embaumait la lavande.

— Merci, madame Arlène, dit Meg, sincèrement reconnaissante. C'est une très jolie chambre.

L'aubergiste accepta le compliment d'un hochement de tête, puis se retira en lui promettant de faire monter de l'eau chaude.

Meg inhala profondément l'air parfumé et apaisant. Après avoir ôté son chapeau, elle s'approcha de la fenêtre et le regretta aussitôt. La chambre donnait sur le jardin. Assis sur le banc, Cosimo tournait son verre entre ses mains, le visage sombre, avec un air incertain qu'elle ne lui avait jamais vu.

Il avait commis une erreur – ce qui lui arrivait sans doute rarement – et en souffrait.

Quittant la fenêtre, Meg se laissa tomber sur le lit, les mains croisées sous la tête. Le linge sentait bon le soleil et le grand air. D'un geste brusque, elle se redressa pour enlever ses bottines puis elle s'abandonna à l'envie irrépressible de dormir.

*
* *

Lorsqu'elle rouvrit les yeux, une demi-heure à peine s'était écoulée. Elle se sentait la bouche sèche et la tête lourde. Le vin et le désespoir ne faisaient pas bon ménage avec un soleil de plomb, songea-t-elle avec une grimace.

Un broc d'eau posé sur la table de toilette fumait encore, signe que Mme Arlène avait tenu promesse. Les doigts gourds, Meg se dévêtit et procéda à quelques ablutions. Le sac contenant ses effets se trouvait à côté de l'armoire, mais elle n'avait aucune envie de s'habiller. Son seul souhait était de se recoucher pour dormir, dormir…

Elle se glissa nue entre les draps frais et se recroquevilla sur elle-même. Il serait toujours temps d'affronter l'avenir lorsqu'elle se réveillerait.

*
* *

Debout au pied du lit, Cosimo regardait Meg dormir. Un rayon de lune tombait sur son visage, accentuant encore sa pâleur et le chagrin qui, même dans le sommeil, contractait son visage. Son cœur se serra douloureusement.

Il était venu à elle car il se sentait prêt à affronter la situation et à obliger Meg à y faire face également, mais il comprit qu'il n'aurait pas le courage de l'arracher à l'oubli bienfaisant du sommeil. Elle avait besoin de reprendre des forces.

Cosimo s'écarta du lit pour aller fermer les volets. Silencieusement, il se dévêtit et se glissa sous la couverture, à côté d'elle. Il ne la toucha pas, mais il avait besoin de sentir la chaleur de son corps. Quelques minutes plus tard, apaisé par la respiration régulière de Meg et par l'odeur familière de sa peau, il s'endormit.

Il fut réveillé brutalement : réfugiée à l'extrémité du lit, Meg le repoussait à coups de pied furieux.

— Va-t'en ! Comment oses-tu ? Laisse-moi tranquille, tu me dégoûtes ! s'exclama-t-elle en lui martelant le torse de ses poings.

— Arrête… Arrête, dit-il en lui attrapant les poignets. Meg, s'il te plaît. Je n'ai pas l'intention de te toucher, je t'assure.

Meg se dégagea d'un geste brusque et se dressa sur son séant. L'obscurité qui régnait dans la pièce l'affolait, et elle dut inspirer à plusieurs reprises avant de recouvrer son sens de l'orientation.

Quand les battements erratiques de son cœur se furent un peu calmés, elle distingua vaguement la silhouette de Cosimo, à présent debout à côté du lit.

— Je ne voulais pas t'effrayer ni te réveiller. Je me suis endormi à côté de toi… Pardonne-moi…

Il semblait accablé.

— Allume une bougie, lui demanda Meg en repoussant les cheveux qui retombaient en désordre sur son visage.

À tâtons, Cosimo traversa la chambre et trouva un chandelier sur la commode, ainsi qu'un briquet.

— Je suis désolé, murmura-t-il une fois que la petite chambre fut éclairée par la lueur dansante de la bougie.

— Désolé de quoi ? rétorqua Meg avec amertume. De t'être glissé dans mon lit et de m'avoir fait peur ? Ou du reste ? Non, bien sûr, le reste, tu ne le regrettes pas. C'est ta manière d'être et d'agir, et peu t'importent ceux que tu utilises pour parvenir à tes fins.

Cosimo enfila ses culottes. D'ordinaire, sa nudité ne lui posait aucun problème mais, en cet instant, elle le gênait.

— Ce n'est pas vrai, Meg. Cela compte beaucoup… te concernant.

— Je suis censée le croire ? J'ai été un outil entre tes mains depuis le début. Peux-tu prétendre le contraire ?

Il soupira.

— Non.

Meg resta silencieuse un instant. Elle qui s'attendait à une dénégation féroce se trouvait prise au dépourvu face à cet aveu.

Cosimo en profita pour reprendre la parole.

— Meg, je te demande de croire que, depuis longtemps, je ne pense pas à toi autrement que comme à une amante, à une compagne dont l'esprit et la force me ravissent un peu plus chaque jour. Je reconnais que, si tu as accepté de m'accompagner dans ce voyage, c'est parce que je t'ai prise dans un filet de mensonges.

Mais il n'y a pas eu une seule journée, au cours de ces dernières semaines, où je ne l'ai regretté.

— Alors, pourquoi ne m'as-tu pas dit la vérité plus tôt ?

— Pour cela, je n'ai aucune excuse, admit-il tristement.

— Tu ne voulais pas risquer de compromettre ta mission... ton *assassinat*, en t'exposant à un refus prématuré de ma part, c'est tout !

— Je ne le nie pas.

Il était impossible de se disputer avec un homme qui acceptait chaque accusation, songea Meg, exaspérée. Mais cela ne changeait rien aux faits.

— Je ne t'aiderai pas à tuer un homme, reprit-elle d'un ton sans réplique. Laisse-moi ici si tu veux, et je me débrouillerai seule. Mais je ne serai pas ta complice une seconde de plus, Cosimo.

— Bonaparte a juré de conquérir l'Angleterre, répliqua-t-il. Et tout porte à croire qu'il va réussir, puisqu'on lui a confié le commandement de l'armée en octobre dernier.

— Pourquoi se rend-il en Égypte, alors ? Cela aussi, c'était un mensonge ?

— Non. Mais sa décision de repousser l'invasion de l'Angleterre nous fournit une opportunité qu'il faut saisir. Cet homme est une menace pour l'Europe tout entière, Meg. Et l'Angleterre n'est protégée que par la Manche. Imagine, ajouta-t-il en s'avançant vers elle les mains tendues, combien de vies seront sauvées au prix d'une seule, celle de Napoléon Bonaparte.

Il y avait quelque chose d'inexorable dans cette logique, mais ce que Cosimo lui demandait, c'était de séduire un homme pour le mener de sang-froid à la mort.

Meg se rappela alors le bref combat de la *Marie-Rose* contre la frégate française, les cris du marin écrasé par un canon fou, le sang qui giclait, les chairs déchiquetées par de simples éclats de bois. Il ne lui était pas difficile d'imaginer l'horreur d'une bataille navale à grande échelle. Et puis, elle connaissait bien sûr les ravages causés par toutes les guerres de l'histoire…

Malgré cela, tout en elle se révulsait à l'idée d'être l'instrument du trépas d'un être humain.

— Je ne peux pas le faire, dit-elle en détournant le visage.

Cosimo resta silencieux un moment puis il se baissa pour ramasser sa chemise et le reste de ses vêtements.

— La décision t'appartient, et à toi seule, Meg.

Il sortit en soufflant la bougie au passage.

Meg sauta du lit, alla jusqu'à la fenêtre et repoussa les volets. Le jour pointait.

Elle ne pouvait faire une chose pareille… *Elle ne le pouvait pas !*

Cosimo irait jusqu'au bout, avec ou sans elle, Meg le savait sans avoir eu besoin de le lui demander. Et elle-même resterait à l'écart, attendant qu'il en termine pour le retrouver sur la *Marie-Rose* et voguer joyeusement vers l'Angleterre ?

Atterrée, elle secoua la tête. Comment allait-il mener sa mission à bien sans son aide ?

Sans doute avait-il un plan de secours, mais offrait-il la même sûreté que le plan initial ? Tel qu'il le lui avait exposé, celui-ci prévoyait qu'elle lui fournisse le moyen de fuir ou, en tout cas, la situation qui lui permettrait de s'échapper en toute sécurité.

Sans elle, comment y réussirait-il ?

21

Ils n'échangèrent que peu de paroles pendant le trajet qui, le lendemain, les mena au-delà de Marseille. Après huit heures de chevauchée dans des collines écrasées de soleil, Meg se sentait épuisée. Mais sa fatigue était autant physique que morale, et l'enchevêtrement des pensées qui tournoyaient sans relâche dans son esprit empêchait toute réflexion cohérente.

Quel choix s'offrait à elle si elle refusait de suivre Cosimo ? Comment envisager de quitter sans lui un territoire ennemi où elle ne connaissait personne ? Être réduite ainsi à l'impuissance accentuait encore sa sensation d'épuisement.

Ils ne s'arrêtèrent qu'au crépuscule, dans une minuscule auberge à la limite des collines entourant Cassis.

Meg se laissa tomber à terre et, l'espace d'un instant, elle crut que ses jambes refuseraient de la porter. Dieu sait qu'ils avaient parcouru des chemins difficiles, mais cette dernière étape avait été la pire.

Instinctivement, Cosimo tendit la main pour la soutenir ; Meg le repoussa.

— Ça va, dit-elle sèchement. Mais ma jument est à bout.

— Je vais m'occuper des chevaux. Va à l'intérieur.

Au prix d'un effort de volonté, Meg parvint à gagner la porte sans vaciller. Arrivée sur le seuil, elle s'appuya au chambranle, le temps que ses yeux s'accoutument à la pénombre.

Elle se trouvait dans une pièce basse de plafond, pavée de tomettes, qui empestait le tabac et le vin. Une table unique flanquée de deux longs bancs en occupait le centre.

Une femme âgée émergea du fond de la salle et lui posa une question que Meg devina plus qu'elle ne comprit.

— Auriez-vous deux chambres, madame, s'il vous plaît? demanda-t-elle, non sans hésitation.

Comme elle le craignait, la femme secoua la tête avec vigueur.

— Y a une seule chambre. Ce s'ra six sous.

Eh bien, Cosimo dormirait dans la grange, voilà tout. Au moment où elle acquiesçait de la tête, son estomac gronda et elle s'aventura à demander:

— Peut-on dîner?

Après avoir opiné, la femme se retira à l'arrière. Meg s'assit sur l'un des bancs, retira ses gants de cuir puis son chapeau. La plume de celui-ci, alourdie de poussière, avait l'air tout aussi piteux que celle qui le portait, constata-t-elle, désabusée.

Un petit garçon vint déposer une cruche sur la table. Après avoir observé Meg de ses grands yeux bruns, il décampa sans laisser ni verre ni gobelet. Meg porta donc la cruche à ses lèvres et but plusieurs gorgées d'un agréable vin rosé, qui chassa de sa bouche un goût de poussière persistant.

Peu après, baissant la tête pour éviter le linteau, Cosimo franchit le seuil à son tour. Il jeta un coup d'œil autour de lui avant de la rejoindre sur le banc.

— Les chevaux seront probablement mieux logés que nous, fit-il observer en se désaltérant à son tour. Nous pourrons manger?

— D'après la dame, oui. En tout cas, elle a hoché la tête quand je lui ai posé la question. Je vais voir si je peux me rafraîchir, dit-elle en se levant.

Une porte était entrouverte à l'arrière; Meg la poussa et se retrouva dans une cuisine de plein air, protégée seulement par un auvent en zinc. L'odeur de ce que la femme faisait cuire sur un feu de bois était divine. À la question de Meg, elle répondit par un geste en direction de la cour voisine.

Il n'y avait pas de puits, mais un tonneau d'eau de pluie. Meg put enfin se laver les mains et le visage. Lorsque ce fut fait, elle demanda où se trouvait la chambre. La femme appela alors le petit garçon qui, avec un sourire intimidé, invita Meg à le suivre... vers la grange.

Si elle-même dormait dans la grange, Cosimo devrait donc se contenter de la salle commune ou de la cour! songea Meg en suivant son guide sur une échelle branlante jusqu'au fenil.

Elle fut heureusement surprise lorsqu'elle émergea dans un espace aéré, plus net que certaines «chambres» dont ils avaient dû s'accommoder. La paille du matelas semblait fraîche; la literie, bien que grossière, était propre et sentait bon le linge séché au grand air. Une lampe à huile était posée sur un coffre en bois, sous une lucarne ouverte qui donnait sur la cour.

— Merci, dit-elle au petit garçon avec un sourire.

Dès qu'il eut disparu, Meg ôta sa veste. Elle aurait volontiers changé de corsage, mais le sac contenant ses effets était resté sur le dos du cheval de bât. Elle se contenta donc de déboutonner les poignets pour relever les manches, et apprécia de sentir la relative fraîcheur de l'air sur ses avant-bras.

— Meg? appela Cosimo. J'ai tes affaires.

Sa tête apparut au sommet de l'échelle et il déposa son sac avant de prendre lui-même pied sur le plancher.

— J'ai vu pire... commenta-t-il, laconique, en jetant un coup d'œil autour de lui. La patronne est en train de déposer les plats sur la table, Meg. Si nous ne voulons pas la faire attendre...

Meg renonça à changer de corsage, jugeant que ce serait gaspiller du linge propre et qu'il valait mieux le réserver pour le lendemain matin. Elle suivit donc Cosimo jusqu'à la salle commune où elle s'assit devant un assortiment de viandes grillées. C'était excellent, mais elle mangea sans grand appétit et finit par repousser le plat.

— Nous chevaucherons longtemps, demain ? s'enquit-elle en quittant la table.

— Pas plus d'une demi-journée, répondit Cosimo sans lever les yeux du bol de fruits rouges, accompagnés de crème, qu'il mangeait. Les chevaux doivent être ménagés. Nous ne partirons pas très tôt et nous ferons une pause toutes les heures.

— Bonne nuit, alors, et à demain. Je pense que l'aubergiste pourra te trouver un endroit où dormir.

Sur ce, elle tourna les talons.

Cosimo la suivit du regard tout en tambourinant sur la table du bout des doigts. Tout cela ne menait nulle part, et il était hors de question qu'il dorme avec les chevaux, ce qui semblait être la seule alternative au fenil !

Leur hôtesse avait laissé une bouteille d'eau-de-vie sur la table. Après l'avoir débouchée, il s'en versa un petit verre. De la poire... Il sentit la liqueur descendre le long de sa gorge, à la fois douce et brûlante. Un peu comme Meg, songea-t-il avec un demi-sourire ironique.

Il but trois petits verres avant de prendre sa décision : il tenterait le tout pour le tout et s'il perdait, eh bien tant pis.

Quand il sortit dans la cour baignée de clair de lune et qu'il leva les yeux vers la lucarne de la grange, il n'aperçut aucune lumière. Après être allé chercher son propre sac, il remplit un seau d'eau au tonneau, fit une toilette sommaire puis se changea. Enfin, il grimpa tranquillement l'échelle menant au fenil.

— Va-t'en, s'il te plaît ! lui dit Meg sitôt que sa tête parut à hauteur du plancher.

— Pardonne-moi, mais il n'y a aucun autre endroit où dormir, répliqua-t-il calmement. Et je n'ai pas l'intention de partager la litière des chevaux.

— Va-t'en ! répéta-t-elle en lui tournant le dos, la couverture remontée jusqu'aux épaules.

Sans lui prêter attention, Cosimo rassembla un gros tas de paille pour former un matelas à l'autre bout de la pièce. Il étendit son manteau huilé par-dessus, plia ses vêtements en oreiller improvisé et s'allongea, enveloppé dans son manteau de voyage. À peine eut-il fermé les yeux qu'il s'endormit.

Meg avait partagé sa couche suffisamment longtemps pour savoir quand il dormait vraiment, et c'était le cas. Elle, en revanche, ne parvenait pas à trouver le sommeil malgré son épuisement. Le fait d'entendre la respiration paisible de Cosimo lui donnait une furieuse envie de le secouer, de lui tirer les cheveux, les oreilles, n'importe quoi pourvu qu'il subisse comme elle les affres de l'insomnie. Une insomnie dont il était responsable !

Ce n'est que lorsque le rayon de lune pénétrant par la lucarne se fut déplacé d'un bout à l'autre du fenil qu'elle finit par sombrer. Elle dormit toutefois si peu que le ciel se teintait à peine de gris lorsqu'elle rouvrit les yeux. Si elle se sentait toujours fatiguée, elle était toutefois un peu plus calme. À un moment quelconque de cette horrible nuit, elle avait fini par accepter l'inéluctable.

Cosimo s'éveillant toujours à l'aube quelle que fût l'heure à laquelle il se couchait, Meg le surveilla, appuyée sur un coude.

Il ne tarda pas à remuer, puis à s'étirer avec la souplesse gracieuse qui caractérisait tous ses gestes. Quand il tourna la tête vers elle, Meg sut, dès son premier frémissement, qu'il avait eu conscience du regard qu'elle fixait sur lui.

— Tu vas le faire de toute façon, n'est-ce pas ? dit-elle d'emblée. Même sans moi ?

— Oui, bien sûr.

— Bien sûr... répéta-t-elle avec une ironie à peine voilée. Comment vas-tu procéder ?

Cosimo se leva et alla se planter devant la lucarne.

— Je vais essayer de découvrir tout ce qui est possible sur ses plans, ses allées et venues, ses déplacements réguliers, puis je choisirai le moment opportun pour frapper.

— Utiliseras-tu un pistolet ou un couteau? demanda Meg, tout étonnée de la facilité avec laquelle cette question lui venait aux lèvres.

— J'aimerais mieux me servir d'un couteau. C'est plus discret et donc plus sûr, répondit Cosimo du même ton détaché. Mais si je ne peux l'approcher d'assez près, il me faudra recourir au pistolet.

— Et penses-tu pouvoir l'approcher d'assez près?

Il réfléchit un instant, puis secoua la tête.

— J'en doute.

— Dans ce cas, tu ne pourras pas t'échapper…

— Tu n'as pas besoin de t'inquiéter pour ça, Meg. Tu seras en sécurité. Je vais prendre toutes les mesures pour que tu puisses rejoindre la *Marie-Rose*. Mon équipage a ordre de te ramener ensuite en Angleterre, et il s'en acquittera, que je sois là ou non.

— Ce n'est pas pour ma sécurité que je m'inquiète, répliqua-t-elle calmement.

— Pour quoi donc, alors?

Cosimo sentait qu'ils évoluaient sur un fil susceptible de se rompre au moindre faux pas. Il devait à tout prix éviter de brusquer Meg afin de ne pas risquer une rupture irréversible.

Après avoir observé un silence pensif, elle finit par dire avec une véhémence retenue:

— La manière dont tu t'es conduit envers moi me répugne, Cosimo. Mais je t'aime. Je ne veux pas te voir mourir.

Cosimo en eut le souffle coupé. Non pas tant à cause des paroles de Meg que par la brusque libération de ses propres sentiments à ces seuls mots: *Je t'aime*. Des mots qu'il n'avait jamais pris en compte auparavant. L'amour n'avait pas sa place dans une mission, pas plus que n'importe quelle autre émotion qui risquerait de la contrecarrer. Meg venait d'ouvrir en lui une porte qui refusait de se refermer.

— L'amour ne doit pas influencer une telle décision, Meg, protesta-t-il. Si tu dois m'assister dans cette entreprise, il faut que tu perdes la faculté de ressentir une émotion quelconque.

— Comme tu le fais si bien, dit-elle en pinçant les lèvres avec ironie. Ne t'inquiète pas, Cosimo, j'ai bien compris que si je dois séduire un homme pour le conduire à la mort, il faut que j'évite de ressentir quoi que ce soit. Tu ferais mieux de m'expliquer comment cela se passera, continua-t-elle en rejetant sa couverture pour se lever. Hier, tu ne m'as donné que les grandes lignes. Je suppose cependant que ton plan est établi dans les moindres détails.

— C'est vrai, convint-il.

Il détestait le ton que Meg adoptait, tout en sachant pertinemment que c'était le seul susceptible de leur permettre de réussir et de s'en tirer vivants. C'était lui-même qui le lui imposait, et il devait l'encourager dans ce sens.

Les bras croisés sur la poitrine en un geste défensif, elle attendait en silence.

— Tu dois bien comprendre qu'à la fin, tu ne seras pas personnellement impliquée, dit-il lentement. Tu ne verras rien et ce sera comme si tu n'avais pas pris part à cette histoire.

De nouveau, Meg pinça les lèvres.

— Crois-tu que j'aie besoin de voir les conséquences pour accepter d'y jouer un rôle ?

— Pour certaines personnes, cela aurait eu son importance, mais j'aurais dû savoir que tu n'étais pas de ce genre. À présent, venons-en aux détails.

Meg s'aperçut que si Cosimo la regardait, il ne semblait pas la voir. Sans doute déroulait-il en esprit les étapes de son plan à mesure qu'il les lui exposait.

— Tu t'établiras en tant que riche veuve à la réputation légèrement sulfureuse. Nous garderons le nom de

Giverny ainsi que l'ascendance franco-écossaise; quant à ton défunt mari, c'était un comte suisse, pourvu lui aussi de nombreux liens familiaux avec la France. Personne ne saura avec certitude l'origine de ta fortune, mais elle sera entachée d'un léger parfum de scandale et suscitera quelques commérages. Pas assez pour te rendre *persona non grata*, mais suffisamment pour attirer l'attention des compagnons de Bonaparte, puis de l'homme lui-même.

— Où seras-tu, toi?

— Je dirigerai les opérations depuis les coulisses. En tant que majordome de Mme Giverny, je la précéderai à Toulon, je louerai la maison, j'engagerai le personnel et, bien entendu, je ferai naître les rumeurs.

— Où serai-je, pendant ce temps-là?

— Il y a une petite communauté de pêcheurs non loin de Toulon. Tu redeviendras Anatole et tu vivras avec eux jusqu'au moment où il sera temps pour toi d'entrer en scène.

Quand il vit son expression, Cosimo s'empressa de préciser:

— Ce ne sera que pour deux ou trois jours, rassure-toi.

— Et est-ce que je suis censée mener cette entreprise de séduction jusqu'à son terme? demanda Meg d'une voix neutre.

— Certainement pas! s'exclama Cosimo avec une véhémence qui le surprit lui-même.

Quant à Meg, elle haussa les sourcils d'un air interdit. D'un ton plus modéré, il expliqua:

— C'est la poursuite de la proie qui compte, en l'occurrence; il faut donc qu'elle dure le plus longtemps possible. Plus tu le feras languir, plus il s'acharnera. À la fin, il acceptera n'importe quelle condition que tu lui imposeras. Le moment sera alors venu de suggérer un rendez-vous discret dans un endroit écarté, auquel il devra promettre de se rendre sans escorte.

Meg hocha faiblement la tête.

— Un stratagème vieux comme le monde…

— Pratiquement infaillible si la proie est bien choisie, renchérit Cosimo. Napoléon Bonaparte est à la fois très porté sur les femmes et d'une arrogance qui sort de l'ordinaire. Il ne lui viendrait pas à l'esprit que tu ne puisses pas être attirée par lui. Pas un instant il n'envisagera qu'on ait pu lui tendre un piège, pas plus qu'il n'hésitera à sortir sans escorte pour aller au rendez-vous. Il se considère comme invincible.

— Avec raison, dit Meg. Mais pourquoi es-tu si certain qu'il me trouvera suffisamment attirante pour vouloir me séduire ?

Cosimo se gratta la joue en silence. Il aurait préféré ne pas répondre à Meg, mais le temps des tromperies était passé.

— Parce que en une occasion, il a été très attiré par Ana, à qui tu ressembles beaucoup, comme j'ai dû te le dire.

— Et Ana devait bien sûr jouer le rôle pour lequel, depuis le début, je ne suis qu'une doublure. Quelle sotte j'ai été !

— Meg, je ne sais comment arranger les choses… murmura Cosimo en ouvrant les mains dans un geste d'impuissance.

— C'est impossible, rétorqua-t-elle avec une amertume teintée de mépris. Personne ne le peut. Mais j'ai dit que je le ferai, et je ne reviendrai pas sur ma décision. Qu'on n'en parle plus. Partons-nous tout de suite ? demanda-t-elle en se levant brusquement.

— Il serait raisonnable de voyager pendant que le soleil ne tape pas trop fort. Je vais régler notre hôtesse et m'occuper des chevaux.

Mécontente d'elle-même, Meg se mit à rassembler ses affaires dès que Cosimo fut parti.

Pourquoi lui avait-elle fait cette déclaration ? Lorsqu'elle lui avait avoué son amour, il n'avait pas frémi d'un cil. Mais à quoi s'attendait-elle ? De son côté, elle n'avait accepté de reconnaître ses sentiments que depuis si peu de temps ! De toute manière, cela n'avait plus d'importance. Rien n'avait plus d'importance.

— Ils ont l'air reposés, dit-elle lorsqu'elle rejoignit Cosimo auprès des chevaux.

— Ils tiendront deux heures. Nous allons descendre vers la côte par courtes étapes, et nous nous reposerons le reste de la journée. Toi-même, tu n'as pas l'air capable d'en faire davantage aujourd'hui, ajouta-t-il après l'avoir dévisagée.

— Je n'ai pas bien dormi, figure-toi, répondit Meg en saisissant les rênes de sa jument.

— À partir de maintenant, nous prendrons mieux soin de toi.

— Il n'y a pas de *nous* ! s'exclama-t-elle, le menton relevé.

— Meg, à compter de cet instant et jusqu'au moment où tout sera fini, il n'y aura plus qu'un *nous*, répliqua Cosimo d'une voix durcie. Nous sommes associés, nous travaillons ensemble. Tes préoccupations sont les miennes et vice versa. Ne le comprends-tu pas ? Parce que si c'est le cas, nous nous arrêtons là.

Le regard que Meg lui retourna était peu amène. Si elle comprenait ? Elle comprenait d'autant mieux que c'était la raison pour laquelle elle s'était résignée à l'accompagner ! Leur vie dépendait de leur coopération, et elle ne pouvait le laisser agir seul si cela signifiait qu'il dût en mourir.

— Évidemment que je comprends.

— Alors, laisse-moi t'aider à monter.

Lorsqu'elle fut en selle, Cosimo sauta sur le dos de son cheval et saisit la longe du cheval de bât.

Si Meg avait pu voir le regard furtif qu'il lui lança, elle n'aurait pas cru ce qu'elle y aurait lu. Comment aurait-elle pu deviner à quel point Cosimo avait envie de la toucher, de la serrer dans ses bras, d'embrasser son front pour en effacer les plis soucieux, ses yeux pour en chasser la froideur ? Elle ne pouvait savoir combien il souffrait de la voir refuser le moindre réconfort de sa part.

Toutefois, il n'avait d'autre choix que de respecter la barrière qu'elle avait érigée entre eux et de garder ses distances. Tout ce qu'il pouvait faire, c'était s'assurer, dans la mesure de ses moyens, que Meg sortirait indemne de l'aventure dans laquelle il l'entraînait.

*
* *

Ils atteignirent le petit village de pêcheurs le lendemain. Après être descendu de cheval, Cosimo alla frapper à la porte d'une maisonnette située un peu en retrait de la plage.

Une jeune femme aux traits bien dessinés, aux cheveux bruns rassemblés en une longue natte, parut sur le seuil. Sa jupe à mi-mollet ainsi que les manches relevées de sa chemise dévoilaient des membres déliés et musclés, hâlés par le soleil.

Son visage s'éclaira lorsqu'elle vit Cosimo, et elle jeta ses bras autour de son cou avec force exclamations de bienvenue. Une femme très séduisante, ne put s'empêcher de remarquer Meg, et sans doute Cosimo en jugeait-il de même car il ne paraissait pas pressé de mettre un terme à leur étreinte.

Finalement, il se tourna vers Meg, qui attendait un peu à l'écart.

— Meg, je te présente Lucille. C'est elle qui s'occupera de toi pendant mon absence.

— C'est très gentil de votre part, dit Meg en descendant de cheval.

Elle n'avait rien contre cette femme. Après tout, que lui importaient les liens qui l'avaient unie, et qui l'unissaient peut-être encore à Cosimo ? Tous trois entrèrent dans la petite maison.

Un peu plus tard, au moment de partir, Cosimo serra avec chaleur les mains de Meg entre les siennes.

— Je serai de retour dans trois jours tout au plus. Ne quitte pas la maison. Contente-toi de te reposer et d'essayer de chasser de ton esprit tout ce qui n'est pas notre mission. D'accord?

— J'essaierai, c'est tout ce que je peux te promettre, murmura Meg sans répondre à son étreinte.

Il lâcha aussitôt ses mains.

— Meg, je...

— Il n'y a rien à dire, Cosimo. Va-t'en, qu'on en finisse au plus vite.

Il monta en selle et s'éloigna sans jeter un regard en arrière, tandis que Meg rentrait à pas lents dans la maison.

Quand il revint, trois jours plus tard, il conduisait une élégante calèche tirée par deux chevaux bais.

Meg n'en crut pas ses yeux. Vêtu d'une livrée de majordome, il portait un bicorne sur une chevelure d'un gris acier, coupée ras, qui lui conférait l'allure digne d'un domestique de haut rang. Il sauta à terre et dut comprendre que Meg s'efforçait de contenir son hilarité, car un lent sourire fendit son visage.

— Qu'en pensez-vous, Madame? Suis-je crédible en majordome?

Meg tenta vainement de rester impassible. Au cours des deux derniers jours, elle avait bien essayé de se persuader que son insupportable sentiment de vide, d'abandon, de solitude, était sans rapport avec l'absence de l'homme qui lui tenait compagnie depuis un mois.

En le voyant en chair et en os, elle ne pouvait plus se leurrer. Il lui manquait plus qu'elle ne l'aurait cru possible dans ces circonstances; et le simple fait de revoir ce sourire familier, ces yeux bleus comme délavés par la mer, suffit à vaincre sa résistance.

— Oui, tout à fait, assura-t-elle.

— Parfait. À présent, mon cher Anatole, nous devons vous transformer en une riche comtesse.

Il se pencha dans la calèche pour en retirer un bagage allongé tout en disant:

— Un coiffeur viendra ce soir s'occuper de ta coiffure, mais tu dois être d'une élégance irréprochable pour faire ton entrée dans Toulon. Où est Lucille ? demanda-t-il en se dirigeant vers la maison.

— Partie pêcher avec les hommes.

Meg s'était bien entendue avec son hôtesse, qui avait vaqué joyeusement à ses occupations sans lui poser de questions. Le nom de Cosimo n'avait pas été prononcé une seule fois ; non en raison d'une gêne quelconque, mais plutôt parce que, durant ce bref moment d'agréable compagnonnage, évoquer Cosimo paraissait hors de propos.

— Alors, il faudra que tu te contentes de moi comme femme de chambre, dit-il en se dirigeant vers la chambre qu'occupait Meg. Déshabille-toi.

Le ton très terre à terre de Cosimo ôtant toute ambiguïté à son ordre, Meg obtempéra.

Après avoir posé le sac sur le lit, il en sortit une fine chemise, un jupon de soie, des bas accompagnés de leurs jarretières en dentelle, une robe de damas rose et vert, d'élégants souliers en chevreau ainsi qu'un délicieux chapeau de paille orné de rubans de velours ivoire.

Se retrouver nue devant Cosimo ne gêna pas Meg, ce qui la déconcerta un peu jusqu'au moment où elle s'aperçut qu'il était si concentré sur sa tâche que rien ne semblait pouvoir l'en distraire. Les sourcils légèrement froncés par l'attention, il lui tendit un effet après l'autre, puis il boutonna sa robe avec dextérité avant de reculer de quelques pas pour juger de son œuvre.

— Je me suis bien débrouillé, conclut-il, satisfait. Ils auraient pu être faits sur toi.

En pensée, Meg revit la garde-robe d'Ana sur la *Marie-Rose*. Sans doute était-ce lui qui l'avait constituée avec le même œil infaillible. Ce corsaire avait des talents de couturière ! songea-t-elle avec une ironie mordante.

— Fais ce que tu peux avec tes cheveux, reprit-il en lui tendant un peigne. Le chapeau dissimulera leur désordre jusqu'à l'intervention de Paul.

— Qui est Paul ?

— Un excellent coiffeur. Tu as rendez-vous avec lui à 18 heures. Et demain, tu seras prête à recevoir tes premiers visiteurs.

Il y avait un petit miroir en étain poli dans la chambre. Il n'offrait qu'un reflet trouble, mais Meg s'y était habituée.

Après avoir arrangé le bord du chapeau sur son front, elle disposa quelques boucles autour de ses oreilles et s'estima satisfaite. Il était étonnant de voir comme un simple chapeau corrigeait une carnation qui avait pris un peu trop le soleil pour être à la mode. L'ombre de la capeline atténuait ses taches de rousseur qui s'étaient multipliées ces dernières semaines.

— À présent, Madame, il serait temps de partir, reprit Cosimo sur le ton d'un serviteur stylé. Si vous voulez vous donner la peine...

Au moment où elle s'apprêtait à monter dans la calèche, il la retint en posant sa main sur son bras.

— Juste une chose, dit-il. À partir de maintenant, Meg, tu endosses ton rôle. Sitôt que nous serons sur la route de Toulon, tu ne t'adresseras plus à moi que comme une maîtresse de maison à son domestique.

— Je crois que ça va beaucoup me plaire, décréta Meg en s'asseyant sur la banquette. Au fait, quel est votre nom, majordome ?

— Charles. Mais si tu trouves plus facile de te souvenir de mon titre, appelle-moi simplement « majordome ». Et si tu pouvais te montrer assez hautaine pour...

— N'aie crainte, je n'aurai aucune difficulté. Une question, cependant : n'ai-je pas les moyens de m'offrir un cocher *et* un majordome ?

— Tout le monde fait des économies, expliqua Cosimo en s'installant sur le siège du conducteur, et personne ne s'étonnera de me voir assurer les deux fonctions. Meg, ajouta-t-il en se tournant vers elle pour la fixer d'un regard intense, il est important que moi seul te conduise. Je dois m'assurer que tu arrives toujours à destination sans encombre, et te ramener ensuite à la maison en toute sécurité.

Meg opina sans rien dire.

— Au fait, je parle anglais, précisa Cosimo. Étant d'ascendance écossaise, Mme Giverny peut s'exprimer à son gré dans l'une ou l'autre des deux langues. Et elle a choisi de ne pas porter son titre de comtesse, vu la situation politique après la Révolution.

— C'est évident. Pourquoi exigerais-je qu'on s'adresse à moi de manière aussi démodée ?

— Madame ne le voudrait pas, bien sûr, répondit Cosimo en dissimulant un sourire. Je dois te prévenir, cependant, qu'en compagnie de Bonaparte et de ses affidés, il vaudrait mieux que tu fasses l'effort de parler français, en raison des mêmes considérations politiques.

— Ce serait tellement plus simple si je parlais corse, dit Meg, pensive. Séduire un homme dans sa propre langue…

— Il suffit, à présent, l'avertit Cosimo en faisant partir les chevaux d'un claquement de fouet. Souviens-toi que le seul moment où tu peux me parler librement, c'est lorsque je te le dis. Même si tu penses que nous sommes seuls, attends un signe de ma part avant de laisser tomber le masque. Est-ce clair ?

— Que crois-tu ? Je ne suis pas sotte !

— Si je pensais que tu l'étais, nous ne serions pas ici en ce moment.

C'était l'évidence même, aussi Meg renonça-t-elle à argumenter. Les mains sagement croisées sur les genoux, elle s'adossa à la banquette et consacra toute son attention au parcours qu'ils empruntaient.

Plus ils approchaient de la ville, plus les équipages qui se pressaient sur la route étaient nombreux. Ils dépassèrent des troupes de soldats ainsi que des chariots chargés de vivres.

Soudain, au détour d'un virage, la rade de Toulon apparut. Quand Meg aperçut le port avec sa forêt de mâts ornés de pavillons claquant au vent, son estomac se contracta tandis que des gouttes de sueur mouillaient sa nuque. Ils se trouvaient au beau milieu d'un pays ennemi, et elle n'avait qu'un déguisement des plus légers pour la protéger.

Cela, et le soutien d'un homme aguerri, qui s'était livré à ce genre d'activités plus souvent qu'elle ne voulait le savoir...

Elle prit une profonde inspiration et fixa son regard sur le dos de Cosimo. Il guidait les chevaux dans des rues de plus en plus étroites sans que rien, dans son attitude, n'indiquât la moindre tension.

La voiture finit par s'éloigner des quais pour s'engager dans une allée pavée, laquelle débouchait sur une petite place paisible dont une église occupait le centre. L'équipage s'arrêta devant une maison plus haute que large. Comme surgi par enchantement, un valet accourut pour s'occuper des chevaux tandis que Cosimo sautait à terre.

— Madame... dit-il avec un salut, en ouvrant la portière pour permettre à Meg de descendre.

— Merci, répondit-elle d'un ton distant.

Il alla ensuite jusqu'à la porte d'entrée, qu'il maintint grande ouverte afin que Meg fasse son entrée officielle.

— Mme Giverny, annonça-t-il.

Elle pénétra dans un vestibule dallé, aux murs de plâtre blanc, où régnait une fraîche pénombre. Un petit groupe de domestiques attendait au pied de l'escalier.

— Permettez-moi de vous présenter votre personnel, Madame, dit Cosimo.

Après avoir nommé la gouvernante, la cuisinière ainsi que sa femme de chambre personnelle, il désigna d'un geste large les domestiques de moindre importance dont elle n'avait pas besoin de connaître les noms.

Meg salua chacun d'un sourire vague, non sans prendre note, au passage, de la personnalité de celle qu'il lui avait choisie comme femme de chambre.

Estelle était jeune et rougissante. De toute évidence, elle ne possédait guère d'expérience, mais le prestige d'être au service d'une « comtesse » la rendrait sans aucun doute plus disposée à fermer les yeux sur les éventuelles singularités de la maison.

— On m'a dit que le coiffeur venait à 18 heures, Estelle, dit Meg en se dirigeant vers l'escalier. Majordome, les modistes et les couturières ont-elles livré leurs créations afin que je puisse faire mon choix ?

— Dans la chambre de Madame, répondit le majordome en s'inclinant. Et elles reviendront dès que Madame le souhaite afin de procéder aux éventuels ajustements.

Meg le remercia d'un signe de tête et gravit les marches, Estelle sur les talons.

— Par ici, Madame, indiqua la jeune fille en ouvrant l'un des battants d'une double porte.

Meg pénétra dans une grande chambre, au fond de laquelle une porte-fenêtre, prolongée d'un balcon, offrait une vue sur le port.

— J'espère que Madame est satisfaite de son installation, murmura Estelle.

— Oui, merci, dit Meg avec chaleur. À présent, voyons ce que les couturières me proposent avant que Paul ne vienne me coiffer.

22

— Montaine, qui est la femme qui vient juste d'entrer?

L'homme petit et râblé qui venait de parler portait un uniforme de général. Les décorations et les médailles qui chamarraient sa poitrine révélaient une carrière triomphale, à peine concevable chez quelqu'un n'ayant pas atteint trente ans. Il s'entretenait à voix basse avec son aide de camp qui, à son habitude, se tenait juste derrière lui.

— Laquelle, mon général? demanda Alain Montaine en parcourant des yeux la foule qui se pressait dans le salon.

On eût dit que l'élite de la France entière se trouvait à Toulon pour assister au départ du général victorieux et de son armée vers de nouvelles conquêtes. Les hôtesses rivalisaient entre elles pour donner soirées, bals, dîners et autres réjouissances où affluaient les femmes les plus belles et les plus élégantes.

— La rousse, précisa Bonaparte en la désignant de sa coupe de champagne. Elle me rappelle quelqu'un. Elle est arrivée avec Jean Guillaume. Celui-là, ajouta-t-il avec un petit rire, il est toujours le premier à mettre le grappin sur les personnes intéressantes!

L'aide de camp suivit la direction indiquée par la coupe du général, et aperçut une femme délicate, vêtue d'une éblouissante robe vert bronze au décolleté vertigineux. Celui-ci révélait des seins petits mais d'une blancheur laiteuse, tout comme la gorge fine ornée d'un collier d'émeraudes. Un diadème, également garni d'émeraudes, soulignait la couleur éclatante de ses boucles rousses coupées à la dernière mode.

— Distinguée, jugea l'aide de camp, et rien d'une ingénue…

Bien que jeune, le général ne portait guère d'intérêt aux débutantes.

— Certes. Mais *qui* est-elle ? demanda-t-il avec impatience. Je jurerais l'avoir déjà rencontrée.

— Je vais me renseigner, mon général.

Ayant fendu la foule, l'aide de camp rejoignit un groupe d'officiers qui se tenaient dans l'embrasure d'une porte-fenêtre. Un bref échange eut lieu, accompagné de gestes éloquents et de rires sous cape. À présent en possession de son nom – et intrigué par les quelques faits qu'on venait de lui rapporter – Montaine se dirigea vers l'endroit où se tenait la nouvelle venue.

Plusieurs hommes l'entouraient, dont son chevalier servant, le capitaine Guillaume, qui la couvait d'un regard de propriétaire. Avec un sourire éblouissant qui plissa le coin de ses yeux verts, elle se tourna aussitôt vers l'aide de camp pour l'inclure dans son cercle.

Ce n'était définitivement pas une débutante. D'après ce que Montaine venait d'entendre, il pouvait même escompter une femme d'expérience. Tout à fait le genre de femme que recherchait Bonaparte pour une courte liaison avant de partir en campagne. Faciliter de tels rapprochements était une mission dont l'aide de camp avait appris depuis longtemps à s'acquitter.

— Madame Giverny, je présume ? dit-il en s'inclinant.

— Vous présumez bien, monsieur, répondit-elle avec un léger accent. Mais je n'ai pas le plaisir…

Relevant ses sourcils délicats, elle agita son éventail d'un geste gracieux, un rien provocant, tandis que ses yeux verts lui souriaient par-dessus la soie ouvragée.

— Colonel Alain Montaine, pour vous servir, madame.

Il plongea dans un nouveau salut et se saisit de la main qu'on lui tendait pour la porter à ses lèvres.

— Guillaume, où gardiez-vous cette délicieuse personne ? demanda-t-il alors au capitaine.

— Vous me flattez, colonel, répondit la jeune femme avec un rire musical, mais je vous assure que personne ne me « garde ».

— Mme Giverny est en ville depuis peu, dit le capitaine d'un ton contraint.

De toute évidence, il appréciait peu le badinage qui s'établissait entre sa compagne et le colonel.

— C'est vrai, colonel, j'étais encore à Paris il y a deux jours. Mais je *devais* venir à Toulon pour offrir mon soutien au général Bonaparte, à son armée et à sa flotte. C'est une entreprise tellement audacieuse !

— Certainement, madame, assura Montaine, conscient du regard impatient de Bonaparte fixé sur lui. Si vous voulez bien m'excuser, je crois que le général me réclame.

Après avoir salué une nouvelle fois, il disparut dans la foule.

— Un homme charmant, fit observer Meg en se tournant, tout sourire, vers son cavalier.

Le capitaine répondit à cela par un sourire vague et peu convaincu.

— Puis-je aller vous chercher une coupe de champagne, madame ?

— Je vous remercie, c'est très aimable de votre part ! Mais ne soyez pas parti trop longtemps, dit Meg en battant des cils.

— Non… non, pas une seconde de plus qu'il n'est nécessaire, je vous assure.

À peine le capitaine se fut-il éloigné qu'il se trouva nez à nez avec Montaine, auquel Bonaparte venait de donner de nouveaux ordres.

— Que savez-vous d'elle, Guillaume ? Elle est très libre dans ses manières.

— D'après ce que j'ai compris, c'est une veuve, répondit le capitaine, résigné, car il savait toute réticence inutile devant l'aide de camp du général. Une riche veuve, à en juger par son train de vie. Elle s'est installée dans une belle maison, derrière l'église Sainte-Marie.

— Oui, cela, je le sais. Mais qui a-t-elle pour amis ? insista le colonel en observant le groupe d'hommes entourant la jeune femme.

— Je l'ignore, répondit le capitaine avec un haussement d'épaules. J'ai rencontré Mme Giverny hier matin, alors qu'elle circulait sur la corniche. Un couple de bais de toute beauté, au passage... Elle m'a interpellé, ou plutôt son cocher m'a interpellé pour me demander où se trouvait la place d'armes. Apparemment, quelqu'un lui avait dit qu'on y passait les troupes en revue tous les matins et elle voulait assister à ce spectacle.

— Et personne ne sait rien de concret sur elle, hormis son nom et le fait qu'elle est veuve, dit le colonel, pensif. Veuve et riche...

Le front plissé, il ne quittait pas Mme Giverny des yeux.

— Elle est *très* libre dans ses manières.

Le capitaine parut affecté par ce jugement.

— Ce n'est pas parce qu'une femme est seule que l'on doit aussitôt soupçonner quelque scandale, déclara-t-il tout en sachant à quels échos il était fait allusion. Les commérages à son sujet sont sans fondement.

— On aimerait le croire, murmura le colonel. Mais elle est seule *et* inconnue. De plus, elle s'exprime avec un accent curieux, que je ne parviens pas à identifier.

— Elle n'est qu'à demi française. Sa famille maternelle est écossaise. Elle avait épousé un comte suisse, d'après ce que l'on m'a dit.

— Giverny... Ce n'est pas un nom que je connais, dit Montaine en secouant la tête.

— Pourquoi le connaîtriez-vous ? rétorqua le capitaine un peu brusquement. Il s'agit de la noblesse provinciale suisse. Nombreux sont ceux qui, par les temps qui courent, choisissent d'ignorer leurs racines aristocratiques.

— C'est sûr. Une femme piquante, en tout cas, je vous l'accorde.

Montaine retourna vers Bonaparte sans être convaincu par sa conversation avec le capitaine. Il aurait parié que le passé de cette riche veuve n'était pas sans taches. Si le général s'intéressait à elle, il lui appartiendrait de passer au crible la situation passée et présente de cette femme avec le plus grand soin. Un exercice dont il était coutumier, que Bonaparte fût ou non au courant.

— Alors ? demanda ce dernier dès qu'il l'eut rejoint.

— Il n'y a pas grand-chose à dire, mon général. Mme Giverny vient d'arriver à Toulon et semble n'y connaître personne.

Montaine fit part de ce qu'il savait. Il omit toutefois les commérages, que Bonaparte aurait jugés sans intérêt dans le cadre d'une brève et discrète liaison.

— N'avez-vous pas dit qu'elle vous rappelait quelqu'un, mon général ?

— Oui, répondit Bonaparte, les sourcils froncés, mais impossible de me souvenir de qui. Amenez-la-moi !

L'aide de camp fendit de nouveau la foule. Le général Bonaparte était d'une telle arrogance qu'il ne lui venait pas à l'esprit qu'un civil pût se froisser d'être convoqué ainsi sans cérémonie. Il revenait à Montaine de présenter l'ordre sous une forme moins abrupte.

La dame en question et ses admirateurs s'étaient joints à un nouveau groupe. Le rire cristallin de Mme Giverny jaillissait du brouhaha et il la vit abattre son éventail sur le bras de son interlocuteur en une affectation de reproche. Il était frappant de voir qu'elle était la seule femme à évoluer dans ce cercle.

— Madame, je dois vous soumettre une requête de la part du général Bonaparte, annonça Montaine sans préambule. Il réclame avec la plus grande instance de vous être présenté.

Un frisson d'appréhension parcourut le dos de Meg, aussitôt suivi d'une bouffée d'exaltation. Ce fut avec un sourire détaché, qui contredisait les battements accélérés de son cœur, qu'elle prit le bras offert par l'aide de camp de Bonaparte.

— Je suis très honorée, colonel. Je n'aurais jamais espéré avoir l'opportunité de rencontrer le général Bonaparte en personne.

Elle prononça ces derniers mots sur le ton de la confidence, en y laissant transparaître une vénération contenue.

Les mains dans le dos, le général Bonaparte faisait les cent pas à l'autre extrémité du salon tout en surveillant leur progression à travers la foule. Quand ils furent devant lui, il s'inclina en saisissant la main de Meg, qu'il porta à ses lèvres.

— Madame, c'est un honneur...

Sous ses sourcils à l'arc prononcé, le regard qu'il fixait sur elle était aussi aigu et brillant que celui d'un aigle ; puis il sourit, dévoilant une rangée de dents parfaitement blanches et alignées.

Meg dissimula son bref examen sous un franc sourire, qu'elle accompagna d'une ébauche de révérence.

— Tout l'honneur est pour moi, général. Comme je le disais au colonel, je n'aurais jamais osé espérer vous rencontrer en personne.

— Allons sur la terrasse, suggéra-t-il en passant la main de Meg sous son bras. Ce salon est une vraie ruche. Montaine, apportez-nous du champagne ainsi que quelques-unes de ces bouchées au homard, elles sont délicieuses.

— Bien, mon général, dit l'aide de camp qui ne tourna les talons que quand le couple eut franchi la porte-fenêtre.

— Ainsi, madame, vous êtes écossaise, d'après ce qu'on m'a dit, commença le général en tapotant la main qui reposait sur son bras. Des liens très étroits unissent nos deux pays.

Prudence à partir de maintenant ! se dit Meg.

— Historiquement, oui, général, acquiesça-t-elle tout en s'accoudant à la balustrade, ce qui lui fournit l'opportunité de changer de sujet. Quelle vue magnifique ! Tous ces navires illuminés… Pensez-vous engager la bataille contre l'amiral Nelson ?

Le sourire de Bonaparte ne fut pas exempt d'une pointe de condescendance.

— Si l'amiral Nelson est assez insensé pour souhaiter un tel affrontement, alors, oui, madame, nous saisirons cette opportunité.

Les petits cheveux sur la nuque de Meg se hérissèrent. Depuis deux jours qu'elle jouait son rôle, elle s'était tant divertie à incarner les veuves scandaleuses qu'elle en avait oublié l'importance des enjeux.

Devant l'immense flotte réunie dans le port, alors que l'homme le plus puissant et le plus dangereux d'Europe se tenait à son côté, elle fut frappée de plein fouet par les implications de cette guerre.

— Peut-être qu'il ne sera pas insensé à ce point, dit-elle avec un rire perlé, derrière son éventail. Vous êtes renommé pour ne jamais perdre un combat, général.

Un rire profond roula dans la poitrine de Bonaparte.

— Certes, répondit-il en tournant vers elle un regard lascif. Je suis connu pour ne jamais perdre un combat… quel qu'il soit, chère madame.

Avisant un laquais qui se tenait discrètement en retrait, il l'appela d'un claquement de doigts.

L'homme s'avança. Sur le plateau qu'il présentait, Bonaparte prit une coupe de champagne qu'il offrit à Meg avec un salut.

— Goûtez ceci, dit-il ensuite en portant à ses lèvres une bouchée qu'il venait de choisir sur un ravier d'argent.

Napoléon Bonaparte ne perd pas de temps, songea Meg en l'autorisant à déposer ce morceau de choix dans sa bouche. Elle-même ne souhaitait pas en perdre non plus, mais elle ne devait pas paraître capituler trop vite.

Le moment était venu d'opérer une retraite stratégique.

— Vous êtes trop aimable, général, murmura-t-elle. Mais si vous voulez bien m'excuser, à présent, je dois rejoindre mon cavalier.

— Chère madame, je ne suis pas sûr du tout de vous excuser, répliqua-t-il en la retenant par le bras. Vous pouvez certainement m'accorder encore un peu de votre temps. À moins que la compagnie du capitaine Guillaume ne soit irrésistible ? ajouta-t-il en haussant un sourcil.

— Non, bien évidemment, assura Meg en jouant de son éventail. Comment quelqu'un pourrait-il se mesurer avec le général Bonaparte ? Je veux simplement éviter de vous déranger trop longtemps. Vous êtes l'homme le plus occupé de France, après tout…

— Vous me flattez, dit-il avec un geste désinvolte.

— Pas du tout, je vous assure. Quand comptez-vous prendre la mer ? demanda Meg en s'accoudant de nouveau à la balustrade. Si toutefois je puis me permettre de poser une telle question.

— Dans un peu moins de deux semaines. La flotte sera prête, alors, et nous ferons voile vers Malte.

Il parlait avec une assurance qui fit courir un nouveau frisson dans le dos de Meg. Bonaparte exsudait une telle confiance en soi qu'on éprouvait de la difficulté à ne pas être soi-même convaincu de son succès.

Rien, dans sa carrière fulgurante, ne s'était élevé pour saper cette belle assurance, bien au contraire. Il n'était donc pas surprenant, dans ce cas, que ses ennemis envisagent l'assassinat comme la manière la plus sûre et la plus rapide de mettre un terme à la menace qu'il représentait.

316

La mission de Meg était trop opposée à sa nature la plus profonde pour qu'elle puisse y souscrire vraiment. Cependant, face à la réalité des préparatifs de Bonaparte pour conquérir l'Orient, elle pouvait admettre sa nécessité.

Elle frissonna de nouveau, cette fois ouvertement.

— Oh! mais vous avez froid! s'exclama-t-il aussitôt en lui prenant le bras pour l'entraîner à l'intérieur. Vous devez veiller à votre santé, madame. Le salon est surchauffé alors que la brise du soir est d'une fraîcheur traîtresse.

— J'ai un peu mal à la tête, général… se plaignit-elle lorsqu'ils furent de nouveau dans le salon. Mais j'ai été extrêmement honorée d'avoir eu l'occasion de m'entretenir avec vous.

— Honorée? Balivernes que cela! Vous devez rentrer chez vous: un mal de tête n'est pas à traiter à la légère. Je vous rendrai visite demain. À quelle heure serez-vous là?

— À l'heure qu'il vous plaira, général.

— Alors, je me présenterai à votre domicile à 10 heures. À présent, mon aide de camp va vous raccompagner. Montaine! Mme Giverny ne se sent pas bien. Reconduisez-la jusqu'à sa voiture.

— Avec plaisir, madame, dit le colonel en lui offrant son bras.

Comme ils passaient de nouveau au milieu des groupes d'invités, Meg fut consciente des regards qui s'attardaient sur eux, puis des chuchotements qui naissaient dans leur sillage.

Soudain, le capitaine Guillaume surgit devant eux.

— Vous partez déjà, madame Giverny? Vous me brisez le cœur!

— Excusez-moi, capitaine, mais j'ai la migraine. Le colonel est assez aimable pour me raccompagner jusqu'à ma voiture.

Guillaume n'eut d'autre choix que de s'incliner et de se retirer.

— Où habitiez-vous, à Paris ? s'enquit l'aide de camp avec une désinvolture peu sincère pendant qu'ils attendaient qu'un laquais apporte le manteau de Meg.

— Je ne résidais pas dans Paris même, répondit Meg, circonspecte. À côté du bois de Boulogne, en fait.

Si le colonel souhaitait procéder à une enquête, cette imprécision ne lui faciliterait pas la tâche. Le temps que les résultats de ses investigations lui parviennent à Toulon, tout serait terminé, d'une façon ou d'une autre. Une fois de plus, un frisson lui parcourut l'échine.

— Un endroit très agréable, fit observer le colonel en l'aidant à se draper dans sa cape. S'agissait-il d'un domaine de votre défunt mari ?

— Non, justement, répliqua Meg en soutenant son regard avec une provocation calculée. Il se trouve que je me suis installée à Paris six mois après le décès du comte.

Elle inclina légèrement la tête, comme pour signifier : « Là, êtes-vous satisfait ? »

— Pardonnez mon indiscrétion, dit-il sans pour autant détourner les yeux. Mais quand le général marque de l'intérêt pour quelqu'un, il est de mon devoir de poser quelques questions.

— Je ne qualifierais pas d'« intérêt » dix minutes de conversation dans une soirée mondaine, colonel.

— Permettez-moi de vous dire, madame, que vous ne connaissez pas le général comme je le connais.

— À n'en pas douter, assura Meg avec un sourire glacé.

Sa voiture s'arrêta devant eux et le cocher sauta à terre pour lui ouvrir la portière.

— Bonsoir, Charles, dit Meg en prenant place sur la banquette. Bonne nuit, colonel.

— Bonne nuit, madame, répondit-il en s'inclinant.

Il suivit ensuite la calèche des yeux, le front plissé. Cette dame visait-elle simplement la conquête de Bonaparte ? Certes, de nombreuses femmes poursuivaient ce but et avaient été assez heureuses pour compter le général au nombre de leurs amants. La gloire qu'elles en retiraient était éphémère, mais le triomphe retentissant.

Pourtant, cette Mme Giverny lui semblait différente. En quoi, il n'aurait su le dire...

*
* *

Enveloppée dans sa cape pour se protéger de la brise maritime, Meg s'abandonna à l'exultation d'avoir joué son rôle à la perfection. Une espionne chevronnée ne s'en serait pas mieux tirée !

Ce ne fut qu'au prix d'un effort sur elle-même qu'elle parvint à contenir le rire de triomphe qui lui gonflait la poitrine. Les yeux rivés sur le dos de Cosimo, elle le sommait de dire quelque chose qui l'autoriserait à libérer son allégresse. Elle savait toutefois qu'il n'en ferait rien tant qu'ils seraient sur la voie publique, même si personne ne semblait devoir les entendre.

Depuis l'arrivée de Meg à Toulon, ils avaient eu peu d'occasions de s'entretenir.

Le premier soir, Cosimo lui avait donné une pile de cartes de visite à signer, en expliquant qu'il allait les déposer dans les maisons les plus en vue. Elle devait s'attendre à recevoir des visiteurs dès le lendemain matin. Car, grâce à la diligence discrète qu'il avait déployée durant le séjour de Meg chez Lucille, chacun en ville se montrait très impatient de rencontrer la mystérieuse comtesse.

Cosimo savait de quoi il parlait : en effet, le marteau de la porte d'entrée n'avait plus cessé de résonner depuis. Un flot continu de visiteurs – militaires, officiers de marine, leurs femmes et leurs filles, épouses des membres les plus éminents de la ville – avait défilé dans le salon de Meg.

À sa grande surprise, elle s'était prise au jeu. Elle avait flirté avec les hommes, s'était montrée aimable quoique réservée avec les femmes, et avait agi de manière à soutenir la réputation un peu sulfureuse qui l'avait précédée.

L'invitation du capitaine Guillaume à l'accompagner à la soirée donnée par son commandement avait été sa première sortie officielle. La chance avait voulu que Bonaparte y assistât, et Meg ne pouvait que se féliciter de ce succès foudroyant. Cependant, elle ne parvenait pas à trancher : les questions importunes du colonel Montaine étaient-elles bon signe ou non ? Relevaient-elles d'une routine sitôt que Bonaparte manifestait un quelconque intérêt pour une femme ? À moins que quelque chose en elle n'ait éveillé la méfiance de l'aide de camp… Meg en doutait, car elle n'avait pas commis de faux pas.

Quand Cosimo descendit pour lui ouvrir la portière, devant la maison, elle ne put s'empêcher de lui jeter subrepticement un regard triomphal. L'espace d'un instant, son digne majordome perdit son allure compassée et les mots « Plus tard » se formèrent sur ses lèvres. Puis il s'écarta pour la laisser passer.

Meg réprima un sourire. Elle éprouvait encore quelque difficulté à assimiler le serviteur discret et stylé qui dirigeait sa domesticité à son amant – capitaine de corvette, corsaire, agent transmetteur, espion et… assassin.

Estelle l'attendait dans sa chambre. Sa chemise de nuit était étalée sur le lit, un broc d'eau chaude fumait près de la table de toilette.

— Votre soirée s'est bien passée, Madame ?

— Oui, merci, répondit Meg en étouffant un bâillement derrière sa main. Mais j'ai la migraine et je voudrais me coucher le plus vite possible.

En réalité, l'impatience la gagnait à l'idée que Cosimo la rejoindrait cette nuit.

Estelle se précipita pour l'aider à se débarrasser de ses bijoux, puis à ôter robe et jupon. Elle lui présenta ensuite un linge imprégné d'eau chaude, que Meg se passa sur le visage et le décolleté afin d'en enlever la poudre. Après les avoir massés avec un onguent censé blanchir la peau et atténuer les taches de rousseur, elle enfila enfin sa chemise de nuit.

— Désirez-vous autre chose, Madame ? s'enquit Estelle en ouvrant le lit.

— Apportez-moi la carafe de cognac, s'il vous plaît, répondit Meg en songeant que Cosimo apprécierait d'en boire un verre. Quelques gouttes dans un verre d'eau m'aideront à dormir.

Sitôt qu'Estelle se fut retirée, Meg s'adossa à ses oreillers, les yeux fermés, pour s'abandonner à une exaltation qui se doublait d'un jaillissement de désir dans tout son corps.

— Je présume que tout s'est bien passé...

Meg rouvrit les yeux. Cosimo se tenait dans l'embrasure de la porte.

— Te voilà enfin ! s'exclama-t-elle en sautant du lit.

Dans le scintillement de ses yeux, dans la fièvre qui lui rosissait les joues, Cosimo reconnut aussitôt l'excitation jubilatoire suscitée par une chasse dangereuse.

Ils s'enlacèrent, et ce fut comme si leur éloignement n'avait jamais existé.

— Oh ! mais on aime l'aventure, mon cœur, n'est-ce pas ? dit-il avec un petit rire.

Pressée contre lui, Meg rejeta la tête en arrière pour qu'il l'embrasse. Il lui semblait qu'une éternité s'était écoulée depuis la dernière fois qu'ils s'étaient aimés, et ses doigts tremblaient d'impatience lorsqu'elle commença à déboutonner sa chemise pour toucher sa peau.

Sans quitter sa bouche, Cosimo se débarrassa de ses vêtements en toute hâte et, nu, la culbuta sur le lit. Insoucieuse de sa chemise de nuit qui s'entortillait autour d'elle, Meg le palpait avec ferveur, le caressait des mains et de la langue. Elle finit par poser ses lèvres sur son torse et traça une ligne de baisers le long de la ligne sombre de poils qui descendait jusqu'au pubis.

Quand elle prit son sexe dans sa bouche, Cosimo exhala un gémissement sourd.

— Arrête une minute, mon cœur, pour l'amour du Ciel, haleta-t-il au bout d'un instant. Je veux te sentir, je veux venir en toi…

D'un geste preste, il lui ôta sa chemise de nuit et l'attira sur lui de manière qu'elle le chevauche. Lentement, Meg s'abaissa sur lui, emprisonnant son sexe érigé ; puis, assise sur ses cuisses, elle imprima à son bassin un irrésistible mouvement de va-et-vient. Les yeux ardemment fixés sur son visage, Cosimo attendit que le plaisir la submerge avant de laisser son propre corps la suivre dans l'extase.

Il resta avec elle jusqu'à ce que l'aube les réveille.

— J'ai froid… se plaignit Meg, sur le corps de laquelle la sueur de l'amour avait séché, la laissant transie.

Cosimo sortit du lit pour ramasser les couvertures tombées à terre et l'en enveloppa.

— À défaut d'un bol de chocolat chaud, je peux t'offrir un verre de cognac, proposa-t-il.

— Tu n'as pas froid, toi ?

— J'ai l'habitude. Je suis un marin, lui rappela-t-il avec un sourire.

Il se rhabilla néanmoins, tout en buvant quelques gorgées de cognac dans le verre qu'il lui avait donné, après quoi il s'assit au pied du lit. Son ton n'avait plus rien de celui de l'amant lorsqu'il dit :

— Raconte-moi exactement comment ça s'est passé.

Meg s'exécuta, surprise de constater combien elle avait l'esprit clair. Cosimo ne l'interrompit pas, même si, de temps à autre, une étincelle s'allumait dans son regard.

— Ainsi, le colonel Montaine t'a semblé particulièrement inquisiteur… murmura-t-il quand elle eut terminé.

— Est-ce bon signe ou pas ?

— Je pense que oui. On peut imaginer que les femmes auxquelles s'intéresse Bonaparte font l'objet d'un examen particulier. Et, de toute façon, on ne peut rien te reprocher de suspect.

— Alors, quand le général frappera à ma porte ce matin, je l'accueillerai les bras ouverts ?

— Bien sûr. S'il vient… répondit Cosimo en se levant.

— Et pourquoi ne viendrait-il pas ? répliqua Meg, offusquée. Tu penses que j'ai échoué ?

— Impossible, ma chère Meg. Mais Bonaparte n'a pas pour habitude de se rendre chez les gens ; ce sont eux qui viennent à lui. Il s'en souviendra ce matin et tu peux donc t'attendre à une convocation.

— Et je devrai m'y rendre ? demanda Meg en resserrant la couverture autour d'elle.

— Oui, mais peut-être pas sur-le-champ.

Après l'avoir observée en silence, il reprit :

— Enfin… à toi d'improviser, selon les circonstances, Meg. Tu sentiras ce qu'il convient de faire, je pense. Et si jamais tu as besoin de me consulter, arrange les roses dans le vase de l'entrée.

Comme elle étouffait un bâillement, il se pencha sur elle pour l'embrasser.

— Excuse-moi, murmura-t-elle. Il faut que je dorme avant d'affronter de nouveau le général.

— Je suis là, dit-il d'un ton réconfortant. Je serai toujours à ton côté.

Sauf dans l'antre de Bonaparte… songea Meg.

Cependant, même s'il y avait des endroits où Cosimo ne pouvait la suivre, elle sentirait sa présence, elle entendrait sa voix. Sans doute était-ce ce qu'il voulait dire.

Et si jamais elle avait besoin de lui, elle n'avait qu'à réarranger la disposition des roses sur la console de l'entrée…

Malgré sa fatigue, Meg trouvait cette idée divertissante ; elle se garda néanmoins d'en souffler mot à

Cosimo de peur de se voir reprocher son manque de
sérieux. Comme il se penchait sur elle d'un air soucieux, elle lui adressa un sourire ensommeillé, puis
leva la main pour lui tapoter la joue.

— Bonne nuit, *Charles*.

Cosimo claqua des talons et porta la main à son
front en une esquisse de salut.

— Bonne nuit, *Madame*.

Parvenu à la porte, il se retourna pour lancer par-
dessus son épaule :

— Je suis heureux d'avoir pu servir Madame.

Le rire étouffé de Meg le suivit jusque dans le couloir.

23

Le matin suivant, Meg se prépara avec le plus grand soin.

Son choix se porta sur une robe de mousseline à rayures blanches et vertes, aux courtes manches bouffantes et au col montant. Elle noua dans ses cheveux un ruban de velours vert, assorti à celui qui passait sous ses seins, puis recouvrit de poudre ses taches de rousseur. Enfin, elle appliqua un peu d'eau de fleur d'oranger derrière ses oreilles et sur ses poignets.

Son souhait, ce matin, était d'offrir l'image irréprochable d'une dame de la bonne société, à laquelle personne ne songerait à attacher le moindre soupçon de scandale.

Elle comptait sur le contraste que formerait son personnage avec celui de la veille pour intriguer davantage le général.

À 10 heures, à demi dissimulée derrière un rideau de damas, elle surveillait la rue. Viendrait-il, ou Cosimo avait-il raison ?

Cosimo avait raison. Du landau qui venait de s'arrêter devant la maison descendit le colonel Montaine, resplendissant dans son uniforme chamarré. Quand il leva les yeux vers la façade, Meg s'effaça derrière le rideau, puis elle alla s'asseoir sur une chaise et prit son ouvrage.

— Le colonel Alain Montaine, Madame, annonça Cosimo, quelques instants plus tard, en ouvrant la porte.

— Colonel, quelle agréable surprise ! dit Meg en levant les yeux de sa broderie.

— Hélas ! vous dites cela pour me flatter. Je sais qui vous attendiez, et je ne puis me mesurer à lui.

Venant à Meg, il prit la main qu'elle lui tendait pour la porter à ses lèvres.

— Le général Bonaparte est désolé de n'avoir pu venir en personne, reprit-il, mais il a été retenu. Il vous supplie de lui faire l'honneur de le rejoindre dans son cabinet de travail ce matin, pour y prendre le thé.

— Je ne voudrais pas déranger le général lorsqu'il travaille, protesta Meg. Asseyez-vous donc, colonel.

— Pardonnez-moi, madame, mais je dispose de peu de temps. Le général serait très déçu de ne pas vous voir ce matin...

La tête inclinée sur le côté, Meg fit mine de réfléchir.

— J'avoue que j'attendais avec impatience de reprendre mon entretien avec le général Bonaparte. Si vous êtes certain que je ne le dérangerai pas...

— Madame, je peux vous assurer que le général ne se laisse *jamais* distraire de ses obligations, déclara le colonel. Il est très désireux de vous voir. Ma voiture est à votre disposition.

— C'est très aimable à vous, assura Meg en reposant son ouvrage pour se lever. Si vous voulez bien m'accorder quelques minutes...

Dans le vestibule, Cosimo affectait de surveiller une domestique qui polissait les poignées de cuivre des portes.

— Charles, je pars rendre visite au général Bonaparte, lui dit Meg. Pourriez-vous venir me chercher dans une heure ? J'ai un rendez-vous pour déjeuner.

— Dans une heure. Bien, Madame.

Tandis que Meg montait l'escalier pour aller chercher gants et chapeau, Cosimo s'approcha de la porte du salon. Quand il l'ouvrit, le colonel se détourna brusquement du secrétaire sur lequel il était penché.

— Puis-je vous offrir un rafraîchissement pendant que vous attendez Madame ? demanda Cosimo d'un ton détaché.

— Merci, je n'ai pas le temps, répondit sèchement le colonel.

Non seulement il affichait un air coupable, mais deux taches rouges marquaient ses pommettes. Un bien piètre espion ! songea Cosimo, railleur.

Délibérément, il s'avança vers le secrétaire, rectifiant au passage la symétrie de quelques coussins sur un sofa. Parvenu devant le petit bureau, il se mit à ranger les papiers avec un soin indifférent, à la manière d'un domestique s'adonnant à ses tâches quotidiennes. Quelques cartes de visite, plusieurs invitations ainsi qu'une feuille comportant les suggestions de menus de la cuisinière... Dieu merci, il n'y avait là rien de compromettant pour Mme Giverny !

Rassuré, Cosimo salua le colonel puis retourna dans le vestibule. Meg descendait l'escalier. Le large bord de son chapeau de soie verte lui donnait un air piquant que Bonaparte allait trouver irrésistible, à n'en pas douter.

— Dans une heure, Charles, lui rappela-t-elle.

Puis elle ouvrit la porte du salon.

— Je suis prête, colonel.

*
* *

Le quartier général de Bonaparte s'élevait sur la place d'armes, derrière de hauts murs percés d'une imposante grille en fer forgé. Des soldats patrouillaient le long des murs, une guérite commandait l'entrée par la grille, et d'autres sentinelles gardaient la massive porte en bois qui donnait accès au palais lui-même.

— Je suppose que le général n'est pas inquiet pour sa sécurité, murmura Meg en voyant cet impressionnant déploiement.

— Au contraire, madame, dit le colonel avec un petit rire.

Le hall dans lequel ils pénétrèrent était immense, dallé de marbre et orné de boiseries. D'autres soldats y faisaient les cent pas. Un magnifique escalier en fer à cheval menait à l'étage supérieur et le colonel, prenant Meg par le coude, l'invita à le gravir. Curieusement, elle n'éprouvait aucune nervosité à se retrouver seule dans l'antre du lion.

Une fois sur le palier, ils empruntèrent un large couloir. Tout au fond, deux sentinelles gardaient une porte à double battant. Le colonel entra sans frapper dans ce qui était de toute évidence un salon. Un plateau d'argent, garni d'une théière et de deux tasses en porcelaine de Sèvres, était posé sur une table basse devant un sofa de brocart.

— Le général se joindra à vous sous peu, déclara le colonel avant de se retirer.

Tout en ôtant ses gants, Meg s'avança vers la rangée de fenêtres qui donnaient sur une grande terrasse offrant une vue magnifique sur le port. Il lui sembla qu'un long moment s'écoulait avant qu'elle n'entende une porte s'ouvrir dans son dos.

— Madame Giverny, pardonnez-moi de vous avoir fait attendre, dit le général en s'avançant vers elle.

Il se redressait de toute sa courte taille, avec une arrogance qui évoquait celle d'un coq de basse-cour. Meg, qui considérait l'inexactitude délibérée comme la plus déplaisante des grossièretés, commençait à ressentir une franche aversion pour cet homme si dépourvu d'égards envers les autres.

— Je suis sûre que vous avez beaucoup à faire, général, répondit-elle avec un sourire réservé.

Puis, jetant un coup d'œil appuyé à la pendule dorée qui ornait la cheminée :

— Malheureusement, il ne me reste que très peu de temps. Ma voiture viendra me chercher dans une demi-heure.

À ces mots, Bonaparte parut d'abord déconcerté, puis contrarié.

— Montaine vous reconduira chez vous, madame.

Meg secoua la tête avec fermeté.

— Non, je ne voudrais pas vous déranger plus que nécessaire. Puis-je vous verser un peu de thé, général ? ajouta-t-elle en se dirigeant vers la table basse.

— Non, dit-il avec brusquerie, j'ai horreur de ça. Je prendrai un verre de bordeaux.

Il se dirigea vers une console sur laquelle se trouvaient quelques carafes puis ajouta, comme saisi d'une pensée après coup :

— Mais servez-vous, madame.

Affichant un calme imperturbable, Meg versa le liquide odorant dans l'une des tasses. Elle se tourna ensuite vers Bonaparte qui, planté devant une fenêtre, arborait une mine courroucée.

— Quelque chose vous préoccupe, général, dirait-on, susurra-t-elle en traversant le tapis d'Aubusson pour le rejoindre. La conduite de votre future campagne, peut-être…

— Balivernes ! Une campagne ne me cause jamais de soucis, madame. Une fois ma décision prise, je m'y tiens, et voilà tout.

Il la considérait à présent d'un air plus amène, et une étincelle d'intérêt s'alluma dans son regard sombre.

Meg se percha avec délicatesse sur le bras d'un fauteuil. Portant la tasse à ses lèvres, elle le regarda par-dessus le bord avec coquetterie.

— Vous ne paraissez pas rongé par le doute, je l'admets, général.

— Vous ne croyez pas si bien dire, madame, répliqua-t-il en riant. Je suis aussi sûr de mon succès que de voir le soleil se lever tous les matins.

Venant à elle, il lui ôta la tasse des mains et la déposa sur la console. Puis il prit les mains de Meg dans les siennes pour la remettre debout.

— Allons, Nathalie, soyons un peu moins formalistes. C'est un si joli prénom, Nathalie…

— Et comment suis-je censée m'adresser à vous, général ?

— Vous pouvez m'appeler Napoléon, répondit-il en l'attirant à lui. Ah… quel délicieux parfum !

Inclinant brusquement la tête, il l'embrassa derrière l'oreille.

Meg s'écarta avec un sursaut indigné.

— Général… Napoléon, je vous en prie !

— Ne jouez pas les ingénues avec moi, Nathalie ! s'exclama-t-il, toujours riant. Vous n'êtes pas venue ici pour boire ce liquide insipide, mais pour passer un moment avec Napoléon Bonaparte.

Quand il l'attira de nouveau à lui et que sa bouche chercha la sienne, Meg lui permit de l'embrasser sans toutefois répondre à son étreinte. Puis elle recula avec fermeté pour se dégager.

— Vous prenez trop de libertés, général… dit-elle avec un petit rire qui ôtait tout mordant à son reproche. À présent, je dois m'en aller ou je serai en retard.

Elle ramassa ses gants avant d'ajouter :

— Je trouverai mon chemin, ne vous inquiétez pas.

En homme qui, de toute évidence, n'aimait pas à être contrecarré dans ses entreprises, il se rembrunit de nouveau.

— Vous dînerez ici, avec moi, demain soir, finit-il par dire.

Meg hésita. Cela signifiait sans aucun doute un dîner en tête à tête, et Bonaparte ne paraissait pas être partisan d'une cour subtile et prolongée. Saurait-elle modérer ses ardeurs, tout en l'appâtant suffisamment pour qu'il accepte une rencontre selon ses propres vœux ?

Malgré ses craintes, elle n'avait guère d'autre choix que d'accepter car elle pressentait qu'il perdrait rapidement tout intérêt pour elle si elle le faisait trop languir.

— Peut-être... murmura-t-elle en enfilant ses gants, doigt après doigt, en un jeu sensuel qui retint le regard captivé du général.

— Demain soir, insista-t-il en passant la langue sur ses lèvres. Je vous enverrai ma voiture à 20 heures.

— Non, je viendrai dans ma propre voiture et elle m'attendra. Je suis une femme indépendante, général, ajouta-t-elle en lui effleurant la joue du bout de son doigt ganté. J'aime procéder à mes propres arrangements.

De nouveau le visage de Bonaparte s'assombrit, au point que Meg crut qu'il allait exploser. Soudain, il rejeta la tête en arrière et s'esclaffa.

— Vraiment, Nathalie Giverny ? répliqua-t-il en lui agrippant le poignet. Eh bien, sachez que j'apprécie l'esprit d'indépendance, madame. Soyez ici demain à 20 heures.

Il tourna sa main de manière à baiser l'intérieur du poignet.

— Je vous attendrai avec la plus vive impatience.

— À demain, alors, dit Meg en se dirigeant vers la porte.

Ce ne fut que lorsque celle-ci se referma derrière elle qu'elle prit conscience des battements précipités de son cœur.

En voyant le colonel surgir de l'embrasure d'une fenêtre, Meg ne douta pas un instant qu'il l'avait attendue.

— Une visite plutôt brève, commenta-t-il.

— J'ai un rendez-vous, répondit Meg avec hauteur. Mon cocher doit m'attendre dans la cour.

— Permettez-moi de vous raccompagner, dit-il en lui présentant son bras.

Quand ils parurent dans la cour baignée de soleil, Cosimo sauta à bas de son siège de cocher. Meg adressa alors à l'aide de camp un froid sourire de remerciement.

— Au revoir, colonel.

Montaine s'inclina et, perplexe, suivit des yeux l'équipage qui s'éloignait.

Cette femme ne ressemblait pas aux autres conquêtes de Bonaparte, trop enclines à le flatter bassement et à prolonger indûment le temps qu'il daignait leur accorder.

Jamais Montaine n'avait vu une femme admise auprès du général le quitter si rapidement, en arborant une expression aussi détachée. Voilà qui n'avait pas dû plaire à Napoléon Bonaparte !

Quand l'aide de camp se présenta dans son cabinet de travail, il trouva le général arpentant les lieux à grands pas, les mains nouées dans le dos.

— C'est une femme indépendante que cette Mme Giverny, Montaine, déclara-t-il. Elle accepte de venir dîner demain, mais elle viendra dans sa propre voiture.

Il laissa échapper un bref éclat de rire avant d'ajouter :

— Elle est intéressante, à n'en pas douter !

— Certes, mais j'aurais aimé procéder à une petite enquête à son sujet. Peut-être est-il un peu prématuré de l'inviter à un dîner intime, mon général...

— Que voulez-vous insinuer ? demanda Bonaparte sans aménité.

Montaine s'éclaircit la voix.

— Euh... rien pour l'instant, mon général. Mais cette dame est nouvelle en ville, personne ne la connaît et elle n'est pas... Disons qu'elle est différente.

— Justement. Et c'est ce qui me plaît en elle.

— Je voudrais être certain qu'elle ne poursuit pas un but ultérieur en vous courtisant.

— Quel but « ultérieur » pourrait-elle poursuivre ? rétorqua le général en le considérant avec stupeur. Je suis Napoléon Bonaparte, que diable ! Et puis, ajouta-t-il avec un sourire désarmant, vous vous trompez, Montaine. C'est *moi* qui la courtise.

— Oui, mon général, j'ai bien compris. Il n'empêche que j'aurais aimé en savoir plus sur elle. Sa réputation...

— Oh! que m'importe! Il ne s'agit que d'une liaison éphémère, et je crois que je suis sur la bonne voie. Si cela ne vous plaît pas, Montaine, prenez votre soirée et Gilles vous remplacera.

— Mais, mon...

— Il suffit! coupa Bonaparte en se tournant vers son bureau. J'ai du travail, et vous aussi. Apportez-moi les bordereaux de ravitaillement de l'*Arabesque*.

— Bien, mon général.

Montaine salua, puis, la mine grave, quitta le cabinet de travail. Il n'était pas en son pouvoir d'empêcher le général Bonaparte de suivre son bon plaisir en la matière, et il n'avait aucune preuve à apporter pour justifier ses réserves.

En tout cas, pour le moment.

*
* *

— J'espère que vous avez passé un bon moment, Madame? s'enquit Cosimo par-dessus son épaule tout en guidant les chevaux hors de la résidence.

— Un moment assez plaisant, Charles. Encore que le général soit un homme fort occupé et que notre entretien ait été bref. Il m'a invitée à dîner demain...

— Je suis sûr que Madame s'amusera beaucoup. Où ce dîner aura-t-il lieu?

— Dans les appartements particuliers du général, je suppose.

— C'est un privilège...

— Certes, acquiesça Meg d'un ton plutôt morne.

En voyant les épaules de Cosimo se raidir imperceptiblement, elle s'en voulut de n'avoir pas gardé pour elle l'incertitude qui l'assaillait.

Car il lui faudrait attendre ce soir – lorsque la maison serait endormie – pour que Cosimo puisse ranimer son courage défaillant.

*
* *

Il ne vint dans sa chambre qu'au petit matin.

Ce n'est que lorsqu'ils eurent fait l'amour, de façon bien plus tendre et douce que la nuit précédente, que Cosimo, détendu, la tête reposant sur ses mains croisées, laissa parler Meg.

Tout en arpentant la chambre, elle lui donna les détails de sa visite au quartier général de Bonaparte.

— Le fait que je ne me laisse pas dominer ne lui a pas plu, conclut-elle. Mais je crois que cela a accru sa curiosité.

— Et piqué son désir, sans aucun doute, renchérit Cosimo. Souviens-toi, nous avions décidé que ce serait la meilleure stratégie.

— Je sais. Il n'empêche que j'ai un peu peur, Cosimo. Que se passera-t-il, demain, s'il devient furieux lorsque je refuserai de… de…

Elle écarta les mains en un geste éloquent.

Sautant à bas du lit, Cosimo lui prit les poignets et l'attira sur ses genoux.

— Tout d'abord, tu dois te rappeler que je serai dans la cour pendant toute la soirée. Si jamais tu as besoin de moi, arrange-toi pour bouger les rideaux un instant. J'accourrai aussitôt.

— Tu sais quelles sont ses fenêtres ? demanda Meg, surprise.

— Bien sûr.

— Mais si je t'appelle à l'aide, est-ce que cela n'anéantira pas tous nos plans ?

— Pas forcément. Personne n'a besoin de savoir que tu m'as fait signe, et je m'arrangerai pour justifier mon intervention d'une manière ou d'une autre. Ce sera suf-

fisant pour tempérer l'ardeur du général… momenta-
nément, espérons-le.

— Et si jamais je ne pouvais pas arriver jusqu'à la
fenêtre? demanda Meg en pivotant pour le regarder.

L'expression de Cosimo était aussi grave que sa voix.

— En dernier ressort, simule une syncope. Bonaparte déteste la faiblesse sous quelque forme que ce
soit, et les ennuis encore plus. Avoir une femme évanouie dans sa chambre suffira à le faire détaler.

— Mais cela le dissuadera pour de bon, fit remarquer Meg.

— Ce serait un sérieux revers, je l'admets. Mais j'ai
confiance en toi. Tu t'en sortiras avec les honneurs, j'en
suis persuadé.

Il y avait une telle sincérité dans cette affirmation
que Meg sentit renaître son courage.

— Il faut que tu te reposes, reprit Cosimo en remarquant la pâleur de son visage et les cernes sombres qui
marquaient ses yeux. Une dernière chose, toutefois: tu
dois te méfier de Montaine. Sa tâche principale est de
surveiller les candidates au lit du général. Je l'ai surpris en train de tourner autour de ton secrétaire.

— Je ne vois pas ce qu'il pourrait découvrir sur Meg
Barratt, originaire du Kent…

— Moi non plus, prétendit Cosimo.

Un léger doute lui titillait toutefois l'esprit, mais il
n'en fit pas part à Meg qui avait ses propres craintes à
affronter.

Après l'avoir soulevée entre ses bras, il l'étendit sur
le lit et embrassa ses paupières l'une après l'autre.

— J'aurai l'œil fixé sur ces fenêtres tant que tu seras
à l'intérieur, promit-il.

Là-dessus, il souffla les bougies puis quitta la chambre
sans bruit.

Meg se pelotonna sous la couverture. Comment se
sentirait-elle, une fois son rôle dans cette sinistre
affaire achevé? L'échéance était si proche que, pour la
première fois, elle pouvait envisager ce qui se passe-

rait ensuite. Comment allait-elle pouvoir reprendre une vie normale ?

Cosimo avait dit qu'ils rejoindraient la *Marie-Rose* pour faire route vers l'Angleterre. Mais comment parviendrait-elle à poursuivre une liaison entachée de sang ? Bien sûr, sa raison admettait la nécessité d'un tel acte ; il n'empêche que son être profond ne l'acceptait pas.

Le problème était qu'elle accepterait encore moins la mort de Cosimo.

24

Après une journée interminable, bien que ponctuée de nombreuses visites, le soir arriva enfin.

De nouveau, Meg fut surprise du calme qu'elle ressentait lorsqu'elle descendit l'escalier, la traîne de sa robe de soie vermillon sur le bras. Un châle de dentelle noire en voilait le décolleté vertigineux, tout en formant un contrepoint spectaculaire avec la couleur de la robe. Un collier et des boucles d'oreilles ornés d'opales noires, dont Cosimo avait refusé de lui révéler la provenance, ajoutaient la touche finale à sa tenue.

Parvenue dans le vestibule, Meg déploya son éventail de soie noire et, d'un mouvement imperceptible des sourcils, interrogea Cosimo qui l'attendait.

Il opina très discrètement tout en ouvrant la porte.

— La voiture de Madame est avancée.

Quand il lui présenta sa main pour l'aider à monter dans la calèche, il lui serra brièvement les doigts en signe d'encouragement.

— Tu es divine, murmura-t-il.

— Je le sais, répliqua-t-elle, ce dont elle fut récompensée par l'éclair amusé qui pétilla dans les yeux de Cosimo.

Lorsque la voiture se présenta devant les grilles du quartier général, il fut évident qu'on attendait leur arrivée. Les sentinelles se précipitèrent pour leur ouvrir, puis un aide de camp accourut dès que la calèche s'arrêta devant la porte.

— Bonsoir, madame, dit-il en ouvrant la portière. Le général Bonaparte vous attend.

Meg, qui s'était préparée à retrouver le sinistre Montaine, se réjouit en découvrant le visage avenant du nouveau venu. Elle lui sourit avec chaleur tandis qu'il l'aidait à descendre.

— Mon cocher m'attendra dans la cour, précisa-t-elle.

— Si vous voulez bien m'accompagner, reprit l'aide de camp en indiquant la porte d'entrée ouverte, par laquelle un flot de lumière s'écoulait sur le gravier de la cour.

Le cœur de Meg manqua un battement. L'espace d'une seconde, son calme parut refluer, mais il lui suffit de déglutir puis de détendre ses épaules pour recouvrer son sang-froid.

— Merci, dit-elle en prenant le bras qu'on lui présentait.

Cette fois, le général se trouvait dans le salon lorsqu'elle y pénétra. Il l'accueillit avec un sourire éclatant tout en se précipitant à sa rencontre.

— Ma chère Nathalie… vous êtes ravissante ! Laissez-moi vous offrir un verre de champagne. Gilles ! Du champagne pour Mme Giverny !

Ses mains toujours refermées sur celles de Meg, il fit un pas en arrière pour la détailler du regard.

— Délicieuse ! Absolument délicieuse.

— Vous êtes trop aimable, général, murmura Meg en se libérant pour prendre la coupe que lui tendait l'aide de camp. Le colonel Montaine est absent, ce soir ?

— Montaine n'est pas de service, répondit Bonaparte, dont les yeux s'assombrirent. Mais vous ne devriez pas vous inquiéter de lui.

— Oh ! pas du tout ! J'étais simplement habituée à le voir à vos côtés…

Avec un sourire désinvolte, Meg fit mine de boire quelques gorgées de champagne. Que signifiaient l'absence de l'aide de camp ainsi que la contrariété, fugitive mais réelle, du général ? Le colonel se serait-il attiré sa disgrâce en le mettant en garde contre la jolie veuve ?

— Ce sera tout, Gilles, dit Bonaparte en congédiant son aide de camp. Qu'on serve le dîner dans un quart d'heure.

Quand ils furent seuls, il se tourna vers Meg.

— À présent, Nathalie, faisons vraiment connaissance.

Au moment où il s'apprêtait à lui prendre la main, elle se leva pour aller entrouvrir la porte du salon.

— Excusez-moi, Napoléon, dit-elle avec un sourire suave. Un tête-à-tête serait un peu prématuré.

Il fronça les sourcils, puis partit d'un petit rire sec.

— Je ne vous imaginais pas si soucieuse des convenances, madame.

— Dans ma situation, on ne peut se montrer trop prudente, répliqua-t-elle en retournant vers lui, les mains tendues. Tout est différent, pour les femmes, Napoléon.

— Oui, je le suppose, convint-il d'un ton plus amène. Mais venez donc me parler de vous, ajouta-t-il en l'entraînant vers le sofa.

Meg lui conta l'histoire qu'elle connaissait sur le bout des doigts.

— Le comte de Giverny était âgé, aussi sa mort n'a-t-elle pas été une surprise, conclut-elle. Cependant, même s'il était plus un père qu'un époux pour moi, je ressens sa disparition tous les jours.

Du bout du doigt, elle fit mine de cueillir une larme sur sa paupière.

— Que c'est triste pour vous ! dit-il, l'air sincèrement apitoyé. Être si jeune, seule au monde…

— Je ne suis pas *si* jeune, Napoléon, corrigea Meg avec un léger sourire. En vérité, je crois que nous avons le même âge. Et en dix ans, vous en avez accompli presque autant qu'Alexandre le Grand en personne.

— Croyez bien, ma chère Nathalie, que je n'en suis qu'au début et que le monde n'a encore rien vu. Mes victoires auront rejeté Alexandre dans l'ombre avant que j'aie dit mon dernier mot.

Napoléon Bonaparte parlait avec une conviction si sereine, une confiance si absolue, que Meg en eut le souffle coupé. Elle commençait à comprendre pourquoi ses hommes l'adoraient, le vénéraient, même.

— Je me demandais quel effet cela vous faisait d'être de nouveau à Toulon, cinq ans après en avoir chassé les Anglais, reprit-elle. Il paraît que cette victoire a marqué un tournant décisif pour la nouvelle République.

— Ah, Nathalie, répondit-il avec un sourire radieux, chaque minute que je passe dans cette ville me rappelle ce splendide succès.

— Vous n'aviez que vingt-quatre ans, poursuivit-elle dans l'espoir de maintenir la conversation sur ce terrain inoffensif. Je serais si heureuse que vous me parliez de cet épisode ! À présent que je connais un peu Toulon, les détails m'intéressent beaucoup.

— Au cours du dîner, promit-il à l'instant où une porte s'ouvrait.

— Le dîner est servi, monsieur, annonça un laquais.

— Parfait, je meurs de faim ! s'exclama Napoléon en caressant son estomac légèrement proéminent.

Il invita Meg à passer dans une petite salle à manger attenante où une table ronde était dressée pour deux. Des chandeliers jetaient une douce lumière dorée sur la nappe immaculée, l'argenterie précieuse et les verres en cristal délicatement taillé.

— Qu'avons-nous ce soir, Alphonse ? demanda-t-il avec un entrain manifeste au maître d'hôtel.

Celui-ci s'inclina, puis commença à annoncer le menu :

— Comme premiers plats, mon général, des ortolans braisés aux raisins, un bar rôti sauce écrevisse ainsi qu'un civet de lièvre. Puis, comme plat de résistance, une selle de chevreuil sauce bordelaise servie avec une mousse légère de pois gourmands.

— Excellent, excellent, approuva Bonaparte. J'espère que cela vous plaira, madame.

— J'en suis certaine, murmura Meg qui, bien que dotée d'un solide appétit, s'était sentie défaillir à ce simple énoncé.

Le général, cependant, fit honneur au repas. Tout en décortiquant le minuscule oiseau qu'on lui avait servi, Meg reprit :

— D'après ce que j'ai lu, c'est votre décision d'attaquer le fort de l'Éguilette qui a provoqué la déroute des Anglais. Le capitaine Guillaume m'y a conduite et a tenté de me décrire l'assaut mais, bien sûr, il n'y a pas assisté en personne. J'aimerais tant vous l'entendre raconter…

— Je vais vous montrer, ma chère, comment cela s'est passé exactement, déclara Bonaparte après s'être essuyé la bouche.

À l'aide des verres et des couverts qu'il disposa sur la nappe pour indiquer les positions respectives des troupes en présence, il recréa pour elle la prise de Toulon. Malgré elle, Meg fut fascinée. Quoi qu'elle pût penser de l'homme, elle devait reconnaître que le chef de guerre possédait une science de la stratégie qui confinait au génie.

Adroitement, elle le fit parler ensuite des autres étapes de sa fulgurante ascension. De toute évidence ravi de satisfaire un public attentif et connaisseur, Napoléon Bonaparte n'en oublia pas pour autant de manger. Ce fut avec un étonnement voisin de l'ébahissement que Meg le regarda engloutir volaille, poisson et gibier sans cesser de parler.

Enfin, il reposa ses couverts.

— Dites à Alphonse d'apporter le dessert, commandat-il au laquais.

Cette fois, ce furent des pêches, des sabayons, des brioches garnies de fromage et un étonnant gâteau surmonté d'un voilier arborant le drapeau tricolore qui vinrent garnir la table.

— Magnifique! déclara le général en se frottant les mains. Alphonse, vous vous êtes surpassé.

— Merci, mon général.

— Vous pouvez nous laisser. Nous nous servirons seuls.

Meg prit une brioche et attendit que le domestique eût quitté la pièce.

— Pardonnez-moi, Napoléon, dit-elle alors. Mais si nous devons rester seuls, j'aimerais que la porte reste ouverte.

— Sapristi, madame, que craignez-vous donc? Je n'ai pas pour habitude de forcer mes compagnes de table!

— Non, bien sûr, reconnut Meg avec un petit rire, et je n'entendais aucunement insinuer une telle chose. Mais je préférerais qu'il soit clair aux yeux de tous que vous et moi dînons simplement ensemble.

Bonaparte repoussa sa chaise pour aller ouvrir largement la porte menant au salon.

— Êtes-vous satisfaite, madame? Ou voulez-vous que je demande à Gilles de monter la garde? demanda-t-il d'un ton sarcastique.

Meg affecta un air consterné.

— Il me semble un peu injuste que vous vous mettiez en colère à cause d'une demande pourtant naturelle. Je crois qu'il est temps pour moi de partir...

Comme elle faisait mine de se lever, il revint précipitamment vers elle.

— Non, non, je vous en prie, Nathalie. Je ne voulais pas paraître impatient, mais je ne comprends pas pourquoi vous vous inquiétez tant. Vous êtes entourée d'amis, ici. Les membres de mon personnel me sont entièrement dévoués.

— J'en suis persuadée. Toutefois, j'aimerais qu'ils puissent dire la vérité au sujet de notre rencontre en toute bonne conscience.

Tout en le surveillant du coin de l'œil, Meg laissa échapper un long soupir.

— Les mauvaises langues se déchaînent à la moindre opportunité, savez-vous. Peut-être avez-vous déjà entendu murmurer à mon sujet...

— Sachez, ma chère, que je ne prête jamais attention aux rumeurs, assura-t-il en lui prenant la main. Et que je n'autorise pas mon personnel à le faire.

— Je crains fort que le colonel Montaine...

— Le colonel sait où se trouve son intérêt.

— Il est si difficile pour une femme seule de préserver sa réputation... insista Meg avec un nouveau soupir.

— Certainement. À présent, puis-je vous proposer un morceau de ce gâteau ?

De toute évidence, cette conversation embarrassait le général, mais Meg se félicita d'avoir réussi à poser quelques jalons.

— Juste une fine tranche, s'il vous plaît. Les nouvelles de Paris sont assez inquiétantes, ces jours-ci, continua-t-elle. On parlait d'un nouveau coup d'État au moment où je partais.

Comme elle l'espérait, le sujet détourna l'attention de Bonaparte et il se lança dans une analyse détaillée de la situation politique.

— Sans le soutien de l'armée, le Directoire aurait été renversé depuis longtemps, affirma-t-il.

— Allez-vous continuer à soutenir ses membres ?

— Cela reste à voir, madame, répondit-il en lui jetant un regard aigu.

— Évidemment, vous devez d'abord conquérir l'Égypte et le pourtour de la Méditerranée...

— C'est ce que je vais faire.

Le laquais se présenta à la porte.

— Souhaitez-vous prendre le café au salon, mon général ?

Napoléon consulta Meg du regard.

— Comme vous voudrez...

— Très bien. Au salon, donc. Vous nous apporterez aussi du cognac et du porto.

Meg accepta le bras qu'il lui offrait et ils retournèrent dans la pièce voisine. Les épais rideaux étaient tirés devant les fenêtres. Quand il vit que le regard de Meg s'attardait sur la porte – fermée – donnant sur le couloir, le général alla l'entrouvrir de lui-même.

— Voilà, madame. Votre pudeur est-elle satisfaite ?

— Je ne me soucie pas de ma pudeur, répliqua Meg d'un ton suggestif, mais de ma réputation. C'est cette dernière que je souhaite ne pas compromettre.

À ces mots, le regard de Bonaparte se fit perçant.

— Bien sûr, Nathalie, je le comprends parfaitement.

Il s'assit à côté de Meg sur le sofa et, tandis qu'elle versait le café, glissa lentement son bras derrière elle puis plaqua sa main sur ses reins.

Elle eut l'impression que la chaleur de sa paume la brûlait à travers la soie de sa robe. Au prix d'un énorme effort de volonté, elle parvint à ne pas bondir sur ses pieds.

Bientôt, ce sera fini, se raisonna-t-elle. Dans une demi-heure tout au plus, une fois le rendez-vous fixé, ce serait terminé. *Son* rôle serait terminé et elle ne reverrait jamais plus Napoléon Bonaparte.

Déclinant l'offre d'un verre de porto, Meg but son café à petites gorgées en essayant de faire abstraction de la main qui reposait toujours sur ses reins. Puis elle sentit que les doigts du général remontaient lentement le long de son dos en direction de son cou. Il se pencha alors vers elle.

— Savez-vous que je vous trouve très séduisante, ma chère Nathalie ? lui chuchota-t-il à l'oreille.

— Comme je vous l'ai dit, Napoléon, je ne veux pas compromettre ma réputation à la légère… murmura-t-elle tout en lui adressant un sourire sensuel, destiné à le convaincre de la réciprocité de ses sentiments.

Il resta silencieux un moment, plongé dans ses pensées. Finalement, il se leva, alla jusqu'à la console pour y remplir de nouveau son verre, puis il lui fit face, le front barré d'un pli.

— Alors, Nathalie, comment pourrions-nous nous arranger ?

Meg jugea que cette question directe méritait une réponse tout aussi directe. Après avoir joué quelques instants avec son éventail, comme si elle réfléchissait, elle le referma avec un claquement décidé.

— Si nous devons convenir d'un rendez-vous, Napoléon, il faudra que celui-ci soit le plus discret possible... hors de la ville et seulement tous les deux. Je vous demanderai de venir seul, comme je le ferai moi-même.

Elle rouvrit son éventail pour dissimuler à demi son visage, qu'il observait avec attention.

— Personne ne devra être au courant, insista-t-elle. Dans moins d'une semaine, vous serez parti et notre liaison ne sera qu'un souvenir. Mais moi, je serai encore ici et je ne peux pas, *je ne veux pas* être en butte à la calomnie.

— Je le comprends, ma chère. Je pense que je peux me soumettre à vos conditions sans problème.

— Vous me donnez votre parole que vous n'en direz rien à personne ? Mon Dieu ! s'exclama-t-elle en se levant avec une brusque agitation. Que suis-je en train de faire ? Je perds la raison quelquefois, quand je rencontre...

Elle ouvrit les mains dans un geste d'impuissance coupable.

— ... quand je rencontre quelqu'un qui m'attire irrésistiblement.

— Tant qu'on peut remédier à cette attraction... répliqua Bonaparte avec un sourire de triomphe.

— Certes, mais c'est la femme qui court le plus grand risque.

Au moment où Meg prononçait ces mots convenus, un frisson la parcourut. Une boule nauséeuse se forma dans sa gorge.

— Croyez-moi, Nathalie, je ne ferai courir aucun risque à votre réputation.

S'avançant vers elle, il lui prit les mains, puis l'attira brusquement à lui pour l'embrasser avec insistance sur les lèvres.

Meg se débattit en détournant la tête.

— Je vous en prie, Napoléon... Pas ici, je vous en supplie !

D'un geste brusque, il la lâcha. Les yeux injectés, le souffle court, il murmura :

— Pardonnez-moi, vous me rendez fou. Je ne peux attendre de...

Il ne termina pas sa phrase : ce n'était pas nécessaire.

Meg recula pour se rapprocher insensiblement de la fenêtre. Elle ne pensait pas qu'il lui faudrait en venir à cette extrémité, mais le simple fait de savoir que Cosimo veillait la rassurait.

— Lorsque le moment sera venu, promit-elle, soulagée d'entendre la relative fermeté de sa voix.

Bonaparte exhala un long soupir tout en se tamponnant le front avec un mouchoir.

— Vous êtes dure en affaires, Nathalie, mais il en sera fait selon votre volonté. Je vais m'occuper de tout. Vous aurez de mes nouvelles sous peu.

— Je les attendrai avec impatience, assura-t-elle avant de se pencher vers lui pour l'embrasser à la commissure des lèvres. En guise de promesse... lui murmura-t-elle à l'oreille. À présent, je dois vous quitter.

Le général tira le cordon de sonnette avec une brutalité à l'arracher du mur. L'aide de camp surgit alors que le dernier coup résonnait encore.

— Raccompagnez Mme Giverny jusqu'à sa voiture, commanda Bonaparte.

Puis, s'inclinant à peine devant elle :

— Je vous souhaite une bonne nuit, madame, dit-il avant de tourner les talons sans attendre sa réponse.

— Bonne nuit, général, murmura Meg, sous l'œil intéressé de l'aide de camp qui tenait la porte ouverte pour elle.

Bonaparte avait bien joué sa partie. Le bruit allait certainement se répandre que la belle veuve lui avait déplu d'une manière ou d'une autre. L'air déconfit, Meg regagna sa voiture et ne répondit que du bout des lèvres à l'aide de camp lorsqu'il prit congé.

Dès que l'équipage se fut mis en branle, celui-ci gagna les appartements du colonel Montaine afin de lui apprendre l'étonnante conclusion de cette soirée.

*
* *

C'est au moment où la voiture tourna le coin de l'église, juste avant d'arriver à la maison, que Meg commença à trembler. Quand Cosimo ouvrit la portière, elle resta pétrifiée, incapable d'esquisser le moindre geste ; ses dents claquaient et son cœur battait à tout rompre.

— Je me sens souillée… chevrota-t-elle en le regardant. Ô mon Dieu, qu'ai-je fait ?

Puis, de peur que les mots ne se déversent de manière incoercible de sa bouche, elle serra les lèvres.

— Nous sommes arrivés, Madame, dit alors Cosimo avec un calme parfait. Puis-je vous aider ?

Sans attendre de réponse, il saisit l'une des mains de Meg avec fermeté et la tira hors de la voiture. Quand elle mit pied à terre, il lui entoura la taille de son bras pour la soutenir.

Il n'y avait personne dans la rue, mais il pouvait y avoir des témoins aux fenêtres. Heureusement, le simple fait de sentir Cosimo à son côté insuffla à Meg assez de forces pour qu'elle parvienne à franchir le seuil de la maison sans s'effondrer.

— Appelez Estelle immédiatement, ordonna Cosimo au valet qui leur avait ouvert. Madame ne se sent pas bien. Madame, si vous me le permettez, je vais vous aider à monter l'escalier...

— Merci, Charles, réussit-elle à articuler, avant de porter la main à son front. C'est la chaleur, je crois. La soirée est étouffante...

Déjà, Estelle dévalait les marches, un flacon de sels à la main.

— Oh! Madame, vous êtes malade? s'exclama-t-elle en le passant à plusieurs reprises sous le nez de Meg.

— Je me sens déjà mieux, assura-t-elle. Charles va m'aider à gagner ma chambre.

La poitrine oppressée par une sensation désagréable, Cosimo soutint Meg jusqu'au seuil, puis se retira comme elle le lui demandait.

Sans doute avait-elle réussi, songea-t-il, sinon elle n'aurait pas prononcé ces paroles amères. Cependant, il ne ressentait rien. Pas le moindre sentiment de satisfaction, pas le plus petit frisson d'excitation à l'idée que, le piège étant tendu, il ne lui restait plus qu'à porter le coup décisif.

C'est avec une impatience grandissante qu'il attendit que tout le monde se soit retiré pour la nuit avant de retourner dans la chambre de Meg. Aucune lumière ne filtrait sous sa porte, mais il savait qu'elle ne dormait pas.

Quand il poussa la porte, le lit était vide.

— Meg?

— Je suis là, murmura-t-elle en se détachant de l'ombre des rideaux, devant la fenêtre.

— Je peux allumer une bougie? demanda-t-il en s'exécutant sans attendre sa réponse. Tu as eu une soirée difficile...

— Je n'ai pas mesuré à quel point c'était dur jusqu'au moment où tout a été terminé, avoua Meg en resserrant les pans de son peignoir autour d'elle. Je crois que je ne suis pas faite pour ce genre de choses, Cosimo.

— Non, je ne le crois pas non plus, dit-il en la soulevant pour la déposer sur le lit.

Après s'être allongé à côté d'elle, il attira sa tête au creux de son épaule.

— Mais ta tâche est finie, mon amour.

Meg se redressa sur un coude pour le regarder.

— Et toi, tu n'éprouveras rien… rien du tout quand tu *le* feras ?

— Je penserai au nombre incalculable de vies que je sauverai si cette guerre prend fin, répondit-il en toute honnêteté.

— Le pire est que je ne peux rien redire à cette logique… Bonaparte va prendre ses dispositions et m'en tenir informée. Est-ce que cela te convient ?

— Oui. Il se sentira plus en sécurité s'il organise lui-même la rencontre. Tu lui as dit que ce devait être près de la ville ?

— Assez près pour que je puisse m'y rendre seule, confirma Meg d'une voix sombre.

Cosimo l'attira de nouveau à lui pour la serrer dans ses bras, mais l'abattement de Meg résonnait dans son propre corps.

— Ton rôle est terminé, répéta-t-il.

— Est-ce que c'est censé me rasséréner ? s'exclama-t-elle en se redressant d'un mouvement brusque. J'ai tendu un piège mortel à un homme, Cosimo ! Et, te connaissant, rien ne pourra empêcher sa mort. J'ai fait ce que tu exigeais de moi ; maintenant, je veux que tu me laisses seule !

Elle sauta du lit et retourna se poster devant la fenêtre.

À son tour, Cosimo se leva. Un regard au visage obstinément détourné de Meg, à son dos rigide, lui suffit pour admettre sa défaite. Tout ce qu'il pourrait dire ce soir serait inutile.

Quand il s'approcha pour l'embrasser doucement dans le cou et qu'un tremblement la secoua, il recula comme s'il s'était brûlé.

L'air sombre, il quitta la chambre.

25

— La porte est restée ouverte tout le temps? répéta Montaine, sceptique.

— Oui, mon colonel, répondit Gilles.

— Et de quoi ont-ils parlé pendant le dîner?

— Principalement de la carrière du général, selon le domestique. Ainsi que de la situation actuelle à Paris.

— Le général n'a pas montré d'intérêt «particulier» pour Mme Giverny? insista Montaine qui tambourinait sur la table du bout des doigts.

— Personne n'a rien remarqué. Et quand elle est partie, il semblait mécontent.

— Hmm... Peut-être est-ce parce qu'elle le quittait? Ou bien lui a-t-elle déplu sur un point ou un autre?

— Je l'ignore, mon colonel. Mais il s'est montré d'une froideur à la limite de la grossièreté.

Montaine se gratta le menton. Voilà qui était pour le moins surprenant! Jamais une femme n'avait refusé les avances de Bonaparte... Cette veuve Giverny serait-elle l'exception? Se pouvait-il qu'elle fût restée insensible à la séduction d'un homme aussi puissant?

— Mme Giverny vous rappelle-t-elle quelqu'un? demanda-t-il brusquement à son second.

— Non, je ne crois pas. Qui donc?

— Bonaparte a dit qu'elle lui rappelait quelqu'un, et c'est ce qui a attiré son attention en tout premier lieu. Je ne vois aucune ressemblance avec les femmes que je connais, mais vous servez le général depuis plus longtemps que moi...

Gilles secoua une nouvelle fois la tête.

— Non, je ne vois pas. Mais je pense à une chose... le général consigne tout dans son carnet de bord. Peut-être y trouveriez-vous un indice?

— Peut-être. Encore que je n'aimerais pas qu'il me surprenne à fouiller dans ses journaux intimes! Je ne saurais même pas par quelle année commencer...

— Soupçonnez-vous Mme Giverny de quoi que ce soit? demanda Gilles en observant son interlocuteur avec curiosité.

Le colonel haussa les épaules.

— Il ne s'agit que d'une impression, rien de tangible. Si jamais le général se couche avant l'aube, j'essaierai de jeter un œil dans ses carnets.

Il ne nourrissait cependant guère d'espoir: Bonaparte ne dormait pas plus de deux ou trois heures par nuit, le plus souvent au point du jour. C'est-à-dire au moment où le quartier général s'éveillait, ce qui rendait toute opération d'espionnage particulièrement délicate.

— Vous pourriez lui poser la question, suggéra Gilles.

Montaine laissa échapper un rire bref.

— La dernière fois que j'ai fait allusion à cette dame, j'ai failli me faire arracher la tête. Je ne suis pas près de recommencer. Bonne nuit, Gilles.

Habitué aux manières abruptes de son supérieur, le jeune homme se retira aussitôt.

Resté seul, Montaine fit longuement tourner le pied de son verre de vin entre ses doigts, le regard dans le vague. Finalement, il repoussa sa chaise, sortit et se dirigea vers les appartements de Bonaparte.

Par la porte entrouverte, il aperçut un domestique qui rangeait le salon.

— Le général s'est-il retiré, Claude? demanda-t-il.

— Non, mon colonel. Il est sorti, il y a une demi-heure environ, pour monter à cheval.

— À cheval? Mais il est passé minuit!

— Il avait besoin d'exercice, c'est ce qu'il a dit.

— Qui l'a accompagné ?

— L'un des officiers de garde, je crois, mon colonel.

— Je vois... Je voulais vérifier l'agenda du général pour demain, reprit Montaine en traversant le salon pour gagner le cabinet de travail.

Il en laissa la porte à peine entrouverte. Comme toujours, en raison des horaires de travail imprévisibles de Bonaparte, le bureau était brillamment éclairé.

Sur une étagère se trouvaient ses journaux, reliés de cuir et classés chronologiquement. Montaine hésita un instant. Il ne se souvenait pas d'avoir rencontré une femme ressemblant à Mme Giverny depuis qu'il était au service de Bonaparte, c'est-à-dire l'année précédente.

Alors, l'année d'avant, peut-être ?

Il tira à lui le volume de l'année 1796, celle de son mariage avec Joséphine de Beauharnais. Montaine ne put s'empêcher de pincer les lèvres. Bonaparte adorait son épouse mais, accaparé par ses campagnes, il la voyait trop peu pour ne pas succomber à l'attrait de liaisons éphémères.

Le journal qu'il feuilletait – en grande partie consacré à la campagne d'Italie – contenait de méticuleux comptes rendus de batailles, annotés des remarques du général sur ses propres décisions, ainsi que quelques descriptions d'événements mondains. Intéressant, mais pas ce que Montaine recherchait...

Soudain, au bas d'une page, un nom attira son attention.

Alors qu'il se trouvait à Milan, après l'armistice de Cherasco, Bonaparte avait rencontré une Autrichienne, Ana Loeben.

20 mai : présenté par Giovanni Morelli à la comtesse Ana Loeben, délicieuse rouquine, gracieuse, bien éduquée, conversation brillante. Mari complaisant, apparemment. Mérite d'être courtisée ?

Pensif, Montaine tapota la ligne du bout de l'index. Tenait-il un indice ? Le général avait-il poursuivi cette Autrichienne de ses assiduités ? Avait-il réussi à conclure ? Faute de trouver une autre allusion à la comtesse dans les pages suivantes, il fut tenté de répondre par la négative.

Qu'une femme si semblable à celle remarquée à Milan ait surgi dans la vie de Bonaparte n'était probablement qu'une coïncidence. Cela n'excluait toutefois pas que quelqu'un ait pu se servir de la ressemblance entre les deux femmes pour attirer l'œil du général.

Au moment où il remettait le volume sur l'étagère, Montaine sursauta. Des voix résonnaient dans la pièce voisine puis la porte s'ouvrit à la volée. Bonaparte entra, la cravache à la main.

— Tiens, vous êtes là, Montaine, constata-t-il sans étonnement apparent.

— Je suis venu vérifier votre emploi du temps pour demain, mon général. Les capitaines veulent tenir une réunion pour décider des prochaines permissions.

— Bon sang, Montaine, ce genre de tâche ne requiert pas ma présence ! Vous pouvez vous en acquitter, non ?

— Bien sûr, mon général. Je voulais juste m'assurer que vous n'aviez pas besoin de mes services avant de fixer un horaire.

— Ah ! je comprends... Au fait, Montaine, je ne serai pas là demain soir. Vous pouvez prendre votre soirée, de même que tout mon personnel.

— Puis-je vous demander où vous allez, mon général ?

— Non, vous ne le pouvez pas, répondit Bonaparte en s'asseyant à son bureau. À présent, laissez-moi. J'ai du travail.

En quittant les lieux, l'aide de camp se dirigea droit vers le poste de garde et demanda à parler à l'officier qui avait accompagné Bonaparte à cheval.

— Où êtes-vous allé ce soir avec le général ? demanda-t-il au jeune lieutenant.

— Après être sortis de la ville, nous nous sommes arrêtés devant un petit mas. Le général m'a dit de l'attendre et il est entré dans la maison. Ensuite il est ressorti et nous sommes revenus ici.

— Il est entré dans la maison ? Quelqu'un lui a donc ouvert la porte ?

— Je le suppose. Mais il faisait sombre et je n'ai pas bien vu. Il a passé une dizaine de minutes à l'intérieur.

— Vous allez m'y conduire immédiatement.

Une demi-heure plus tard, Montaine se trouvait devant un petit mas aux murs blanchis à la chaux qu'il reconnut aussitôt.

Une semaine auparavant, avec Bonaparte et un détachement de soldats, ils étaient passés devant cette maison. Une vieille femme qui jardinait s'était précipitée vers eux, l'air ravi, et leur avait proposé de la tarte aux cerises tout juste sortie du four.

Bonaparte, qui jouissait d'une immense popularité auprès des gens du peuple, était descendu de cheval et l'avait suivie dans le jardin, où il avait dégusté sa part de tarte en s'entretenant avec la vieille femme et son mari.

Qu'est-ce qui avait pu l'inciter à retourner dans cette maison en pleine nuit ? Pourquoi avait-il tiré ces gens âgés de leur lit ? Qu'avait-il à leur demander ?

Cette histoire ne plaisait pas à Montaine, pas plus que la décision du général de sortir seul le lendemain... Et si c'était dans ce mas qu'il avait l'intention de se rendre ? Aurait-il arrangé quelque chose avec le couple ?

Un rendez-vous avec Mme Giverny !

Cela semblait couler de source. Pourtant, d'ordinaire, Bonaparte ne se déplaçait pas : ses conquêtes passaient la nuit au quartier général. Pourquoi était-ce différent avec *elle* ?

Lorsque l'aide de camp regagna Toulon, il était toujours plongé dans ses pensées. Inutile de faire part à Bonaparte de ses réserves quant au rendez-vous projeté : il refuserait de l'entendre. Il lui fallait donc assurer sa protection sans que le général soit au courant.

Si Montaine se trompait, il y aurait des retombées très déplaisantes pour lui. Cependant, s'il avait vu juste et qu'il s'abstenait d'agir, alors les conséquences pour Bonaparte et pour la France seraient incommensurables.

*
* *

Meg s'éveilla d'un sommeil si lourd, si profond, qu'il lui fallut quelques instants pour identifier le poids qui lui comprimait la poitrine. La douloureuse réalité la frappa lorsqu'elle s'adossa à ses oreillers : la mission allait arriver à sa conclusion aujourd'hui. Son rôle était terminé mais elle savait que, pour elle, il n'y aurait pas de fin.

Jamais elle ne pourrait oublier qu'elle portait la responsabilité de la mort d'un homme.

— Bonjour, Madame ! dit Estelle avec bonne humeur en poussant la porte. J'espère que vous vous sentez mieux, ce matin.

Après avoir déposé son plateau sur la table de nuit, elle alla ouvrir les rideaux. Le flot de lumière qui se déversa dans la chambre éblouit Meg.

— Oui, merci, murmura-t-elle en refermant les yeux.

— Ceci est arrivé pour vous, reprit Estelle en lui tendant une lettre avant de commencer à verser du chocolat odorant dans une tasse. Le messager est venu si tôt que M. Charles n'avait pas encore pris son service.

Meg eut beau retourner le pli entre ses mains, elle ne vit rien qui l'identifiât. Seul son nom figurait dessus, en lettres capitales.

— Je vous appellerai quand je serai prête, Estelle.

La femme de chambre eut l'air un peu surpris.

— Vous ne voulez pas que je prépare votre tenue pour ce matin, Madame ?

— Pas tout de suite, répondit Meg non sans impatience. Je ne veux pas me lever tout de suite.

Sitôt qu'Estelle fut sortie, Meg rompit le cachet de cire et déplia la feuille. Il n'y figurait qu'une heure : 22 h 30, et un plan méticuleusement dessiné. Rien d'autre. Ni signature ni formule de politesse.

Bonaparte avait de toute évidence pris sa demande de discrétion à cœur. Personne d'autre qu'elle-même n'aurait pu savoir à quoi se référait cette missive.

Le rendez-vous était donc fixé à ce soir, puisqu'il ne comportait aucune date. Cosimo serait-il prêt dans un délai aussi court ? Meg secoua la tête. Il était prêt depuis longtemps, n'attendant que de connaître le lieu et l'heure pour refermer le piège !

Tandis qu'elle buvait son chocolat à petites gorgées, elle se sentit gagnée par un froid détachement. Si elle voulait survivre à cette journée, à cette nuit, à toutes les suivantes, il lui fallait s'exercer à fermer son esprit à toute forme d'imagination.

*
* *

Cosimo se trouvait dans le vestibule lorsqu'elle descendit l'escalier une demi-heure plus tard.

— Bonjour, Madame, dit-il avec un détachement que contredisait le regard aigu qu'il attacha sur elle.

— Charles, j'ai quelques courses à vous confier, dit Meg sans répondre à son salut. Retrouvez-moi au salon. Oh… et apportez-moi du café, s'il vous plaît.

— Bien, Madame, répondit Cosimo qui, avec un demi-sourire, reconnut la faculté de Meg à jouer les comtesses hautaines.

Quand il entra dans le salon, chargé d'un plateau, Meg était assise à son secrétaire et lui tournait le dos. Comme elle ne paraissait pas s'apercevoir de sa présence, il toussota.

— Dois-je verser le café, Madame ?

— Oui, s'il vous plaît, Charles, acquiesça-t-elle d'un ton froid.

Cosimo regarda autour de lui. Fenêtres et porte étaient closes, il n'y avait donc aucune oreille indiscrète dans les environs. Pourquoi Meg affectait-elle une telle raideur ?

— Vous avez des ordres à me donner, je crois, Madame, reprit-il après avoir rempli une tasse de café.

Meg se retourna. Son visage, très pâle, paraissait sculpté dans le marbre. Sans mot dire, elle lui tendit une feuille de papier.

Cosimo jeta un coup d'œil à celle-ci, puis hocha la tête.

— Tu as rendez-vous avec Mme Beaufort pour déjeuner, n'est-ce pas ?

— Oui.

— Ne change rien à tes plans, fais ce que tu avais prévu de faire aujourd'hui.

— Ce soir, je devais aller au concert avec le capitaine Guillaume.

— Cela me paraît compromis. Je pense qu'il serait habile, durant ton déjeuner chez Mme Beaufort, de laisser entendre que tu ne te sens pas très bien. J'irai porter un message d'excuse à Guillaume après t'avoir ramenée à la maison.

— Et ensuite… ? demanda Meg d'une voix toujours atone.

De nouveau, Cosimo fut frappé par sa pâleur.

— Mon cœur, je sais que c'est difficile…

— Oui, ça l'est, coupa-t-elle avec brusquerie. Et plus tôt ce sera fini, mieux ça vaudra. Tu ne m'as pas encore dit comment nous quitterions Toulon pour rejoindre la *Marie-Rose*…

— Tu n'as pas besoin de le savoir maintenant, répliqua-t-il sans plus aucune trace de sollicitude. Tout ce que je te demande, c'est de te coucher de bonne heure, de renvoyer ton personnel, d'enfiler des culottes et de te trouver dans l'écurie à minuit exactement. Je t'y attendrai. Est-ce clair ?

— Très clair.

— Bien. À présent, je vais te laisser pour aller faire ces courses que tu dois me confier...

Cosimo tenta un sourire complice mais ne reçut aucune réponse. Après avoir haussé les épaules, il se dirigea vers la porte.

— Je vais aller repérer les lieux indiqués sur la carte. Mais je serai de retour pour te conduire chez les Beaufort à 13 heures.

*
* *

Cosimo se rendit à pied jusqu'à une écurie de louage aux limites de la ville. Là, il accepta la vieille rosse qu'on lui proposait, au prix qu'on lui demandait, afin de ne pas attirer l'attention. Puis il suivit les indications très précises du plan, ce qui le mena jusqu'à un petit mas isolé.

Assis sur un banc au soleil, un vieil homme somnolait tandis qu'une femme cueillait des haricots dans le potager. Hormis le mas, il n'y avait sur le terrain qu'un appentis, devant lequel une chèvre était attachée, ainsi qu'une cabane que Cosimo supposa être les cabinets.

Une résidence plutôt modeste pour le général Bonaparte, songea Cosimo en se demandant si le vieux couple resterait là durant la soirée. Cela n'avait guère d'importance, à vrai dire, car ils ne représentaient pas un obstacle important.

Il descendit de cheval, puis s'approcha de la barrière.

— Monsieur ? appela-t-il.

Le vieil homme s'éveilla en sursaut.

— Hein ? Hein ? marmonna-t-il en regardant le visiteur comme s'il venait de tomber du ciel.

La femme posa son panier sur le sol et, tout en s'essuyant les mains dans son tablier, vint vers Cosimo.

— Qu'y a-t-il pour votre service ?

— Pardon, madame, dit-il avec un sourire d'excuse, je cherche la route pour La Valette.

— Mon pauvre monsieur! Vous partez dans le mauvais sens. C'est tout à l'opposé, précisa-t-elle en pointant la route par laquelle il venait d'arriver.

Cosimo se récria sur sa propre stupidité et, sortant un mouchoir, s'essuya le front avec ostentation.

— Oh! mais entrez donc! lui dit la femme. Un verre de lait de chèvre vous rafraîchira. Et mon mari va donner à boire à votre cheval.

Avec force remerciements, Cosimo la suivit dans la petite maison. Elle était propre et il y faisait frais. Une échelle montait vers ce que Cosimo supposa être un grenier. Que Bonaparte s'accommode d'un couchage aussi spartiate n'avait rien de surprenant: il avait certainement connu pire lors de ses campagnes. Mais qu'il choisisse un lieu aussi rustique pour une nuit de passion avec une dame de la bonne société, cela paraissait pour le moins saugrenu. En d'autres circonstances, Cosimo s'en serait certainement diverti.

Il accepta une tasse de lait tiède, qu'il but en réprimant une grimace de dégoût. Entre chaque gorgée, ses yeux s'attardaient sur les moindres recoins de la petite pièce susceptibles de lui offrir une cachette. Il lui faudrait attirer le couple à l'extérieur, mais sous quel prétexte?

Avec bonne humeur, il engagea la conversation avec la vieille femme, ravie d'avoir un interlocuteur. Quant à son mari, lorsqu'il les rejoignit, il se montra encore plus prolixe. Cosimo apprit ainsi que leur fille, qui vivait dans un hameau voisin, devait accoucher d'un jour à l'autre. Et que leur fils avait rejoint l'armée de la République sous les ordres du grand Bonaparte.

Finalement, il prit congé en laissant deux pièces sur la table en guise de remerciement.

Quand il ramena le cheval à son écurie, son plan était établi.

Une fois revenu à la maison, il sortit la calèche de la remise et l'amena devant le perron. Meg l'attendait, vêtue d'une légère robe de mousseline vert céladon et coiffée d'un chapeau de soie assorti. Elle était encore d'une pâleur inaccoutumée, mais Cosimo décela une dureté, une résolution nouvelles dans la manière dont elle pinçait les lèvres et carrait les épaules.

Ils n'échangèrent pas une parole durant le trajet. Après l'avoir déposée chez les Beaufort, Cosimo gagna sa chambre et vérifia l'état de ses armes, couteaux comme pistolets. Puis il s'assit pour écrire à Meg. Il espérait qu'elle n'aurait jamais à lire cette lettre mais, dans le cas où il ne reviendrait pas, il fallait qu'elle sache comment quitter Toulon et se rendre sur la *Marie-Rose*.

Quand ce fut fait, il était l'heure pour lui de retourner chercher Meg.

Elle sortit de chez les Beaufort, soutenue par leur majordome.

— Mme Giverny est un peu étourdie, Charles, prévint celui-ci.

— Ce n'est rien, dit Meg d'une voix faible. Je ne supporte pas bien cette chaleur.

Après avoir remercié le majordome d'une courte inclination de la tête, Cosimo aida Meg à monter en voiture. Contrairement à son habitude, il risqua un propos personnel une fois que les chevaux se furent mis en marche.

— Comment te sens-tu? lui demanda-t-il par-dessus son épaule.

— Pour tout dire, je n'en sais rien. Cette journée me paraît interminable.

— Oui. C'est toujours comme ça.

Meg crut que son cœur allait cesser de battre. «C'est toujours comme ça!» Comment pouvait-il prononcer des mots pareils de manière aussi désinvolte? Combien d'assassinats avait-il donc commis?

Elle appuya sa tête sur le coussin et ferma les yeux. Elle qui rêvait d'aventure, de passion... elle les avait eues. Mais à quel prix, Seigneur!

Quand Cosimo l'eut aidée à descendre devant la maison, il murmura:

— Je ne te verrai plus avant que tout soit fini, Meg. Si jamais je n'étais pas dans l'écurie ce soir, ajouta-t-il en glissant une lettre dans sa main inerte, suis ces instructions. Tu m'as compris?

— Oui, répondit-elle tout bas.

Les doigts crispés sur le papier, elle commença à gravir les marches du perron.

Parvenue à mi-hauteur, elle se retourna pour regarder Cosimo, immobile près de la calèche. Dans la lumière crue de l'après-midi, ses yeux paraissaient d'un bleu encore plus éclatant. Le reverrait-elle jamais? Levant la main, elle esquissa un bref geste d'adieu puis franchit le seuil.

Elle passa le reste de l'après-midi dans sa chambre. Incapable de trouver le repos, elle tenta de lire, puis décida de s'allonger. Dès qu'elle ferma les yeux, des images terribles assaillirent son imagination. Après avoir envisagé de prendre du laudanum pour dormir au moins quelques heures, elle y renonça, de crainte d'avoir l'esprit brouillé.

Où était Cosimo? Que faisait-il?

*
* *

Cosimo arriva au mas peu après 20 heures. Bonaparte ne devant arriver que deux bonnes heures plus tard, cela lui laissait amplement le temps de prendre ses dispositions.

— J'y vais maint'nant, m'sieur? demanda le gamin qui l'avait accompagné alors qu'ils attendaient, dissimulés derrière un gros platane.

— Dans une minute.

Cosimo avait abordé le garçonnet sur la plage, où il ramassait du bois mort. La promesse de cinq sous avait suffi pour qu'il accepte de délivrer un message urgent.

— Voilà, tu peux y aller, finit-il par murmurer. Tu te souviens de ce que tu dois dire ?

— Oui, m'sieur. Le bébé arrive, ils doivent y aller tout de suite. Je saurai le faire, m'sieur, promis ! dit-il en tendant une paume crasseuse.

— Je te fais confiance, répondit Cosimo en comptant cinq pièces.

Puis il lui donna une petite tape sur l'épaule pour l'encourager.

Après s'être installé dans les branches basses du platane, Cosimo attendit. La porte de la maison ne tarda pas à s'ouvrir, livrant passage au vieil homme et à sa femme, tous deux chargés d'un baluchon. Ils se hâtèrent le long du chemin sans même jeter un regard en arrière.

Dès qu'ils furent hors de vue, Cosimo sauta de l'arbre. Une marche de presque deux lieues attendait le couple. Il était désolé de la leur infliger pour rien, mais au moins seraient-ils à l'abri du danger. Cosimo était sûr que, même en l'absence d'urgence, ils resteraient chez leur fille jusqu'au lendemain.

À pas de loup, il fit le tour du mas. La chèvre était enfermée dans l'appentis, les poules dans le poulailler et, Dieu merci, il n'y avait pas de chien. Comme il s'y attendait, la porte n'était pas fermée à clé. Sur la table se trouvaient une lampe soigneusement remplie ainsi qu'un briquet. Les vieilles gens n'avaient pas oublié leur auguste visiteur.

Cosimo grimpa à l'échelle. Le grenier sentait la pomme et la lavande. Les draps qui garnissaient le matelas de paille étaient propres et soigneusement tendus. Sur une caisse retournée, il aperçut une bouteille de cidre ainsi que deux bols. Plus touchant encore, deux pommes avaient été posées sur le traversin. Un petit présent pour les amants…

Il inspira à longs traits puissants avant de redescendre l'échelle et d'aller se dissimuler dans l'âtre de la grande cheminée.

Là, respirant à peine, la main posée sur le poignard attaché à sa cuisse, il attendit. Tous ses sens se tendaient, à l'écoute du premier martèlement de sabots qui résonnerait sur le chemin de terre.

*
* *

L'horloge venait juste de sonner huit coups lorsque le marteau de la porte d'entrée retentit. En entendant ce bruit inattendu, Meg sursauta et son cœur se mit à battre à tout rompre. Au moment où elle arrivait sur le palier, le valet de pied – en l'absence du majordome, auquel Mme Giverny avait accordé sa soirée – ouvrait la porte.

Quelle ne fut pas la stupeur de Meg de reconnaître la voix du colonel Montaine !

— Dites à Mme Giverny que l'aide de camp du général Bonaparte souhaite s'entretenir avec elle, dit-il avec, dans la voix, une pointe d'insolence qui alerta Meg.

Sa première pensée fut que Bonaparte l'envoyait pour annuler leur rendez-vous. Cependant, ce ton arrogant ne seyait pas à un simple messager. Montaine avait-il découvert quelque chose ? Cosimo était-il déjà entre ses mains ?

Sur la pointe des pieds, Meg retourna dans sa chambre et s'assit à sa coiffeuse. Estelle fit alors irruption.

— Qui vient à cette heure indue ? demanda Meg, elle-même étonnée par la fermeté de sa voix.

— L'aide de camp du général Bonaparte, Madame, répondit la femme de chambre, les mains crispées sur son tablier. Il dit qu'il veut vous voir.

— Vraiment ? s'exclama Meg avec une incrédulité appuyée. Allons, ma fille, je ne peux imaginer une telle demande de la part du colonel Montaine.

— Oh! mais si, Madame! Il a dit de vous dire qu'il voulait vous voir!

— Dans ce cas, il lui faudra patienter, décréta Meg en se tournant vers son miroir. Je ne suis pas visible dans cette tenue. Estelle, allez dire à Denis de faire entrer notre visiteur au salon. Qu'il le prévienne que je ne descendrai que dans quelques instants.

Quand Estelle fut sortie, Meg prit plusieurs profondes inspirations. Puis elle étendit ses mains devant elle : elles ne tremblaient pas. Quant à son front, il était frais et sec.

Il ne fallait surtout pas qu'elle pense à Cosimo. La moindre fissure dans la forteresse qu'elle avait dressée autour de son imagination entraînerait sa perte. Elle devait s'attacher à jouer son rôle, et faire confiance à Cosimo pour se tirer d'affaire.

Après avoir usé de poudre et de rouge pour masquer sa pâleur, elle ouvrit son coffret à bijoux et choisit un collier de perles. Elle l'attachait autour de son cou lorsque Estelle reparut.

— Le colonel Montaine, Madame... Il dit qu'il patientera.

— Je n'en attendais pas moins, dit Meg en se levant. Donnez-moi mon négligé de soie ivoire, Estelle. Si le colonel insiste pour me déranger, qu'il me prenne comme je suis!

Un déshabillé convenait parfaitement pour une soirée passée à la maison en toute intimité. Le colonel découvrirait ainsi qu'avec une grossièreté insigne, il importunait une dame jouissant d'une telle soirée. Meg compléta sa tenue par une fine coiffe de dentelle et une paire de chaussons en satin.

Ainsi parée, elle se dirigea vers l'escalier. Le souffle faillit lui manquer lorsqu'elle aperçut le détachement de soldats alignés dans le vestibule. Relevant le menton, elle passa devant eux pour gagner le salon.

— Colonel, bien que ravie de vous voir, je dois protester contre ce déploiement militaire chez moi.

Le colonel s'inclina avant d'indiquer le sofa de la main.

— Madame Giverny, veuillez vous asseoir.

Meg fronça les sourcils.

— À moins d'une erreur de ma part, colonel, nous sommes dans *ma* maison. Si j'ai envie de m'asseoir, je le ferai. Et si j'ai envie de vous inviter à vous asseoir, vous le pourrez. En l'occurrence, je n'ai envie ni de l'un ni de l'autre.

— Il se peut que vous ne sortiez pas d'ici ce soir, madame.

— Je n'en avais aucunement l'intention, colonel, rétorqua Meg en désignant son négligé. Il se trouve que je souffre d'une légère indisposition, et que je me préparais à prendre une simple collation dans mon boudoir.

Tout en parlant, Meg avait tourné les talons.

— Je suppose que vous n'y voyez pas d'objection ? ajouta-t-elle en posant la main sur la poignée de la porte.

— Madame, j'insiste pour que vous restiez dans cette pièce, dit Montaine en s'efforçant de ne pas montrer son embarras.

Il s'était attendu à surprendre Mme Giverny en train de s'apprêter pour un rendez-vous galant et non souffrante, vêtue d'un simple déshabillé, et sur le point de se retirer dans l'intimité de ses appartements.

Meg se retourna avec une lenteur délibérée. Le regard qu'elle lui jeta n'aurait pu être plus cinglant.

— Colonel Montaine, avez-vous une raison particulière de me traiter avec un tel manque de courtoisie ? Ai-je commis quelque crime ? Le général Bonaparte a-t-il autorisé une telle insolence de votre part ?

— Vous vous attendiez à retrouver le général ce soir… dit Montaine.

— Pas que je sache, répliqua Meg qui tira le cordon de sonnette tout en secouant la tête. Vous devez faire erreur, colonel. Et permettez-moi de vous dire une chose : vous commettez une erreur encore plus grande en me traitant avec une telle grossièreté.

Un instant, Montaine eut l'air indécis, voire soucieux. Lorsqu'il reprit la parole, son ton était plus modéré :

— Madame Giverny, veuillez pardonner mon manque de courtoisie. Croyez-moi, il n'était pas dans mes intentions de… Mais je dois vous demander de rester chez vous ce soir.

— Colonel, ce n'est pas vraiment une punition, riposta Meg avec un petit rire narquois. Comme j'ai tenté de vous l'expliquer, je n'avais pas l'intention de sortir. Ah ! Denis… poursuivit-elle en se tournant vers le valet de pied qui entrait. Il semblerait que le colonel ait décidé d'être mon invité, ce soir. Veillez à satisfaire ses désirs. Pour ma part, je dînerai dans mon boudoir, comme prévu.

Puis elle s'adressa à nouveau à Montaine.

— Faites comme chez vous, colonel. Mon personnel veillera à ce que vous ne manquiez de rien.

Mme Giverny parlait avec une autorité si confondante que, l'espace d'un instant, Montaine ne sut que dire. La pensée qu'elle risquait de profiter de sa solitude pour envoyer un message à un éventuel complice l'aida néanmoins à se reprendre.

— Je suis désolé, mais je dois vous prier de rester dans cette pièce.

— Par ordre de qui ? demanda-t-elle, la main déjà sur la poignée.

— De la République française, par les pouvoirs qui me sont conférés.

Meg signifia sa défaite par une légère inclination de la tête.

— Dans ce cas, peut-être me ferez-vous l'honneur de partager mon repas ? Denis, je dînerai finalement en bas, dans le petit salon. Nous n'allons pas faire de manières, n'est-ce pas, colonel ?

26

Cosimo jugea qu'il devait être à peu près 9 heures lorsqu'il perçut le premier martèlement de sabots. Mais le cheval n'était pas seul. Après avoir tendu l'oreille, il estima qu'il y en avait trois. Bonaparte se faisait-il finalement accompagner d'une escorte, ou s'agissait-il d'une avant-garde venue se livrer à une inspection préalable avant l'arrivée du général ? Dans ce cas, il ne lui restait plus qu'à prier pour qu'elle quitte les lieux une fois sa mission accomplie.

Du bout des doigts, il sonda le large conduit de la cheminée et trouva ce qu'il cherchait : un rebord assez large pour s'y accrocher et se hisser à l'intérieur. Le dos calé contre l'une des parois, il releva les jambes pour bloquer ses pieds contre la paroi opposée. Si la position était des plus inconfortables, elle avait le mérite de le rendre invisible.

La porte s'ouvrit peu après et un filet de lumière pénétra dans la pièce unique. Cosimo retint son souffle. Des pas résonnèrent sur le carreau ; quelqu'un donna des instructions à mi-voix ; l'échelle grinça. Soudain, une lanterne éclaira la cheminée, tenue à bout de bras par un homme qui en explora les recoins sombres. À quelques pieds au-dessus de sa tête inclinée, Cosimo avait cessé de respirer.

Enfin, l'homme se retira et Cosimo relâcha doucement son souffle. Leur fouille achevée, deux des soldats sortirent pour explorer les alentours tandis qu'un troisième s'installait sur une chaise dont Cosimo entendit crisser les pieds sur le sol.

S'appliquant à ignorer les crampes douloureuses qui lui cisaillaient les muscles, il essaya de prendre la mesure de la situation. Bonaparte allait-il venir, finalement, ou bien le complot avait-il été découvert ? Non, c'était impossible, puisque seuls Meg et lui étaient au courant !

Meg... Si l'on avait jugé utile de procéder à une fouille du mas, Meg avait dû, elle aussi, faire l'objet de soupçons.

Peut-être après tout ne s'agissait-il que d'une opération de routine. Une fois le lieu déclaré sûr, les soldats partiraient et Bonaparte arriverait comme prévu.

Cosimo entendit la porte se rouvrir, puis l'un des hommes annoncer qu'ils n'avaient rien trouvé hormis une chèvre et quelques poules.

— Bien. Nous allons prendre position dans le jardin, dit celui qui semblait être leur chef. Notre homme n'est ni dedans ni dehors pour le moment, donc je suppose qu'il n'est pas encore arrivé. Il aura la surprise de sa vie quand il mettra le pied ici, conclut-il avec un gloussement sinistre.

— Ouais, sergent... Vous croyez vraiment que le général est en danger ?

— Dieu seul le sait, répondit l'autre avec un reniflement ironique. Mais le colonel Montaine s'est persuadé que le nid d'amour de Bonaparte est un nid de vipères, et que la dame qui l'attend les jambes ouvertes est aussi dangereuse que l'aspic de Cléopâtre.

— Mais la dame, elle n'est pas là non plus...

— Non, et elle ne risque pas d'arriver. Montaine la tient plus serrée qu'une nonne dans son couvent.

Les hommes éclatèrent de rire, avant de sortir en claquant la porte derrière eux.

Cosimo se laissa redescendre dans l'âtre avec précaution. Une seule pensée le guidait : tout n'était pas perdu, puisque Bonaparte devait venir.

Il commença par enlever ses bottes puis, sur la pointe des pieds, alla se placer derrière la porte. À sa droite s'ouvrait une petite fenêtre dont les volets étaient repoussés pour laisser entrer la fraîcheur de la nuit. Dans sa main droite, Cosimo serrait son pistolet ; dans la gauche, son poignard. Quand Bonaparte se présenterait sur le chemin, il commencerait par faire feu et lancerait ensuite son couteau. Il ne doutait pas de toucher sa cible à deux reprises.

Immobile et silencieux, il attendit dans l'ombre. Aucun bruit ne trahissait la présence des soldats dans le jardin, mais eux aussi guettaient l'arrivée d'une proie.

Un bruit de sabots résonna soudain dans le lointain. Les yeux fixés sur le jardin baigné de lune, Cosimo resserra la pression de ses doigts sur le pistolet.

Bonaparte parut, monté sur un cheval des plus ordinaires. Après avoir mis pied à terre, il attacha les rênes au montant de la barrière, qu'il repoussa. D'une main ferme, Cosimo leva le canon de son arme et visa la poitrine sur laquelle, malgré ses prétentions à l'anonymat, Bonaparte avait épinglé un aigle d'or.

Et puis... et puis l'image de Meg s'imposa à son esprit, l'empêchant de voir sa cible. Cosimo eut beau cligner des yeux, secouer la tête, elle refusait de s'effacer. Il pouvait supprimer Bonaparte maintenant. Lui-même n'y survivrait pas, il le savait depuis que les soldats avaient pris position dans le jardin, mais c'était un prix qu'il avait toujours été prêt à payer.

Pas Meg.

Montaine la détenait quelque part. Jusqu'à présent, il n'avait aucune preuve contre elle. Toutefois, si Bonaparte était assassiné cette nuit par le majordome de Mme Giverny, elle était condamnée. Avant de mourir, elle souffrirait les mêmes tortures qu'Ana, sans que, cette fois, il puisse organiser son évasion.

Lentement, il laissa retomber sa main.

Il ne pouvait pas le faire.

L'impensable venait de se produire : il y avait quelque chose de plus important pour lui que l'accomplissement d'une mission qui aurait sauvé des milliers de vies. Cosimo aurait été prêt à sacrifier sa propre existence, s'il l'avait fallu, mais il refusait de condamner Meg à mort.

Il retourna vers la cheminée. À peine avait-il repris sa position inconfortable dans le conduit que Bonaparte poussait la porte. Tournant le dos au foyer, le général s'employa d'abord à allumer la lampe posée sur la table. À la pensée qu'à cet instant, d'un simple coup de couteau, il aurait pu mener sa mission à bien, Cosimo ferma les yeux.

Peu après, Bonaparte grimpa dans le grenier. Cosimo entendit le choc sourd de ses bottes qu'il laissait tomber sur le plancher. Au bout d'un moment, il redescendit et fit les cent pas en chaussettes ; puis il remonta, attendit encore, finit par remettre ses bottes et sortit du mas pour scruter le chemin.

Près d'une heure s'écoula avant que l'amant exaspéré ne souffle la lampe et sorte en claquant la porte derrière lui.

S'exhortant à la patience, Cosimo attendit plus d'une demi-heure après le départ du dernier homme pour s'aventurer hors de la cheminée.

Il était minuit passé lorsqu'il regagna le champ d'oliviers où il avait laissé sa monture. Faute de savoir où se trouvait Meg, il partit à bride abattue vers la maison.

Le temps leur était compté. En effet, le bateau de pêcheur qui devait les prendre à Hyères pour les mener sur la *Marie-Rose* partait à l'aube, avec la marée, et ne reviendrait pas avant deux jours ; la *Marie-Rose* ne pouvait prendre le risque de rester amarrée aussi près de Toulon plus de vingt-quatre heures.

Lorsqu'il tourna le coin de l'église, qu'il vit que toutes les fenêtres de la maison étaient illuminées, que des soldats montaient la garde devant la porte, Cosimo n'eut plus aucun doute : Meg était là ! Le soulagement qui déferla dans ses veines ne se pouvait comparer à rien de ce qu'il avait déjà éprouvé.

Après avoir contourné la maison pour gagner les écuries, il y laissa son cheval sans le desseller, puis se lava vigoureusement le visage et les mains dans une citerne pour en ôter le plus de suie possible. Quand il poussa la porte de la cuisine, les domestiques rassemblés autour du fourneau l'accueillirent avec un soulagement manifeste.

— Oh! monsieur Charles, si vous saviez! s'écria la gouvernante. Madame est dans le salon avec ce colonel, et il ne veut pas la laisser aller se coucher. Denis dit qu'elle lui a dit plein de fois qu'elle avait la migraine, mais il ne veut rien entendre. Hein, Denis?

— Oui, monsieur Charles, confirma le valet de pied. Et tous ces soldats... Ce n'est pas digne d'une maison convenable!

— Je vais m'en occuper, assura Cosimo en évitant de passer dans le halo de la lampe, de peur qu'il ne subsiste des traces noirâtres sur son visage. Allez vous coucher. N'oubliez pas que les feux doivent être rallumés dans quatre heures.

Cette dernière instruction donnée, il se glissa au sous-sol, où se trouvaient ses quartiers.

*
* *

L'horloge de la cheminée sonna 1 heure. Meg bâilla, puis appuya la tête sur le dossier de son fauteuil en considérant son vis-à-vis avec ironie.

— Colonel, pourriez-vous m'expliquer pourquoi je dois rester debout toute la nuit?

Montaine, qui bâillait lui aussi, se redressa un peu sur le sofa.

— J'attends un messager.

— Si seulement vous me disiez pourquoi vous devez l'attendre ici, *chez moi*! protesta Meg.

Elle finit par se lever et, tournant le dos au colonel, écarta les rideaux de la fenêtre pour regarder à l'extérieur.

Où était Cosimo ? Était-il vivant ? Prisonnier ? Gisait-il quelque part, en train de mourir de ses blessures ? Dans le meilleur des cas, il l'attendait dans les écuries, mais elle ne pouvait s'en assurer à cause de cet importun de colonel dont elle sentait encore, à ce moment précis, le regard sur son dos.

Soudain, la porte s'ouvrit.

— Madame, puis-je vous offrir du café ? Le colonel souhaiterait peut-être un cognac ?

Cosimo se tenait sur le seuil, impeccable dans son uniforme sombre, un plateau à la main !

Après s'être incliné devant Montaine, il alla déposer son plateau sur une console. Aussitôt, Meg s'approcha de celle-ci.

— Merci, Charles, c'est très attentionné de votre part. Avez-vous passé une agréable soirée ?

— Très agréable, merci, Madame.

Tout en tendant la main vers la carafe de cognac, Cosimo fit un signe de tête imperceptible en direction du colonel.

— Un cognac, colonel ? proposa Meg, incertaine de ce qu'il attendait d'elle.

— Oui, merci, marmonna celui-ci, visiblement excédé.

De la minuscule fiole qu'il tenait à la main, Cosimo laissa tomber quatre gouttes brunes dans le verre de cognac. Pendant qu'il lui versait du café, Meg offrit sa boisson au colonel, puis s'assit à côté de lui sur le sofa.

— Nous pourrions peut-être faire une partie de backgammon… Qu'en pensez-vous, colonel ?

— Je suis un joueur médiocre, répondit-il en haussant les épaules avant de porter son verre à ses lèvres.

— À cette heure de la nuit, moi aussi, rétorqua Meg. Mais si je veux garder les yeux ouverts, il faut que je fasse quelque chose.

Le majordome ayant installé le jeu sur une petite table placée devant le sofa, Meg se leva et alla s'asseoir face au colonel. Pendant qu'il buvait une large rasade de cognac, elle avança son premier pion avec un calme qui contredisait le chaos régnant dans son esprit.

Cosimo était sain et sauf ! Mais cela signifiait-il que Bonaparte était mort ? Comment Cosimo était-il parvenu à échapper au guet-apens que le colonel lui avait certainement tendu ? Cependant, si Bonaparte avait été tué, Cosimo ne serait pas ici... On l'aurait arrêté, tué peut-être.

Meg secoua la tête. Elle ne devait pas distraire son attention du jeu qui se jouait à cet instant... et qui n'était pas le backgammon.

Insensiblement, les gestes du colonel se firent plus lents, plus hésitants ; il semblait se tasser sur lui-même un peu plus à chaque minute. Pour finir, il lâcha le pion qu'il s'apprêtait à jouer tandis que sa tête tombait sur sa poitrine.

Cosimo accourut aussitôt.

— Bien, dit-il en prenant le poignet de Montaine pour en sentir le pouls, il est hors de combat pour plusieurs heures.

Il tira Meg pour qu'elle se lève et, l'espace d'un instant, referma les mains autour de son visage.

— Meg, il n'y a pas une seconde à perdre. Va t'habiller en homme et rejoins-moi dans les écuries. Et, pour l'amour du Ciel, fais vite !

— Inutile de te montrer aussi péremptoire. Je n'ai pas l'intention de flâner, figure-toi !

Parvenue dans sa chambre, Meg endossa en hâte la tenue d'Anatole, qu'elle gardait cachée au fond de sa garde-robe. Puis elle descendit l'escalier de service sur la pointe des pieds et, traversant la cuisine, sortit par la porte arrière. Comme aucune lampe ne brûlait dans les écuries, elle dut chercher son chemin presque à tâtons. Elle ne retint que de justesse un cri de surprise quand un bras lui saisit la taille.

— Tu m'as fait peur ! chuchota-t-elle avec irritation.

Trop heureux de la voir retrouver sa pétulance naturelle, Cosimo s'excusa à peine. La prenant par la main, il l'entraîna jusqu'à une ruelle derrière l'église où leurs chevaux les attendaient.

— Nous avons trois heures de retard, lui dit-il en l'aidant à se mettre en selle. Suis-moi de près.

Les premières lueurs de l'aube teintaient le ciel de rose lorsqu'ils finirent par atteindre une crique solitaire. Ils descendirent un chemin escarpé menant à une petite plage où mouillait un bateau de pêche.

— Et les chevaux ? s'inquiéta Meg.

— Paiement pour service rendu, répondit Cosimo en faisant signe à deux pêcheurs qui s'approchaient.

Certaine qu'un aussi bel animal serait bien traité, Meg caressa une dernière fois l'encolure de sa jument.

— Viens, maintenant, il faut profiter de la marée, dit Cosimo en la soulevant pour la porter dans le bateau.

Les deux pêcheurs étant montés à bord, il imprima une légère poussée à l'embarcation avant de s'y hisser à son tour.

Le soleil se levait tandis qu'ils s'éloignaient de la côte et faisaient route vers un groupe d'îles.

Lorsqu'ils eurent contourné la plus importante d'entre elles et que Meg aperçut la silhouette familière de la *Marie-Rose*, elle prit une ample inspiration et se tourna vers Cosimo. Lui aussi regardait le bateau, mais avec une expression qui parut étrange à Meg. Non pas sombre… mais presque interrogative.

Sans doute conscient de son observation, il tourna la tête vers elle. Une lumière éclairait ses yeux bleus, comme s'il venait de voir quelque chose dont il ignorait jusqu'à présent l'existence.

Dès qu'ils furent au flanc de la *Marie-Rose*, Frank Fisher descendit l'échelle de coupée.

— Bienvenue à bord, capitaine, mademoiselle ! s'exclama-t-il en aidant Meg à mettre le pied sur le premier échelon.

— Merci, Frank, dit Cosimo. Je crois que Mlle Barratt peut se débrouiller seule, ajouta-t-il avec un sourire en voyant Meg grimper avec l'agilité de celle qui a fait cela toute sa vie.

Toute la lassitude de Meg s'évanouit lorsqu'elle posa le pied sur le pont de la corvette et, quand elle entendit un croassement familier derrière elle, elle se retourna en riant.

— Bonjour ! Bonjour ! lança le perroquet, perché sur l'épaule de David Porter qui émergeait de l'écoutille.

— Je pensais bien que c'était vous, dit ce dernier avec un large sourire, mais non sans la détailler d'un œil professionnel. Vous semblez entière...

— Je le suis ! confirma-t-elle en présentant son bras à Gus qui ne se fit pas prier pour se percher dessus. Et Cosimo aussi.

— Cosimo... quoi ? demanda celui-ci en apparaissant à son tour à la coupée.

Avec un gloussement ravi, Gus s'envola vers son maître.

— Cosimo... est entier, précisa Meg. David s'inquiétait...

— Bonjour, David, dit Cosimo en serrant la main du chirurgien. Tout va bien à bord ?

— Une traversée sans problème. Et vous ?

— Couci-couça...

S'accoudant au bastingage à côté de Meg, Cosimo se mit à gratter le crâne du perroquet avec des marmonnements amicaux. Meg sentit que la tension qui l'habitait depuis l'instant où ils avaient quitté Bordeaux refluait doucement. Quoi qu'il se fût passé cette nuit, que sa mission eût été un succès ou pas, c'était fini.

Enfin Cosimo gagna l'arrière, où Mike le gratifia d'un sobre hochement de tête. Debout derrière son homme de barre, le capitaine de la *Marie-Rose* donna l'ordre de hisser les voiles.

Meg observa les hommes qui accomplissaient les gestes routiniers. Avec maints craquements et claquements, les voiles se gonflèrent puis la *Marie-Rose* prit le vent et s'ébranla lentement tandis que le petit bateau de pêcheur s'éloignait vers le continent.

Elle eut conscience de la présence de Cosimo derrière elle avant même qu'il ne pose la main sur sa nuque. S'appuyant contre sa paume chaude, elle ferma les yeux pour échapper à la lumière crue du soleil matinal.

— Tu ne l'as pas tué...

— Non, dit-il en enfonçant les doigts dans ses cheveux.

— Pourquoi ?

— Par amour, répondit-il, les yeux fixés sur la terre qui s'éloignait. Un sentiment curieux, dont je m'étais toujours demandé à quoi il ressemblait. À présent, ajouta-t-il en la faisant pivoter vers lui, je le sais.

Du bout de l'index, il suivit le contour de sa joue.

— Toi, tu as pu le dire, Meg. Je suis désolé qu'il m'ait fallu beaucoup plus de temps. Mais je t'aime, et tu es tout pour moi.

— Cela doit cependant t'affecter d'avoir échoué, cette fois, murmura-t-elle, hésitante.

— Oui, cela m'affecte, mais pas suffisamment. Peux-tu l'admettre ?

— Oui, dit-elle en levant la main pour caresser son visage.

Se retournant entre ses bras, Meg fit face à la mer.

— Où allons-nous ?

— Je t'ai promis de te ramener à Folkestone, répondit-il en l'enserrant étroitement. Je tiendrai ma promesse.

— Et si je t'en tenais quitte ?

— Alors, la *Marie-Rose* suivrait Bonaparte à Malte.

— Et son capitaine s'efforcerait de mener sa mission à bien ?

— D'une manière ou d'une autre. Nelson attend Bonaparte. Si nous ne rentrons pas en Angleterre, la *Marie-Rose* combattra au côté de l'amiral et de sa flotte.

— Moi aussi, je veux participer à ce combat.

— Par conviction ou par amour ?

— Les deux, assura-t-elle après un bref silence. Mais l'amour passe d'abord, ajouta-t-elle en nouant ses bras autour du cou de Cosimo. *Je vous aime*, corsaire Cosimo.

Des larmes brillaient dans ses yeux. Cosimo se pencha pour baiser ses paupières l'une après l'autre.

— Tu es tout pour moi... répéta-t-il. Et je vous aime, Meg Barratt.

Retrouvez toutes nos collections :

Le 3 juillet :

Un ange diabolique - Julie Garwood (n° 3092)

Caine le pirate a tendu son piège… Mais quand Jade paraît, le suppliant de l'aider, il en oublie sa traque. Jade est exaspérante mais l'incorrigible séducteur doit reconnaître qu'aucune femme ne l'avait enflammé à ce point ! Surtout lorsqu'elle s'abandonne à ses caresses en toute innocence…

Les noces de la passion - Laura Lee Guhrke (n° 8074)

Depuis qu'il a été infidèle, le vicomte John Hammond et sa femme Viola vivent séparément. Mais pour toucher un héritage très important, John doit avoir un fils. Il décide alors de reconquérir sa femme et, contre toute attente, retombe amoureux d'elle. Mais Viola, blessée, ne se laisse pas séduire si facilement…

**Nouveau ! 2 rendez-vous mensuels
aux alentours du 1ᵉʳ et du 15 de chaque mois.**

SUSPENSE

Le 3 juillet :

Cours dans la nuit - Karen Robards (n° 4041)

Lorsqu'on assure seule le nettoyage d'une entreprise de pompes funèbres, la nuit, des phénomènes étranges peuvent se produire. Sur la civière, un drap se soulève… Voilà Summer prisonnière d'un cadavre bien vivant ! Ex-policier en quête de rédemption, Steve Calhoun l'entraîne dans une course folle…

**Nouveau ! 1 rendez-vous mensuel
aux alentours du 1ᵉʳ de chaque mois.**

MONDES MYSTÉRIEUX

Le 3 juillet :

Sombre découverte - Shannon Drake (n° 8075)

Pour se remettre d'une relation douloureuse, Stéphanie part travailler chez sa cousine en Italie. Mais Grant, son ancien amant, participe à des fouilles archéologiques au même endroit. Fouilles qui ont réveillé des créatures du fond des âges. Les événements étranges qui se succèdent poussent Grant et Stéphanie à s'allier pour comprendre…

> **Nouveau ! 1 rendez-vous mensuel
> aux alentours du 1er de chaque mois.**

Passion intense

Quand l'amour vous plonge dans un monde de sensualité

Le 10 juillet :

Bouche à bouche - Erin McCarthy (n° 8077)

Russ Evans enquête sur un arnaqueur qui vole les femmes après les avoir séduites. Au cours de son enquête, il rencontre Laurel, une victime potentielle. La jeune et très séduisante aveugle accepte de l'aider. Mais leurs rapports vont vite devenir le fruit d'investigations beaucoup plus intimes…

> **Nouveau ! 1 rendez-vous mensuel
> aux alentours du 15 de chaque mois.**

Barbara Cartland

Le 3 juillet :

Un baiser de Paris - n° 1322 *∞ Collect'or*
Un paradis sur terre - n° 8073

Le 10 juillet :

Ballade écossaise - n° 4168

**Nouveau ! 2 rendez-vous mensuels
aux alentours du 1ᵉʳ et du 15 de chaque mois.**

8076

Composition Chesteroc Ltd
Achevé d'imprimer en France (La Flèche)
par Brodard et Taupin
le 09 juin 2006. 36089
Dépôt légal juin 2006. ISBN 2-290-35312-4

Éditions J'ai lu
87, quai Panhard-et-Levassor, 75013 Paris
Diffusion France et étranger : Flammarion